文史哲學集成

葉程義 著

王國維詞論研究

文史哲出版社 印行

王國維詞論研究／葉程義著.-- 初版.-- 臺北
市：文史哲，民 80
3,524 面；21 公分.--(文史哲學集成 235)
ISBN957-547-045-1(平裝) NT$ 400.00

1.王國維－學識－文學　2.人間詞話－批評，
解釋等

823.88　　80002711

文史哲學集成 235

王國維詞論研究

著者：葉程義
出版者：文史哲出版社
登記證字號：行政院新聞局局版臺業字〇七五五號
發行所：文史哲出版社
印刷者：文史哲出版社
台北市羅斯福路一段七十二巷四號
郵撥〇五一二八八一二彭正雄帳戶
電話：三五一一〇二八

定價新臺幣六四〇元

中華民國八十年七月初版

ISBN 957-547-045-1

王國維詞論研究　目錄

王國維詞論研究

前言

王國維爲吾國近代學術史上極爲傑出之一學者。其學術成就，非止一方面；舉凡西方哲學、文學，中國文學，中國古文字，古器物，古史地考證學，彼皆對之有精湛之研究而獲有傑出之成就。中國文學方面之成就，爲：詞之創作與詞之批評理論（詞論）之建立。創作則爲《苕華詞》（亦名《人間詞甲乙稿》）詞論則有專書與零散論述。專書爲其生前發表於雜誌、爾後印成單行本之《人間詞話》。零散論述則爲散見於其所撰述之其他各書之序跋與其他短文，爾後嘗被編入《人間詞話》作「補遺」之若干論述。本論文旨在研究其詞論；故僅研究其專書與零散論述二項，不及其他。

王國維之此等詞論，是否有其「值得吾人加以研究」之價值？此一問題，決之於如下之一原則。即：一種理論，需在何種情形之下，始有研究之價值？一般，有研究價值之學術理論，固應依其理論本身之價值，諸如：正確、精湛、周延、創意、……等以爲斷；然而不正確、不精湛、不周延、無創意、……等之理論，甚者其理論反正確、精湛、周延、創意、……等，諸如：楊朱之道，墨翟之說，孟子斥爲異端邪說①，亦仍有其研究之價值。由此可見：有研究價值之學術理論，其關鍵，不在理論本身之有無價值，而在其所給與當代或後代影響之大小。影響愈大，則其值得研究之程度愈高，影響愈低或無影響，其值得研究之高度，則遞而減之，以至於零。王國維之詞論，是否嘗予當代以影響？其答案極爲肯定。且其影響，雖或不可謂爲「極大」，要亦決可謂之爲「大」。此由其詞論發表之後，不知有若干學人以之爲對象而加以研究，或從而加以稱讚；不知有若干學人爭爲閱讀其《人間詞話》，從而詳加註解；由此類熱烈情況，即可見出：其詞論之於當代，具有何等高大程度之影響。且其詞論之內容，甚有價值；其影響爲正面良好之影響；非如邪說之僅有負面不良影響之可比。此尤值得吾人對之加以研究。

本論文研究之對象，既爲王國維之詞論而非王國維之本人；同時，僅研究王國維之詞論而不兼以同等分量研究王國維之本人；（王國維之本人，是否值得研究？乃另一問題。玆暫不論。）故對王國維本人之情形，不作一切皆詳加論述之處理。然而，孟子曰：「頌其詩，讀其書，不知其人，可乎？」②詞論之建立，與建立此詞論之人之性情與乎文學見解，乃有其極爲密切之關係。而述說一人之性情與乎文學見解，其生平之概略，自有其一述之必要。蓋此皆爲詞論形成之背景；不加述說，將使所作之詞論研究，予人以來歷不明之感覺。故本論文之「上編」，則論述王國維之生平概略、性情與其文學見解。此「上編」可謂本論文之預備論。本論文之「本論」，乃「下編」。編中詳盡討論王國維之一切詞論。舉凡一切應討論者，皆作周詳討論。此爲本論文之核心部分。最後之「結論」，乃對「本論」之所論述，作一歸納性之總結。

【附　註】

① 《孟子・滕文公》下：「聖王不作，諸侯放恣，處士橫議，楊朱、墨翟之言盈天下；天下之言，不歸楊則歸墨。楊氏爲我，是無君也；墨氏兼愛，是無父也；無父無君，是禽獸也！……楊墨之道不息，孔子之道不著，是邪說誣民，充塞仁義也。仁義充塞，則率獸食人也。」

② 宋朱熹《孟子集注》，四書類，頁六一一三。（臺北市，臺灣商務印書館，《文淵閣四庫全書》影印本。）

上編　王國維詞論形成之背景

第一章　王國維生平概略

王國維，初名國楨，國維爲爾後所改。字靜安，（或作「靜庵」。）又字伯隅。別號，初號禮堂。晚年間，自名其住宅曰「永觀堂」，故其別號乃改爲永觀或觀堂。淸光緒三年（一八七七年）十月二十九日，出生於浙江海寧。①民國十六年（一九二七年）六月二日，投水自殺於北平頤和園之昆明湖。享年五十一歲。②

王國維之祖籍爲河南開封。遠祖王珪、王光祖、王禀，皆北宋時武官，於國家頗有戰功。王禀嘗於宋欽宗靖康元年，任副都總管，於守太原城之時，爲國犧牲。朝廷嘗追謚忠壯公，封贈安化郡王。宋朝自開封向南方遷都至杭州之時，王禀之子王荀、王㠖，隨父遷住浙江海寧，後代子孫於是乃定居於海寧。王國維之高祖、曾祖、祖父，皆淸朝之國學生；故王氏可謂詩書門第、禮樂世家。父王乃譽，原亦爲淸朝秀才；嗣因洪楊之亂之故，乃放棄發展詩書世家之努力而改爲經商。母凌氏。姊王蘊玉。王國維僅有如此之一姊氏而無兄長弟妹。（後嘗有異母弟。）

王國維四歲之時，即不幸喪母。其父多在外奔波，無暇照顧家居之王國維。王國維之撫育，全賴其祖姑母（俗稱「老姑母」。即祖父之姐妹。）、叔祖母（即祖父之弟婦。）與長其五歲之姊氏。

王國維七歲始入私塾就讀。十一歲即有能力不賴師長指教而自己閱讀書籍。其家有書五六箱。彼除不喜讀《十三經注疏》外，③其餘諸書，無不喜讀。其時，其父奔其祖父之喪返家，從此即不再外出奔波；乃在家中教授王國維駢文、散文、古體近體詩。王國維甚爲聰穎，一教即通。且能迅予背誦。王國維爾後之有詩詞方面之成就，其根基，實奠於此。此時，王國維亦憑自修之力，習練金石書畫。

九歲之時，其父娶同縣葉硯耕之女爲繼室。

十六歲進入州學（州設立之學校）就讀。見友人閱讀《漢書》，亦設法借閱。一閱即對《漢書》感極大之興趣。於是即將小時所儲之錢，往杭州購買四史閱讀。彼嘗云：此爲其生平讀書眞正之開始。其時，彼嘗交結三親密學友。經常聚會而討論學術，興緻甚爲熱烈。此三人，爲：同縣之陳守謙、葉宜春、褚嘉猷。連同彼自己一共四人，鄉里之人咸稱讚之而呼彼等爲「海寧四才子」。而陳守謙推尊王國維爲四人中學問居首之人。葉、褚二人，亦對陳之此一推尊，無有異議。

十七歲就讀杭州崇文書院。十八歲參加鄉試（考錄舉人之考試。），未中式。三年後，又嘗赴試，又未中式。王國維覺此乃一甚無意義之出路，遂決意不擬再參加。其時康有爲、梁啓超等，正醞釀變法維新。王國維嘗閱若干宣傳文字，始知有所謂「新學」。彼認爲研究新學，參加維新運動之行列，固一有意義之事。於是乃朝此一方向而努力。然因家境貧窮，未能出至外地以求學問、事業方面之發展；於是經常悶悶不樂。

王國維二十歲時，與同縣莫應生之孫女結婚。二十二歲往上海謀出路。因無人事背景，此一出路極不易謀。幸其時汪康年主辦《時務報》。報社有一書記許默齋，爲王國維之同學。適因事須請假返鄉。此一書記職務，許卽請王國維代理。王國維始以此而謀得一職業。雖此職業待遇不佳。然有如此一職業，亦可謂爲王國維一生事業之一良好開始。

其時，羅振玉創農學報於上海。登載翻譯之歐洲、日本農學文字。因缺乏翻譯人才，乃設立一東文學社以培植此類人才。學社之敎授，乃聘得日人藤田豐八。王國維欲習日文，乃請求汪康年每日下午抽三小時時間，前往東文學社學習日文。汪康年欣然應允。然因報社工作甚爲繁重，王國維除聽課之外，了無絲毫空暇時間以作自修之用。以此，嘗習半載，而成績較之同儕，相差甚遠。其內心感到異常苦悶。

彼學社之學生，僅有六人。羅振玉初亦未嘗注意王國維。一日，於一偶然之場合，嘗見王國維於一學生之扇面所題之詠史七言絕句詩。末二句云：「千秋壯觀君知否？黑海西頭望大秦。」④羅振玉閱畢，大爲驚異。於是乃對王國維另眼相看。自此，王國維卽於羅振玉處，獲得甚多之資助、獎掖與啓廸。此爲王國維一生運會之大轉捩點。

王國維二十三歲時，東文學社又嘗聘一日人田岡佐代治爲助教。王國維就讀東文學社，已二年有半。一日，王國維於田岡佐代治之文集中，見所引康德、叔本華之語，語涵異常精闢，於是甚感興趣，卽欲多閱康德、叔本華之哲學理論。惜其時此類書籍，皆爲英譯；王國維之於文字上無由通曉；於是彼乃下定決心，學習英文。

王國維二十五歲時，羅振玉於上海創辦《教育世界雜誌》。聘王國維爲主編。不久，又資助王國維赴日留學。於日本東京物理學校修習理科。其時王國維晝則進修英文，夜則進修數理。如此爲時四五月，於幾何學甚感困難。適不幸又患腳氣病。遂於二十六歲時之夏天，自日返國。返國之次年，羅振玉薦之往通州師範學堂教授哲學、心理學與倫理學。彼因性情之故，甚有研究人生哲學之需要與興趣；遂自其時起，專心研究哲學。尤專心研究康德、叔本華、尼采之哲學。

二十八歲時，彼援引叔本華之意志哲學學說，撰就《〈紅樓夢〉評論》一長文，發表於其所主編之《教育世界雜誌》。此爲其首篇文學批評之著作。叔本華哲學乃悲觀哲學。大要爲：人皆有生活之意志，因此乃必有欲望。有欲望則必求得滿足。而人之欲望，實永遠無法滿足。蓋一欲望滿足之後，緊接又有第二欲望，又需求得滿足。人心不足蛇呑象，人之欲望永無終止之時，斯亦永無滿足之時。如此，人之內心，則永遠惟有痛苦，無有快樂。若謂吾人可以不必自討苦惱而執意於此等欲望之滿足，聽任其滿足不滿足皆等閒視之；斯則人之內心，又將感到異常空虛。空虛則較痛苦尤爲難受。故人生永遠爲一痛苦之人生。欲免除此痛苦，唯一之方法，乃否定一切生活之欲望。「否定」亦名「解脫」。解脫，非謂有欲望而不求滿足，卽非一般所云「知足常樂」，而乃於根本上不使生活有欲望。如之何而可不使生活有欲望？此則爲「出世」是已。具體言之，亦卽自殺。賈寶玉一生曾經嘗盡「男女欲望」之痛苦，最後出家爲僧，強烈否定生活之欲望。斯則已獲解脫矣。自來研究《紅樓夢》者，類多從事考證。能如王國維之以哲學觀點衡《紅樓夢》者，少之又少。王國維之此一《〈紅樓夢〉評論》，實可謂爲一文學批評之最傑出著作。

王國維二十九歲時，嘗彙集其當時近數年內發表於《教育世界雜誌》之若干文章與平日所作之若干詩篇，出版《靜安文集》一書。其內容，大致爲：闡發叔本華之學說。此外，亦有少許其他文學見解。其年，羅振玉回返故鄉丁憂。王國維亦辭職返家。自此家居甚久。有時塡詞消遣。然雖屬消遣，而所塡之詞，則異常成功。彼每自我欣賞，亦甚滿意。嘗云：「余之於詞，雖所作尚不及百闋，然自南宋以後，除一二人外，尚未有能及余者；則平日之所自信也。雖比之五代北宋之大詞人，余媿有所不如，然此等詞人，亦未始無不及余之處。」⑤正因如此塡詞之成功，王國維之治學興趣，乃復由哲學而轉入文學。

三十歲之時，王國維出版《人間詞甲稿》。其年，其父逝世。次年六月，其妻又逝世。十二月，其繼母又逝世。於未及二年之時間中，連喪三親人。此予王國維之刺激，實無比強烈巨大。故此一時期，王國維所塡之詞，皆悲涼悽惻。

三十一歲之時，王國維又出版《人間詞乙稿》。此爲其年十月間事。其年春間，羅振玉向清朝學部尚書蒙古人榮慶，推薦王國維往學部工作。三月間，王國維卽往北京任學部總務司行走，負責學部圖書局編輯事宜，編譯與審查教科書之類書籍。

王國維三十二歲之時，娶同縣潘祖彝之女爲繼室。

王國維三十三歲之時，清朝學部設名詞館。嚴復爲總纂，王國維任協修。

三十四歲之時（宣統二年。民國前二年。一九一〇年。）王國維撰就《人間詞話》六十四則。

宣統三年（民國前一年。一九一一年。）王國維三十五歲。其年農曆八月十九日，國曆十月十日，武昌起義成功，推翻滿清，建立民國。羅振玉不願承受此一世變，乃邀同王國維往日本東京。留居東京五年。於此段期間中，王國維之治學興趣，又由文學而轉向經史考據之學，以及古文字聲韻之學。此段期間，乃王國維一生治學最勤之期間，亦爲其學力最有進境之期間。

民國元年，王國維三十六歲，著手撰寫《宋元戲曲史》。民國二年，王國維三十七歲，《宋元戲曲史》撰成。

民國五年，王國維四十歲。因居住日本，生活費用均賴羅振玉接濟。其時，日本東京之物價異常昂貴。而羅振玉又屢常印書，所費不貲。王國維不欲於生活費用上再累羅振玉，乃欲辭別羅振玉先行返國。適其時同鄉鄒安，可薦彼於上海英籍猶太人哈同處編輯《廣倉學宭學術叢編雜誌》，彼遂決意返國。二月五日乘船啓程，二月九日卽到達上海。自此於上海爲哈同編輯雜誌，爲時二年。

民國十年，王國維四十五歲。出版《觀堂集林》二十卷。此爲其以當時數年內所發表於學術叢編中之文章，與發表於《雪堂叢刊》、《廣倉叢刊》中之舊作而編成之一書。

民國十一年，王國維四十六歲。受北京大學之聘，任北京大學研究所國學門之校外通訊導師。滿清雖被推翻，滿清之遜位皇帝宣統，則仍獲有「可以仍居清宮過其皇帝之私生活；」之優待。因此仍有南書房行走之類之官職。民國十二年，王國維四十七歲，應清朝宣統帝之邀請，往北京擔任南書房行走。負責整理內府所藏之彝器與書籍。此於王國維之學力進境，助益甚巨。

民國十四年，王國維四十九歲。應聘擔任清華學校國學研究院教授。彼原不願應聘，後由宣統下詔令其應聘，彼始應聘。於任此教授之後，其學術研究之方向，又有轉變，轉變爲專治邊疆民族史地。

民國十六年，王國維五十一歲。其年六月二日，彼於北平西郊頤和園之昆明湖，投水自殺。爲何竟自殺？世人推測之說法綦多。⑥本論文旨在論其詞論而不在論其爲人，故於此不加述說。

【附　註】

① 趙萬里《王靜安先生年譜》，頁一。（臺北市，臺灣商務印書館，民國六十七年，《新編中國名人年譜集成》第二輯。）

② 同上，頁五三。

③ 《靜安文集續編》自序一，頁一八九五。（臺北市，臺灣大通書局，民國六十五年，《王國維先生全集》初編㈤。）

④ 同註①，頁四。

⑤ 同註③，自序二，頁一九〇〇。

⑥ 王國維自沈之原因，葉嘉瑩氏擧其要者，約有數端：第一、一般遺老如羅振玉等人，以爲靜安先生之死，乃是爲清室殉節之表現。此種說法可以羅氏所撰之《海寧王忠慤公傳》爲代表。第二、另有反對遺老殉清之說者，則以爲靜安先生之死，實由羅振玉之迫害有以致之。此一派之說可以史達撰《王靜安先生致死的眞因》一文爲代表。第三、又有一派則認爲靜安先生之死，乃是由於對國民革命軍之北伐有所恐懼。此派可以顧頡剛所撰之《悼王靜安先生》一文爲代表。第四、更有一派則把靜安先生之死，歸因於共產黨之迫害文人。此派之說可以王世昭之《中國文人新論》爲代表。至於葉氏則謂：『所以靜安先生乃終於在歷盡內心的矛盾衝突，對時代整個悲觀絕望之後，以自沈一死殉身於他理想中所欲持守的最後一點淸白。他的死乃是性格與時代所造成的一幕極可悼惜的悲劇。』（《王國維及其文學批評》頁九九。臺北市，源流出版社，民國七十一年。）

第二章　王國維之性情

根據王國維自己之記述或他人對之所作之記述，可直接見出或間接推想出王國維有如下所列之三種性情：

一、理智、感情兼勝。

二、厚道、眞純而執著、沈著。

三、憂鬱悲觀。

茲分別述說於後：

一、理智、感情兼勝

王國維之先天稟賦，是爲：既有深刻敏銳之理智，又有豐富堅厚之感情。彼於其《靜安文集續編》《自序二》中云：「余之性質，欲爲哲學家則感情苦多而知力苦寡，欲爲詩人則又苦感情寡而理性多。」①此數語，似云：彼既無足夠成爲一哲學家之理智，又無足夠成爲一詩人之感情。實則，此僅其自謙。此由其所云：「無足夠成爲一哲學家之理智，乃由於感情豐富；無足夠成爲一詩人之感情，乃由於理智深刻；」之語，卽可獲得證明。事實上，由彼學問上之有成就，可見其理智深刻；由彼文藝創作（詩詞）方面之有成就，可見其感情豐富。

此種理智、感情兼勝之性情，有其良好之一面，亦有其不良之一面。良好之一面，則爲：從事學問研究與藝術創作之時，此等性情，實爲有成就之最大條件。不良之一面，乃於現實生活上做人做事之時，此等性情，卽將爲遭失敗之最慘因素。

茲舉例說明於後：

首先說明良好之一面：王國維早年間研究哲學，嘗撰就《叔本華之哲學及其教育學說》《叔本華與尼采》《書叔本華遺傳說後》三文，介紹德國之意志哲學。有分析亦有批評。雖有人謂其分析批評不必正確；然於當時，彼乃第一位介紹德國意志哲學至我國之人，無任何參考上之依傍。彼乃能如此洋洋灑灑（前兩篇皆萬言長文。）敍述層次井然。如彼無理智特勝之性情，盍克臻此？

爾後其治學興趣，轉變爲從事考證與研究古史。於此一方面，彼亦有極大之成就。此亦全賴其具有情理兼勝之性情。治考證之學，固需有特勝之理智，姑無論矣；然而使非同時亦有特勝之感情，亦必無由引發想像；斯則雖有理智，亦未必能臻成就之境。如：於《觀堂集林》卷一之中，有一《肅霜滌場說》之文。王國維用雙聲聯綿字以解釋《詩》《豳風》《七月》中「九月肅霜，十月滌場；」之「肅霜」與「滌場」。彼以爲「肅霜」乃「肅爽」之意，「滌場」乃「滌蕩」之意。嘗引古書十餘種，以證其說法之正確。此誠極富理智之文。然由文末嘗有如下之語，可見：彼能於此一考證而有成就，全得力於融景所生之情。語如下：

癸亥之歲，余再來京師。離南方之卑濕，樂北土之爽塏。九、十月之交，天高日晶，木葉盡脫。因會得「肅霜」「滌場」二語之妙。因為之說云。

至其有《苕華詞》之創作，更顯而易見；使其無特勝之感情，則絕無此創作之可能。

落日千山啼杜宇，送得歸人，不遣居人住。自是精魂先魄去，淒涼病榻無多語。往事悠悠容細數，見說他生，又恐他生誤。縱使茲盟終不負，那時能記今生否？②

黯淡燈花開又落，此夜雲蹤，知向誰邊著？頻弄玉釵思舊約，知君未忍渾抛却。妾意苦專君苦博，君似朝陽，妾似傾陽藿。但與百花相鬪作，君恩妾命原非薄。③

此為其兩闋《蝶戀花》詞。感情何等濃郁眞切！

誰道江南春事了，廢苑朱藤，開盡無人到。高柳數行臨古道，一藤紅遍千枝杪。

冉冉赤雲將綠繞，回首林間，無限斜陽好。若是春歸歸合早，餘春只攪人懷抱。④

此亦其一闋《蝶戀花》詞。讀之令人落淚。感情何等豐富！

王國維倘無特勝之感情，其能創作此等詞乎？

其次，說明不良之一面：

人世現實社會，有光明面，亦有黑暗面。然一般而論，古今皆然，黑暗面實佔絕大多數。今有人焉，倘理智不勝，則未能透視黑暗面。斯則黑暗面臨於其前，彼亦將視若無睹，聽若無聞，無動於中。反之，倘其人理智甚勝，則對黑暗面必了解透徹。王國維所處之時代，不惟黑暗面佔絕大多數，且卽謂全爲黑暗面，亦不爲過甚其辭。故理智特勝之王國維，卽對黑暗面有出奇透徹之了解。今有人焉，倘感情不勝，則雖對黑暗面能有透徹之了解，然以恨之之情，必不濃厚；甚者，併淡情亦無。反之，則對黑暗面，勢必恨之入骨。王國維不幸，卽爲一感情特勝之人。其恨黑暗，無疑將恨之入骨。夫恨之入骨之付諸實行，不外二途：其一，爲：積極之途。卽：抗拒而消除黑暗。其二，爲：消極之途。卽：順應黑暗而待其自滅。王國維對恨之入骨之付諸實行，將採積極之途乎？抑採消極之途乎？下文言及王國維之第二種性情時，將有答案。此處僅先行約略作答：王國維乃一「心所不以爲是者，欲求其一頷頷許可而不可得；」之性情。此等性情，勢必不可能採消極之途。然採積極之途，必具魄力。王國維有否採積極之途之魄力？答案顯爲否定。於此之際，其心情必趨矛盾。消極乎？痛苦殊甚；積極乎？無此魄力。於此「痛苦」「無力」交相惡鬬之情形之下，王國維無疑必步入自殺之途。

王國維爲何自殺？上文嘗云：「不加述說；」而未作述說。茲因須用其自殺之事爲例，以說明情理兼勝之不良之一面，乃不妨自各種推測其自殺原因之說法中，選一說法，略作述說：

史達《王靜安先生致死的眞因》一文云：

> 羅振玉本是一個假借學問虛名來騙人的大滑頭。他專以販運中國古籍出洋及造作假古董弄錢為業。據知道他底細的人說：他最初也混入革命黨，高談光復。後來端方用他，他便恭順服帖，替端方品量古董，並且兼做新興學堂的監督。等到清朝打翻，他只索公然與「廢帝」勾搭，騙

取古物，實行過他的耗子蝗蟲生活了。這樣的人，品節如何？也就可揣而知。不幸王先生正在他做蘇州學堂監督時，去擔任教課。於是被他拉攏着做他學問上的工具。而王先生後半生的出處可憐，便在那時上了無形的桎梏了。這回的事變，遠因便種於此。但王先生的自殺，不在清朝打翻之際，也不在廢帝被逐出宮之會。可見這一死，實在並非「乃心王室」。他所以不先不後，恰恰於今年舊曆的端午前跳水尋死者，實緣受友之累，經濟上挨到過量的壓迫耳。

據熟悉王、羅關係的京友說：這次的不幸事件，完全由羅振玉一人逼成功的。

原來羅女本是王先生的子婦。去年王子病死，羅振玉便把女兒接歸。聲言不能與姑嫜共處。可是在母家替丈夫守節，不能不有代價。因强令王家每年拿出二千塊錢交給羅女作為津貼。王先生晚年喪子，精神創傷已屬難堪，又加這樣的要索挑唆，這經濟的責任，實更難負擔了。可是羅振玉猶未甘心。最近便放了一枝致命的毒箭：從前他們同在日本曾合資做過一趟生意。結果大大攢錢。王先生的名下，便分到一萬多。但這錢並未支取。卽放在羅振玉處作為存款。近來羅振玉忽發奇想，又去搭王先生再做一趟生意。便把這存款下注作本。王先生素不講這些治生之術的，當然由得他擺佈。不料大折其本。不但把這萬多塊錢的存款，一箍腦兒丢掉，而且還背了不少的債務。羅振玉又很慷慨地對他說：「這虧空的分兒，你可暫不拿出，只按月撥付利息好了。」這利息究要多少？剛剛把王先生清華所得的薪水喫過，還須欠些。那麼一來，把個王先生急得又驚又憤，冷了半截。試問：他如何不萌短見？這一枝毒箭，便是王先生送命的近因。合此二因，竟把一個好端端的學者，活活的逼死。羅振玉之肉，「其足食乎！」王先生既死，他應該做點補過的事情了。然而他毫不悔悟。仍舊用他騎兩頭騾的慣技，向人間鬼混。何以見得呢？他一面捏造遺表，對廢帝誇示他的識拔忠貞。於是無知的廢帝，竟下僞諭弔唁。把不值一文的「忠愨」諡號，送給死者，做了個惠而不費的禮物。⑤

史達此一說法，苟果爲事實，則此種現象，正爲情理兼勝之王國維之致命傷。蓋王國維若僅感情勝而理智不勝，則彼必僅憤恨羅振玉之心，而無「忘恩負義」之慮。倘出諸行動，則或爲消極而不理羅振玉之所爲，或爲積極而對抗羅振玉之加害。固不必自殺也。王國維若僅理智勝而感情不勝，則彼雖看穿羅振玉之齷齪，要亦無勇氣出諸行動以對抗。終於唯有爲羅振玉所宰割，宰割至自然死亡而止。亦固不必自殺也。今也不幸，情理兼勝；欲對抗，又因理智勝而懼負「忘恩負義」之罪名。深知羅之齷齪而不懼對抗之受「忘恩負義」之指摘，則又因感情勝而無對抗之勇氣。居此矛盾狀況之中，其步入自殺之途也，必矣。

二、厚道、眞純而執著、沈著

上文所列之三種性情，其第一、第三之二種，爲心性。此第二種，爲品性。品性所列之四種——厚道、眞純而執著、沈著，於具備上，則互爲因果；於性質上，則又異常相近。故視之爲一品性之四方面，亦未嘗不可。故併之以爲一而述說之。又：關於王國維之此等品性之記述，無有完整之資料而僅有零散之資料。故僅就零散資料述之於後：

「厚道」，於己而言，則爲質樸無華、不追逐名利聲色、……之類。於人而言，積極方面，則爲：同情別人、幫助別人、……之類，消極方面，則爲：不刻薄別人，包括：不用尖刻之言語傷人、不用直接或間接之行爲害人、……之類。零散記述之可以見出王國維之厚道品德者，玆舉十餘則於後：

王國維於其所撰《文學小言》中嘗自謂：「個人之汲汲於爭存者，決無文學家之資格也。」⑥王德毅於《王國維年譜》中對此語加按語云：「先生不汲汲於聲色貨利。」

日人神田喜一郎於《憶王靜安先生》中云：「我最初會見先生，大概是在大正四年（一九一五）三月左右。……我也是在這時初識羅叔言先生的次公子福萇先生。他是個眉目清秀的美男子，而王先生則風采質樸。二人迥異的風姿，至今仍深印腦海。」

王國維之日本友人鈴木虎雄於《王君靜庵之追憶》文中云：「大正六年（一九一七）末，我因留學中國，來上海，居住半年。在此期間，復得與君常相往還。……君於人，推許甚少；然對於寓居上海的沈曾植，君獨推許其學識既博且高。我某日被君拉去往訪沈氏。臨辭，氏以近作詩鈔《寐叟乙稿》相贈。歸而讀之，其文辭頗多難解之處，交游諸家稱呼皆用匿名。余困甚，訴之君。君很親切的對匿名一一替余注釋其眞實姓名。……君更欲介紹我於朱祖謀氏。」

蔣君章於《倉聖明智大學的回憶》中云：「他短短的身體，嘴唇上蓄有八字鬍鬚，瓜皮小帽，綴有紅帽結。……我曾在窗前聽他的講學。但見他嘴唇上下翕動，聲音細小，咫尺之間也聽不清楚。」

王德毅在《王國維年譜》中云：「先生表彰前賢學術，不遺餘力。他如跋江有浩音學，稱述江氏在古韻學上的貢獻。」

日人神田喜一郎於《支那文學月報》廿六號中云：「大正十一年（一九二二）十二月，我遊上海。會見久違的王先生。在大通路吳興里先生的住宅，蒙先生饗宴，暢談甚久。尤使我至於難忘的，就是當時我停留上海的一個月中，先生常常帶我到蔣汝藻氏的宏韻樓去參觀。從其許多藏書中，取出種種貴重的宋、元本舊抄本，對我詳加說明。在收載水經注的永樂大典之前，對趙一清與戴震間的疑案，敍述先生的新見解。……臨別之際，先生應我要求，書贈自作的古詩二首做爲紀念。」

日人青木正兒於其《王靜安之辮髮》中云：「先生恬雅和靜，學品並楙。惟自始至終猶垂髮辮，蓋由其個性所使然。如言立異，又不類其行誼。」

王德毅於《王國維年譜》中云：「……先生不喜交際活動，……亦不慕浮名虛利。」

姚名達於其《哀餘斷憶》中云：「……先生……布袍粗褂，……聆其聲，望其貌，蓋忠厚人。」

王國維之弟子徐中舒於《文學周報》第五卷、第一、二期中云：「民國十四年秋，北京清華學校研究院國學門成立。延先生主講席。余遂決然前往就學。欲以償積年願見而無緣相見之大師焉。……先生體質瘦弱，身著不合時宜之樸素衣服，面部蒼黃，鼻架玳瑁眼鏡，驟視之，幾若六七十許老人。態度冷靜，動作從容，一望而知爲修養深厚之大師也。……先生口操浙江音之普通話。聲調雖低而清晰簡明可辨。」

徐中舒又於其《王靜安先生傳》中云：「先生質樸少華，寡言笑，不事交游。」「眞純」，爲：誠懇熱烈，不矯揉造作。零散記述之可以見出王國維之眞純品德者，玆舉數則於後：

姚名達於其《哀餘斷憶》中云：「十二月三日，即夏曆十月二十九日，實爲先生五十初度之辰。先生方以理長子喪事而南歸未久，同人展拜於堂，未暇有以娛先生。僅倩貴陽姚茫父繪畫爲壽。又七日，先生招同人茶會於後工字廳。出歷代石經拓本相示。同人嘖嘖嗟賞。競提問語，先生辨答如流，欣悅異昔。始知先生冷靜之中固有熱烈也。自是吾院師生，屢有宴會，先生無不與。」

殷南於其《我所知道的王靜安先生》中云：「他平生的交游很少，而且沈默寡言。見了不甚相熟的朋友，是不願意多說話的。所以有許多的人，都以爲他是個孤僻冷酷的人。但是其實不然。他對於熟人很愛談天。不但是談學問，尤其愛談國內外的時事。他對於質疑問難的人，是知無不言，言無不盡。偶而遇到辯難的時候，他也不堅持他的主觀見解，有時也可抛棄他的主張。眞不失眞正學者的態度。」

「執著」，爲：擇善固執，絕不寬假。零散記述之可以見出王國維之執著品德者，玆舉數則於後。

費行簡於其《觀堂先生別傳》中云：「心所不以爲是者，欲求其一頷頷許可而不可得。」

王德毅於其《王國維年譜》中云：「據蔣穀孫先生見告：先生個性極強，有至情至性，不喜歡的人，絕不願交一語。」

「沈著」，爲：穩重、鎮定、從容、有耐心而不浮躁。零散記述之可以見出王國維之沈著品德者，茲舉數則於後：

孫雄於《王忠愨公哀輓錄》中云：「宣統初元，余與羅君叔言同任京師大學堂分科監督。屢往象來街叔言寓齋譚藝，與靜安接晤，時共唱和。靜安默默寡言。余與叔言、伯斧辯論時，靜安微笑而已。」

徐仲舒於其《追憶王靜安先生》中云：「先生於當時人士不加臧否；惟於學術有關者，則就其學術本身，略加評騭。」

趙萬里云：「……見師案頭有《蒙韃備錄》《黑韃事略》二書。師箋識其上。蠅頭細書，殆逾萬字。」

日人神田喜一郎於《中國文學月報》第二十六號中云：「……先生在我寄去的書中，詳加眉批，訂正誤字。……先生至最後，仍如平時，從容研究學問。」

戴家祥於《國學月報紀念專號》中云：「……途遇趙助教萬里，得先生死耗屬實。……研究院辦公處侯厚培先生爲吾儕言：『先生今早八時卽到校。命院中聽差往其私第取諸君成績稿本，且共談下學期招生事甚久。……』」

梁啓超於其《王靜安先生墓前悼辭》中云：「他……自殺的前一天，還討論學問。」

三、憂鬱悲觀

憂鬱悲觀之性情，據王國維自謂：彼之此一性情，乃屬天生。彼嘗於《靜安文集續編》之《自序》中云：「體素羸弱，性復憂鬱。」所謂「性」，自是「天性」。既有憂鬱悲觀之天性，斯則縱有樂觀、達觀思想之人生哲學予以影響，亦仍未可有所改移。倘遇悲觀思想之人生哲學予以影響，斯則推波助瀾，勢必非大大加強其憂鬱悲觀不可。不幸，王國維未遇樂觀人生哲學之影響，而僅遇悲觀人生哲學之影響。上文第一章《王國維生平概略》中，嘗約略述說其遇悲觀哲學影響之大概；玆更稍作詳述：

繆鉞於其《王靜安與叔本華》中云：

王靜安詩詞中所蘊含之人生哲學為何？一言以蔽之曰：「極深之悲觀主義。」以為天地不仁，以萬物為芻狗。人生縛於生活之欲，只有痛苦，惟速望求解脫而已。此種思想之構成，初或因靜安本性卽偏於悲觀，（王靜安《自序》謂：少時「體素羸弱，性復憂鬱。」）而推波助瀾，使其深信篤守終身不移者，則叔本華之力為多。

叔本華之思想，爲若何之一種悲觀思想？彼於其《愛與生的苦惱》中有簡明之回答。文中云：

世上沒有所謂永恒的滿足。通常，這一次的滿足，只是新努力的出發點而已。努力到處碰壁，到處掙扎戰鬪，因而也經常苦惱。正如努力的沒有最終目標，苦惱也永無休止。

叔本華又於其《意志與表象的世界》中云：

整個人生完全在欲望和滿足欲望之間。從本質上看，希望就是痛苦。希望的達到，立刻帶來滿足之感。這個結局，只是表面的。佔有使被佔有的東西失去引誘力。希望需要以新的方式表現出來。若希望不需要以新的方式表現出來，那末，接着來的便是絕望、空虛、厭煩。對抗這些東西的爭鬪，和對抗困乏的爭鬪，是一樣的困苦。

以王國維天生憂鬱悲觀之性情，加之受叔本華如此哲學思想之影響，彼欲改移其憂鬱悲觀之性情，乃絕無可能。彼於其《〈紅樓夢〉評論》中，卽有對叔本華哲學思想之複述。可見其對叔本華之思想，已深信不疑。其複述爲：

生活之本質何？「欲」而已矣。欲之為性無厭，而其原生於不足。不足之狀態，苦痛是也。旣償一欲，則此欲以終。然欲之被償者一，而不償者什佰。一欲旣終，他欲隨之。故究竟之慰藉，終不可得也。卽使吾人之欲悉償，而更無所欲之對象，倦厭之情卽起而乘之。於是吾人自己之生活，若負之而不勝其重。故人生者，如鐘表之擺，實往復於苦痛與倦厭之間者也。夫倦厭固可視為苦痛之一種。有能除去此二者，吾人謂之曰「快樂」。然當其求快樂也，吾人於固有之苦痛外，又不得不加以努力；而努力，亦苦痛之一也。且快樂之後，其感苦痛也彌深。故苦痛而無回復之快樂者有之矣，未有快樂而不先之或繼之以苦痛者也。又此苦痛與世界之文化俱增，而不由之而滅。何則？文化愈進，其知識彌廣，而其所欲彌多，其感苦痛亦彌甚也。然則人生之所欲，既無以逾於生活，而生活之性質，又不外乎苦痛；故「欲」與「生活」與「苦痛」三者，一而已矣。⑦

王國維之此種憂鬱悲觀性情，表現於其詩詞中者，爲數不少。茲引錄數首，以見一斑：

蠶

余家浙水濱，栽桑徑百里。年年三四月，春蠶盈筐篚。蠕蠕食復息，蠢蠢眠又起。口腹雖累人，操作終自己。絲盡口卒瘏，織就鴛鴦被。一朝毛羽成，委之如敝屣。喘喘索其偶，如馬遭鞭箠。呴濡視遺卵，怡然即泥滓。明年二三月，蠢蠢長孫子。茫茫千萬載，輾轉周復始。嗟汝竟何為！草草閱生死。豈伊悅此生？抑由天所畀？畀者固不仁，悅者長已矣。勸君歌少息，人生亦如此。⑧

人之一生，俱受欲望驅使而渾渾以活、渾渾以死。誠可悲也！誠可憐也！

採桑子

高城鼓動蘭釭灺；睡也還醒，醉也還醒。忽聽孤鴻兩三聲。　人生只是風前絮；歡也零星，悲也零星。都作連江點點萍。⑨

其誰非若此飄忽而度其一生乎？

祝英臺近

月初殘，門小掩，看上大隄去。徒御喧闐，行子黯無語。為誰收拾離顏？一腔紅淚，待留向孤衾偷注。

馬蹄駐，但覺怨慕悲涼，條風過平楚。樹上啼鵑，又訴歲華暮。思量只有人間，年年征路；縱有恨都無啼處。⑩

人於不甘心自殺之前，雖悲苦亦必求活。

【附註】

① 《王國維全集》初編㈤，頁一八九九—一九〇〇。

② 同上，頁一五六二。

③ 《王國維詞注》頁二十八。（臺北市，王家出版社，民國七十七年，《中國歷代詩人選萃》㊵。）

④ 同注①，初編㈣，頁一五五八。

⑤ 《文學週報》五卷一至四期合訂本，頁七三。（溥儀《我的前半生》頁一九五，亦曾言及羅氏與王氏金錢糾紛之另一傳說。香港，文通書店，一九六四年版。）

⑥ 同注①，頁一九一三。

⑦ 同注①，頁一七一八—一七一九。

⑧ 同注①，初稿㈣，頁一五三七。

⑨ 同上，頁一五四五。

⑩ 同上，頁一五六〇。

第三章 王國維之文學見解

「詞論」即文學見解。本論文爲研究王國維之詞論之作；故全係研究王國維之文學見解。何以於此又設一專章以討論王國維之文學見解？此乃因文學見解有「一般」與「專殊」之別。王國維詞論所表現之文學見解，屬於專殊。本章所討論之文學見解，乃王國維之一般文學見解。一般爲專殊之背景，故專章論之。

王國維之一般文學見解，可自其早期之若干雜文中見出。此類雜文之重要者，爲：《文學小言》《屈子文學之精神》《論哲學家與美術家之天職》《古雅之在美學上之位置》《〈紅樓夢〉評論》《叔本華之哲學及其教育學說》《叔本華與尼采》《人間嗜好之研究》《教育偶感》《奏定經學科大學文學科大學章程書後》《去毒篇》。由此類雜文，可於三方面見出王國維之一般文學見解：

㈠創作目的方面，——反功利。
㈡作品內容方面，——求眞，求善，求美。
㈢創作過程方面，——重視技巧。

茲分別論述於後：

一、創作目的方面，——反功利。

爲政之人，輒喜利用文學以達其政治目的。王國維異常反對此種功利作法。其《文學小言》第一云：

昔司馬遷推本漢武時學術之盛，以為利祿之途使然。余謂一切學問，皆能以利祿勸，獨哲學與文學不然。何則？科學之事業，皆直接間接以厚生利用為恉，故未有與政治及社會上之興味相刺謬者也。至一新世界觀與新人生觀出，則往往與政治及社會上之興味不能相容。若哲學家以政治及社會之興味為興味，而不顧真理之如何，則又決非真正之哲學。此歐洲中世哲學之以辯護宗教為務者，所以蒙極大之汚辱。而叔本華所以痛斥德意志大學之哲學者也。文學亦然。餔餟的文學，決非真正的文學也。①

其《文學小言》第十七則又云：

「吾人謂戲曲小說家為專門之詩人，非謂其以文學為職業也。以文學為職業，餔餟的文學也。職業的文學家，以文學得生活；專門之文學家，為文學而生活。今餔餟的文學之途蓋已開矣。吾寧聞征夫思婦之聲，而不屑使此等文學囂然汚吾耳也。②

彼又於其《論哲學家與美術家之天職》中云：

披我中國之哲學史，凡哲學家無不欲兼為政治家者，斯可異矣。孔子，大政治家也。墨子，大政治家也。孟、荀二子，皆抱政治上之大志者也。漢之賈、董，宋之張、程、朱、陸，明之羅、王，無不然。豈獨哲學家而已？詩人亦然。「自謂頗騰達，立登要路津。致君堯、舜上，再使風俗淳。」非杜子美之抱負乎？「胡不上書自薦達，坐令四海如虞、唐？」非韓退之之忠告乎？「寂寞已甘千古笑，馳驅猶望兩河平。」非陸務觀之悲憤乎？如此者，世謂之大詩人矣。至詩人之無此抱負者，與夫小說、戲曲、圖畫、音樂諸家，皆以侏儒倡優自處，世亦以侏儒倡優畜之。所謂「詩外尚有事在」，「一命為文人，便無足觀。」我國人之金科玉律也。嗚呼！美術之無獨立之價值也久矣。此無怪歷代詩人，多託於忠君愛國、勸善懲惡之意，以自解免；而純粹美術上之著述，往往受世之迫害，而無人為之昭雪者也。③

二、作品內容方面，——求眞，求善，求美。

關於「求眞」，王國維之《文學小言》第十三則云：

詩至唐中葉以後，殆為羔雁之具矣。故五季、北宋之詩，（除一二大家外）無可觀者。而詞則獨為其全盛時代。其詩詞兼擅如永叔、少游者，皆詩不如詞遠甚。以其寫之於詩者，不若寫之於詞者之真也。至南宋以後，詞亦為羔雁之具，而詞亦替矣。④

其《文學小言》第十則又云：

屈子感自己之感，言自己之言者也。宋玉、景差，感屈子之感，而言其所言。然親見屈子之境遇與屈子之人格，故其所言，亦殆與言自己之言無異。賈誼、劉向，其遇，略與屈子同。而才則遜矣。王叔師以下，但襲其貌而無真情以濟之。此後人之所以不復為楚人之詞者也。⑤

其《文學小言》第十一則又云：

屈子之後，文學上之雄者，淵明其尤也。韋、柳之視淵明，其如賈、劉之視屈子乎？彼感他人之所感而言他人之所言，宜其不如李、杜也。⑥

其《文學小言》第八則又云：

「燕燕于飛，差池其羽。」「燕燕于飛，頡之頏之。」「睍睆黃鳥，載好其音。」「昔我往矣，楊柳依依。」詩人體物之妙，侔於造化。然皆出於離人、孽子、征夫之口。故知感情真者，其觀物亦真。⑦

關於「求善」，王國維《文學小言》第六則云：

三代以下之詩人，無過於屈子、淵明、子美、子瞻者。此四子，苟無文學之天才，其人格亦自足千古。故無高尚偉大之人格而有高尚偉大之文學者，未之有也。⑧

其《文學小言》第七則又云：

天才者，或數十年而一出，或數百年而一出；而又需濟之以學問，帥之以德性，始能產真正之大文學。此屈子、淵明、子美、子瞻等所以曠世而不一遇也。⑨

其《文學小言》第十四則又云：

元人雜劇，辭則美矣，然不知描寫人格為何事。⑩

其《文學小言》第十六則又云：

《三國演義》無純文學之價値；然其敍關壯穆之釋曹操，則非大文學家不辦。水滸傳之寫魯智深，桃花扇之寫柳敬亭、蘇昆生，彼其所為固毫無意義，然以其不顧一己之利害，故猶使吾人生無限之興味，發無限之尊敬。⑪

王國維之反功利文學觀，亦嘗包括反「載道」。然其所反之「載道」，乃若干僞託道德以求取名利之作品、短淺之功利作品與乎僞善之作品，而非眞正有偉大人格表現之作品。

關於「求美」，王國維之美學觀念爲：

㈠美之欣賞，乃超利害之直觀。

㈡美之種類，可分爲「優美」與「壯美」。

玆分別論述於後：

㈠美之欣賞，乃超利害之直觀

王國維於其《叔本華之哲學及其敎育學說》中云：

唯美之為物，不與吾人之利害相關；而吾人觀美時，亦不知有一己之利害。⑫

㈡美之種類，可分爲「優美」與「壯美」

王國維於其《古雅之在美學上之位置》中云：

> 美學上之區別美也，大率分為二種：曰「優美」，曰「宏壯」。……前者，由一對象之形式，不關於吾人之利害，遂使吾人忘利害之念，而以精神之全力，沈浸於此對象之形式中。自然及藝術中普遍之美，皆此類也。後者，則由一對象之形式，超乎吾人知力所能馭之範圍，或其形式不大利於吾人，而又覺其非人力所能抗。於是吾人保存自己之本能，遂超乎利害之觀念外，而達觀其對象之形式。如：自然中之高山、大川、烈風、雷雨，藝術中偉大之宮室、悲慘之雕刻像、歷史畫、戲曲、小說等皆是也。⑬

此外，彼於其《叔本華之哲學及其教育學說》中，亦有相同之說法，云：

> 美之中，又有「優美」與「壯美」之別。今有一物，令人忘利害之關係，而玩之而不厭者，謂之曰「優美之感情」。若其物直接不利於吾人之意志，而意志為之破裂，唯由知識冥想其理念者，謂之曰「壯美之感情」。⑭

此外，彼於其《〈紅樓夢〉評論》中，亦有相同之說法。茲從略。

文學之必求此二種美學觀念之美，自是王國維之文學見解。然彼於上文所列之雜文中，表現此種見解之語，殊不多。故於「㈠」，則惟有自上文論「反功利」之時所引之《文學小言》第十七則之語以見出。「囂然汚吾耳」，自不美也。於「㈡」，則惟有自上文論「優美」「壯美」之時所引之語中「文學普遍之美，都是優美；」「小說有時是壯美；」之二意思以見出。此外，則於其《〈紅樓夢〉評論》中，亦有「此書中，壯美之部分較多於優美之部分；」之語。

三、創作過程方面，——重視技巧。

「技巧」一詞，王國維名之爲「第二形式」。彼於其《古雅之在美學上之位置》中云：

一切形式之美，又不可無他形式以表之。唯經過此第二之形式，斯美者愈增其美。……「夜闌更秉燭，相對如夢寐。」（杜甫．《羌村》詩）之於「今宵剩把銀釭照，猶恐相逢是夢中。」（晏幾道．《鷓鴣天》詞），「願言思伯，甘心疾首。」（《詩》《衞風》《伯兮》）之於「衣帶漸寬終不悔，為伊消得人憔悴。」（歐陽修．《蝶戀花》詞），其第一形式同，而前者溫厚，後者刻露者，其第二形式異也。……雖第一形式之本不美者，得由其第二形式之美（雅）而得一種獨立之價值。茅茨土階與夫自然中尋常瑣屑之景物，以吾人之肉眼觀之，舉無足與於優美或宏壯之數；然一經藝術家（繪畫若詩歌）之手，而遂覺有不可言之趣味。此等趣味，不自第一形式得之，而自第二形式得之，無疑也。……凡以筆墨見賞於吾人者，實賞其第二形式也。此以低度之美術（如：書法等）為尤甚。三代之鐘鼎，秦、漢之摹印，漢、魏、六朝、唐、宋之碑帖，宋、元之書籍等，其美之大部，實存於第二形式。⑮

然而，技巧，必須從修養得來。故王國維又重視修養。其《文學小言》第五則云：

古今之成大事業、大學問者，不可不歷三種之階級：昨夜西風凋碧樹，獨上高樓，望盡天涯路。」（晏同叔．《蝶戀花》）此第一階級也。「衣帶漸寬終不悔，為伊消得人憔悴。」歐陽永叔・《蝶戀花》）此第二階級也。「衆裏尋他千百度，回頭驀見，那人正在燈火闌珊處。」（辛幼安・《青玉案》）此第三階級也。未有不閱第一、第二階級而能遽躋第三階級者。文學亦然。此有文學上之天才者，所以又需莫大之修養也。⑯

附注

① 《王國維全集》初編㈤，頁一九一一—一九一二。
② 同註①，頁一九一九—一九二〇。
③ 同註①，頁一八三八—一八三九。
④ 同註①，頁一九一七—一九一八。
⑤ 同註①，頁一九一六—一九一七。
⑥ 同註①，頁一九一七。
⑦ 同註①，頁一九一六。
⑧ 同註①，頁一九一五。
⑨ 同上。
⑩ 同註①，頁一九一八。
⑪ 同註①，頁一九一九。
⑫ 同註①，頁一六九三。

⑬ 同註①，頁一九〇三—一九〇四。

⑭ 同註①，頁一六九四。

⑮ 同註①，頁一九〇五—一九〇七。

⑯ 同註①，頁一九一四—一九一五。

下編 王國維之詞論

第一章 詞論專書——人間詞話

第一節 人間詞話成書之經過

《人間詞話》，自民國前四年（清光緒三十四年、一九〇八年）至民國前三年（清宣統元年、一九〇九年）先後發表於《國粹學報》第四十七期至第五十期。共發表六十四則。①民國十五年，俞平伯自《國粹學報》錄出此六十四則，交樸社印成單行本。民國十六年，王國維逝世。王逝世之後，趙斐雲自王遺著手稿中，錄出未發表之《人間詞話》刪稿四十四則。又另錄《蕙風琴趣》評語兩則與乎王國維平日論學之時所作評詞之語兩則，共計四十八則。皆爲論詞之語。另又收集《靜安文集》中《文學小言》之一部分、王國維於各家詩集眉頭所批註之評語與乎王國維致友人之書信中論詩之語，共二十二則。皆爲論詩之語。論詞、論詩二部分，合共七十則。發表於《小說月報》第十九卷、第三號。題爲：《人間詞話未刊稿及其他》。

民國二十五年，王國維之弟王國華，與王國維之弟子趙萬里，將發表於《國粹學報》之六十四則編成上卷，將趙斐雲錄出之四十八則編成下卷。成爲二卷之《人間詞話》。收入趙萬里所編之《海寧王靜安先生遺書》中。

民國二十六年，許文雨曾就二卷之《人間詞話》，撰寫《人間詞話》講疏，由南京正中書局印成單行本。

民國二十九年，徐調孚收集王國維所編之《唐五代二十一家詞輯》中所撰各跋語、王國維所撰《清眞先生遺事》中之《尙論》三、王國維所撰《觀堂集林》中所撰之《雲謠集雜曲子跋》、王國維所撰《觀堂別集》中所錄之《王周士詞跋》、王國維所撰《觀堂外集》中所撰之《桂翁詞跋》與乎王國維託名樊志厚所撰之《人間詞甲稿、乙稿》之序文各一篇。共一十八則。編成《補遺》一卷。置二卷之《人間詞話》之後。編成《校注〈人間詞話〉》三卷。由上海開明書店印行。

民國三十六年，開明書店重印《校注〈人間詞話〉》。徐調孚又增加其友人陳乃乾所錄之王國維於詩詞集中所撰之跋語七則，於原《補遺》中。卷數仍爲三卷。

民國五十年，香港商務印書館出版王幼安校訂之《人間詞話》。又於下卷中，據王國維原稿，增舊所刪去之四則。三卷共爲一百四十二則。

民國七十年，山東齊魯出版社發行滕咸惠校注《人間詞話》，修訂本於民國七十五年出版，又於民國七十八年第三次印行。本書分上下兩卷，共一五四條，上卷爲《人間詞話》，計一二六條；下卷爲《人間詞話附錄》，計二八條。上卷係根據《人間詞話》原稿整理而成。各條按原稿順序排比，文字亦從原稿。原稿已刪之若干條及已刪之若干文句照樣錄出並加按語說明。下卷分兩部分：㈠輯錄《人間詞話》以外之零星論詞語，㈡王國維《二牖軒隨錄》中摘出選錄《人間詞話》部分。本書上卷包括通行本第一卷、第二卷全部，並多出第24 26 28 50 58 64 65 80 90 92 33 109 122共十三條。通行本第一卷第63條原稿無，作爲本書第一卷最末一條。從原稿中比較容易看清王氏思路，從而更準確地理解王氏文藝思想。滕注根據王氏之論點，徵引叔本華之說法來說明王氏論點之來歷，復引各家說法來作參證，對研究《人間詞話》有莫大之助，此爲本書之優點也。

近年來臺灣出版《人間詞話》之情形，大致爲：依三卷之版本出版，如河洛圖書出版社於民國六十九年，影印《蕙風詞話．人間詞話》合刊本；金楓出版公司於民國七十六年，排印《人間詞話》，亦爲三卷本，前附導讀，錄自林枚儀博士論文《晚清詞論研究》第九章「王國維」部分。此外，里仁書局於民國七十六年，翻印滕咸惠《人間詞話新注》係初版本，而非修訂本，將簡體字重排爲繁體字而已。以上爲較著者，餘不足論，恕不贅述。

本論文僅以原發表於《國粹學報》之六十四則爲《人間詞話》專書。其餘各則，俱另列爲「有詞論之散篇」。

【附　注】

①《人間詞話》從光緒戊申（一九〇八年）十月開始發表于《國粹學報》，分三期登完（第四十七、四十九、五十期），文末無王氏自署之寫作年代。自一九二六年樸社單行本起，各種版本均署有「宣統庚戌九月脫稿于京師定武城南寓廬」。宣統庚戌乃一九一〇年。這顯然因王氏追記致誤。《人間詞話》原稿已提到《人間詞乙稿》（按原稿本五十一則末句云：「余《乙稿》中頗于此方面有開拓之功。」通行本删稿十一則中無此句。）而《乙稿》之結集並托名樊志厚作序是一九〇七年冬（《乙稿》發表于光緒丁未年十月《教育世界》，《乙稿序》署「光緒三十三年十月」）。則《人間詞話》之寫作必在此後。又王氏《唐五代二十一家詞輯》大部分（其中十九家）完成于「光緒戊申季夏」，正是《人間詞話》寫作資料根據之一。綜合上述各項，《人間詞話》當寫于一九〇八年夏秋之際。（滕咸惠校注《人間詞話新注》修訂本，頁一。）

第二節　人間詞話之内容

第一目　人間詞話逐條詳釋

一

詞以境界爲最上。有境界則自成高格，自有名句。五代、北宋之詞所以獨絕者在此。

詳釋一

關於「境界」之涵義及「境界說」與重要傳統詩說之比較，本節第二目第一款中，有較詳之論述；玆不贅。玆僅以「有助於本條之了解」爲目標而作簡略解說：

「境界」一詞，乃王國維所創。其涵義如何？王氏未對之下明確之定義。惟據其零散之論述，可知「境界」一詞之涵義，爲：凡作品，抒情眞實自然，寫景恰到好處，謂之「有境界」；否則，謂之「無境界」。

所謂「抒情眞實自然」，乃指：作者所抒之情，爲其自身眞情之自然流露，毫無矯揉造作、無病呻吟之弊；虛假欺騙，更未嘗有。

陶潛《怨詩楚調示龐主簿鄧治中》云：

夏日長抱飢，寒夜無被眠。造夕思雞鳴，及晨願烏遷。①

所抒作者貧苦至極之情，何等眞實自然！

杜甫《自京赴奉先縣詠懷五百字》云：

朱門酒肉臭，路有凍死骨。②

所抒作者痛惜社會貧富不均之情與乎憤恨爲富不仁者之情，何等眞實自然！

白居易《賦得古原草送別》云：

野火燒不盡，春風吹又生。③

所抒作者讚美頑強生命力之情，何等眞實自然！

上述三例，爲抒情眞實自然之例。

謝靈運《初去郡》云：

> 彭薛裁知恥，貢公未遺榮。或可優貪競，豈足稱達生？伊余秉遺尚，拙訥謝浮名。廬園當棲岩，卑位代躬耕。……無庸方周任，有疾像長卿。畢娶類向子，薄遊似邴生。恭承古人意，促裝返柴荊。牽絲及元興，解龜在景平。負心二十載，於今廢將迎。……戰勝臞者肥，止監流歸停。即是義唐化，獲我擊壤情。④

古往今來，詩中所抒感情之虛假，其程度之高厚，未有逾於此詩者。

至於所謂「寫景恰到好處」，宋玉《登徒子好色賦》中有云：「增之一分則太長，減之一分則太短，著粉則太白，施朱則太赤。」「恰到好處」之意，與此數語頗相類。

「紅杏枝頭春意鬧。」春意究爲濃乎？厚乎？深乎？盛乎？鬧乎？喧乎？……必有其極爲妥切之一詞以爲「恰到好處」之表達。此則「鬧」字是已。

「雲破月來花弄影。」花之於影，究爲顯乎？出乎？擺乎？搖乎？弄乎？戲乎？……亦必有其極爲妥切之一詞以爲「恰到好處」之表達。此則「弄」字是已。

「鳥宿池邊樹，僧敲月下門。」僧之於門，究爲推乎？敲乎？……亦必有其極爲妥切之一詞以爲「恰到好處」之表達。此則「敲」字是已。

「前村深雪裏，昨夜數枝開。」所開之花，究爲數枝乎？一枝乎？……亦必有其極爲妥切之一詞以爲「恰到好處」之表達。此則「一」字是已。

他如：張繼《楓橋夜泊》云：

月落烏啼霜滿天，江楓漁火對愁眠。
姑蘇城外寒山寺，夜半鐘聲到客船。⑤

其必用「月落」「烏啼」「霜滿天」「江楓」「漁火」「對愁眠」「姑蘇城外寒山寺」「夜半鐘聲」「到客船」諸詞語而不用他詞、他語，必有其嘗作「寫景恰到好處」之努力之過程。

又如：劉禹錫《烏衣巷》云：

朱雀橋邊野草花，烏衣巷口夕陽斜。
舊時王謝堂前燕，飛入尋常百姓家。⑥

其必用「朱雀橋邊」「野草花」「烏衣巷口」「夕陽斜」「舊時王謝堂前燕，飛入尋常百姓家。」諸詞語句而不用他詞、他語、他句，亦必有其嘗作「寫景恰到好處」之努力之過程。

又如：馬致遠《天淨沙》（《秋思》）云：

枯藤、老樹，昏鴉，小橋、流水、人家，古道、西風、瘦馬，夕陽西下，斷腸人在天涯。⑦

其必選用此十一景而不選用他景，亦必有其嘗作「寫景恰到好處」之努力之過程。

「最上」「最下」，乃比較之語。詞所包括之項目甚多。諸如：想像、思想、神韻、意趣、詞韻、詞律、技巧、風格、……若再細分，不勝枚舉。「境界」亦詞之項目之一。「詞以境界爲最上。」乃謂：「境界」與其他項目比較，乃居各項目之最上。意者：詞若無境界，則雖思想、詞律、……俱佳，亦不得謂之佳詞。

「高格」，謂：高超之風格，高尚之格調或高級之詞品。大致指：能沁人心脾，使人百讀不厭，而有變化人之氣質之高超作用。「有境界則自成高格，」意謂：詞若有境界，則雖不求其有高格，亦必自然有之。

高格詞例一：

李煜《虞美人》：

春花秋月何時了，往事知多少？小樓昨夜又東風，故國不堪回首月明中。

雕闌玉砌應猶在，只是朱顏改。問君能有幾多愁，恰似一江春水向東流。⑧

高格詞例二：

范仲淹《漁家傲》：

塞下秋來風景異，衡陽雁去無留意。四面邊聲連角起。千嶂裏，長烟落日孤城閉。

濁酒一杯家萬里，燕然未勒歸無計。羌管悠悠霜滿地。人不寐，將軍白髮征夫淚。⑨

「名句」，謂：出名之語句。卽：膾炙人口之語句。「自有名句」，謂：詞若有境界，則雖不求其有名句，亦必自然有之。（按：「自有名句」應係「自有佳句」。蓋有境界僅能成就佳句，而佳句不必有名也。）

名句例：

雲破月來花弄影。

嬌柔嬾起，簾押捲花影。

柳徑無人，墮飛絮無影。

此皆張先得意之句。一般謂之「張三影」。

「獨」，獨步，獨一無二。「絕」，絕倫，絕後，絕無僅有。此乃比較之詞。比較之對象，爲：唐、南宋、金、元、明、清、民國之詞。意謂：此各朝之詞，均不足與五代、北宋之詞倫比。「所以……者」，指：原因。「此」，指：境界。「五代、北宋之詞，所以獨絕者在此。」乃謂：五代、北宋之詞，其能有空前絕後之佳好，原因乃在有境界。

按：王氏此語，蓋已先行肯定「五代、北宋之詞，有空前絕後佳好；」之事實，然後僅就事實推究其原因而已。故平心而論，此語未免涉嫌武斷。

朱彝尊於其所輯《詞綜》之《發凡》中有云：

世人言詞，必稱北宋；然詞至南宋，始極其工，至宋季而始極其變。姜堯章氏最為傑出。⑩

又於《詞綜》第十五卷引黃昇之語云：

姜白石如野雲孤飛，去留無迹。⑪

又引黃昇云：

白石詞不惟清虛，且又騷雅；讀之使人神觀飛越。⑫

又於同書第十七卷引姜夔之語云：

邦卿詞，奇秀清逸；融情景于一家，會句意於兩得。⑬

又引張鎡讚史達祖之語云：

生詞織綃泉底，去塵眼中。妥貼輕圓，辭情俱到。有瓌奇警邁、清新閑婉之長，而無訑蕩汙淫之失。端可分鑣清真，平睨方回。⑭

又於同書第十九卷引尹煥之語云：

求詞于吾宋，前有清真，後有夢窗。此非予之言，四海之公言也。⑮

又於同書第九卷引劉克莊云：

美成頗偷古句。⑯

除此所引可見「南宋之詞無遜北宋，而北宋之詞有時亦遜南宋；」之外，即王氏本人，亦嘗於其《茗華詞》《序言》中，自言其詞，不輸五代、北宋。至民國尚有人不輸五代、北宋，何得謂「五代、北宋之詞獨絕」邪？實則，有如世俗之謂「某地人好」「某地人壞」；而何地不有好人？何地不有壞人？以此必謂「五代、北宋以後以至於民國，詞各有好壞；」始可也。

據此按語，故無法舉各朝詞好壞比較之例。

綜上所述，詞以境界爲最上。有境界則自成高格，自有名句。若情景交融，則有境界，反之則無。是故情景之關係，至爲密切，各家多所論及，兹分錄於後，以見一斑，亦有助於對本則之了解。

劉勰《文心雕龍‧物色》云：

歲有其物，物有其容；情以物遷，辭以情發。……詩人感物，聯類不窮；流連萬象之際，沈吟視聽之區，寫氣圖貌，旣隨物以宛轉；屬采附聲，亦與心而徘徊。⑰

其所謂物，當指景物，情以物遷，卽情以景遷，情景兩者之關係，可謂表露無遺矣！

歐陽修《六一詩話》引梅堯臣語云：

狀難寫之景，如在目前；含不盡之意，見於言外。⑱

其所謂意，當指情意，則景在目前，情見言外，可謂情景交融矣！

姜夔《白石詩說》云：

意中有景，景中有意。⑲

其所謂意，亦卽情意，則情中有景，景中有情，可謂情融於景，景融於情矣！

范晞文《對床夜語》評杜詩云：

景無情不發，情無景不生。……情景相觸而莫分。⑳

其所謂景隨情發，情隨景生，情景莫分者，則情景交融，而有境界矣！

黃昇《花庵詞選》引姜夔論史達祖云：

> 融情景於一家，會句意於兩得。

其所謂兩得，當指情景，情景一家，句意兩得者，卽情景融於一爐，句意會於情景也。

張炎《詞源》云：

> 情景交鍊，得言外意。

其所謂交鍊卽交融，意卽情意，情景交融，得言外之情意，可謂境界畢露矣！

謝榛《四溟詩話》云：

> 作詩本乎情景，孤不自成，兩不相背。……景乃詩之媒，情乃詩之胚，合而為詩，以數言而統萬形，其浩無涯矣。……凡作詩要情景俱工。㉑

其所謂孤，指情或景，兩指情景，孤不自成者，指單有情而無景，或有景而無情，皆不能自成詩境，情與景兩者不相背離，亦卽情景交融，故謂景媒情胚，詩之所本也。

王夫之《姜齋詩話》云：

> 情景雖有在心在物之分。而景生情，情生景，哀樂之觸，榮悴之迎，互藏其宅。……情景名為二，而實不可離。神於詩者，妙合無垠。巧合則有情中景，景中情。㉒

其所謂心卽是情，物卽是景，在心爲情，在物爲景，情景互生，不可分離，故情中有景，景中有情也。

沈雄《古今詞話》引宋徵璧云：

> 情景者，文章之輔車也。故情以景幽，單情則露；景以情妍，獨景則滯。今人景少情多。當是寫及月露，慮鮮真意。然善述情者，多寓諸景，梨花、榆火、金井、玉鈎，一經染翰，使人百思，哀樂移神，不在歌慟也㉓

其所謂情以景幽，景以情妍，可謂得情景之三昧矣。又謂情寓諸景者，如梨花榆火催寒食，梨花一枝春帶雨，榆火應春開，玉欄金井牽轆轤，硯寒金井水，月落啼鴉散金井，美人照金井，誰憐金井梧桐露，纖纖如玉鈎，初生似玉鈎，玉鈎素手兩纖纖等，令人深思陶醉也。

況周頤《蕙風詞話》云：

> 詞境以深靜為至。韓持國《胡擣練令》過拍云：「燕子漸歸春悄，簾幙垂清曉。」境至靜矣，而此中有人，如隔蓬山。思之思之，遂由淺而見深。蓋寫景與言情，非二事也。善言情者，但寫景而情在其中。此等境界，唯北宋人詞往往有之。持國此二句，尤妙在一「漸」字。㉔

其所謂由淺而見深，亦卽由景而見情，故謂情景非二事，情在景中，可謂情景交融，得深靜之境界矣！

王國維對於境界、意境、情景，常相互爲用。其《人間詞話附錄》云：

> 山谷云：「天下清景，不擇賢愚而與之，然吾特擬端為我輩設。」誠哉是言！抑豈獨清景而已，一切境界無不為詩人設。世無詩人卽無此種境界。夫境界之呈於吾心而見於外物者，皆須臾之物。惟詩人能以此須臾之物，鐫諸不朽之文字，使讀者自得之。遂覺詩人之言，字字為我

心中所欲言，而又非我之所能自言，此大詩人之秘妙也。㉕

此以境界言之也。又《人間詞話附錄》云：

文學之事，其內足以攄己而外足以感人者，意與境二者而已。上焉者意與境渾，其次或以境勝，或以意勝。苟缺其一，不足以言文學。原夫文學之所以有意境者，以其能觀也。出於觀我者，意餘于境。而出於觀物者，境多於意。然非物無以見我，而觀我之時，又自有我在，故二者常互相錯綜，能有所偏重，而不能有所偏廢也。文學之工不工，亦視意境之有無與其深淺而已。㉖

此以意境言之也。其《文學小言》云：

文學中有二原質焉：曰景，曰情。前者以描寫自然及人生之事實為主，後者則吾人對此種事實之精神的態度也。故前者客觀的，後者主觀的也；前者知識的，後者感情的也。自一方面言之，則必吾人之胸中洞然無物，而後其觀物也深，而其體物也切，卽客觀的知識，實與主觀的情感為反比例。自他方面言之，則激動之感情，亦得為直觀之對象、文學之材料，而觀物與其描寫之也，亦有無限之快樂伴之。要之，文學者，不外知識與感情交代之結果而已。苟無鋭敏之知識與深邃之感情者，不足與於文學之事。㉗

其《屈子文學之精神》云：

詩歌之題目，皆以描寫自己深邃之感情為主。其寫景物也，亦必以自己深邃之感情為之素地，

而始得於特別之境遇中，用特別之眼觀之。㉘

上引二則，皆以情景言之也。按王國維之說，似皆受叔本華之影響。叔本華《世界是意志和表象》云：

拋開個人利害關係，拋開主觀成分，純粹客觀地觀察事物，並且全神貫注在事物上，……以前在意志之路上追求而往往失諸交臂的寧靜心情便立刻不促而至，那就對我們好極了。這是絕無痛苦的境界，伊壁鳩魯把它推崇為最高的善神的境界，……伊克西翁的飛輪屹然停止。……天才的本質就在於從事這種靜觀的卓越能力。……（天才）有充分的自覺，使人能以深思熟慮的技巧來再現所體會到的東西。把在心中浮動的飄忽的形象固定為經久的思想。㉙

由此可見，叔本華境界之說，予王國維莫大之啓發也。

【附　注】

① 陶潛《陶淵明集》，別集一類，頁六—二五五。（臺北市，臺灣商務印書館，《文淵閣四庫全書》影印本。）
② 仇兆鼇《杜詩詳注》，別集一類，頁六—二五八。（同上）
③ 白居易《白香山詩集》，別集一類，頁六—二六三。（同上）
④ 謝靈運《謝康樂集》卷二，據《百三名家集》本。
⑤ 清聖祖御定《全唐詩》，總集類，頁六—三七四。（同注①）

⑥ 劉禹錫《劉賓客文集》，別集一類，頁六—二六一。（同注①）
⑦ 明臧晉叔編《元曲選》，臺北市，臺灣中華書局《四部備要》本。
⑧ 林大椿編《全唐五代詞》，臺北市，世界書局。
⑨ 汪中注譯《新譯宋詞三百首》，頁四。（臺北市，三民書局，民國六十六年，《古籍今注新譯叢書》本。）
⑩ 清朱彝尊《詞綜》，詞曲類，頁六—三九一。（同注①）
⑪ 同上。
⑫ 同上。
⑬ 同上。
⑭ 同上。
⑮ 同上。
⑯ 同上。
⑰ 據范文瀾《文心雕龍注》，「人民文學出版社本。」
⑱ 據《六一詩話・白石詩說・滹南詩話》，「人民文學出版社本」。
⑲ 同上。
⑳ 據《知不足齋叢書》本。
㉑ 據《四溟詩話・姜齋詩話》，「人民文學出版社」本。
㉒ 同上。

㉓沈雄《古今詞話》引，據《詞話叢編》本。
㉔《蕙風詞話》卷二，八則，頁二四。（臺北市，河洛出版社，民國六十九年，《蕙風詞話‧人間詞話》合刋本。）
㉕滕咸惠校注《人間詞話新注》（修訂本），附錄五則，頁一〇九。（山東，齊魯書社，民國七十八年三版。）
㉖同上，頁一〇六。
㉗《王國維先生全集》初編㈤，頁一九一四。
㉘同上，頁一九二一—一九二二。
㉙據繆靈珠未刋譯稿，以下凡引叔本華語均據此，不另注。

二

有造境，有寫境。此理想與寫實二派之所由分。然二者頗難分別。因大詩人所造之境，必合乎自然；所寫之境，亦必鄰於理想故也。

詳釋二

「境」，爲「境界」之簡稱。且於簡稱之時，偏於指景。蓋於技巧高超之時，情必寓於景，情必由景出。故情卽景。故簡稱「境」時，此「境」卽偏指景。（技巧低劣，則情不由景出，而僅由議論出。）「造」爲「構造」之意。此指：虛構。亦卽「想像」。故「造境」，卽指「想像之境」，亦簡稱「想像」。「寫」爲「描寫」之意。卽：就實物實事加以描寫，不涉想像。故「寫境」，卽指「描寫之境」。目前尚未有如「想像」一詞之二字簡稱。強有之，則或可稱「景物」或「情景」。「境」，不外此「造境」「寫境」二種。

「此」，指：此二種境。「此」下省略「爲」字。「理想派」，謂：主張純憑想像而寫作之派。「寫實派」，謂：主張必依實物實事而描寫之派。「所由分」，謂：分別所根據之點。理想派所寫爲造境，寫實派所寫爲寫境。故此二境，爲此二派分別所根據之點。

「二者頗難分別」，二者大不相同，原易分別；然因故而致頗難分別。其「故」爲何？乃爲下句所述。

「詩人」，於此，採廣義。包括：詩人、詞人、戲曲作者、抒情文作者、……等人。「大詩人」，則指：有高超描寫技巧之抒情能手。「合乎自然」，指：近情近理。「所造之境必合乎自然」，謂：想像僅能爲近情近理之想，不能爲幻想、奇想。卽：自然現象，必宇宙間有此自然現象，僅不必專此地有或專彼地有而已。人事現象，必人世間有此人事現象，僅不必專此地有或專彼地有而已。「鄰於理想」，指：於取材有選擇，於佈局有安排，而以寫成「典型」爲依歸。「典型」，簡言之，爲：在性格上有代表性之人物或在情態上有代表性之事物。如：《紅樓夢》中之林黛玉。世間或無有此人。然或多或少而有此性格之人必甚多。林黛玉於此，則成爲典型。《紅樓夢》中之大觀園，世間或無有此園。然或多或少而有此情景之園必甚多。大觀園於此，則成爲典型。「鄰於理想」之理想，卽指此等典型。凡典型，亦必近情近理。故「大詩人所造之境，必合乎自然；所寫之境，必鄰於理想。」易言之，卽：「抒情能手所寫想像，必近情近理；所寫典型，亦必近情近理。」故曰「頗難分別」。

玆舉例以明之：

例一：陶潛《桃花源記》：

晉太元中，武陵人，捕魚為業。緣溪行，忘路之遠近，忽逢桃花林。夾岸數百步，中無雜樹；芳草鮮美，落英繽紛。漁人甚異之。復前行，欲窮其林。林盡水源，便得一山。山有小口，髣髴若有光。

便捨船，從口入。初極狹，纔通人。復行數十步，豁然開朗。土地平曠，屋舍儼然。有良田、美池、桑、竹之屬。阡陌交通，鷄犬相聞。其中往來種作，男女衣著，悉如外人。黃髮、垂髫，並怡然自樂。見漁人，乃大驚。問所從來。具答之。便要還家，設酒、殺鷄、作食。村中聞有此人，咸來問訊。自云：「先世避秦時亂，率妻子邑人來此絕境，不復出焉；遂與外人閒隔。」問：今是何世？乃不知有漢，無論魏、晉。此人一一為具言。所聞皆歎惋。餘人各復延至其家，皆出酒食。停數日，辭去。此中人語云：「不足為外人道也。」

既出，得其船，便扶向路，處處誌之。及郡下，詣太守，說如此。太守卽遣人隨其往。尋向所誌，遂迷不復得路。

南陽劉子驥，高尚士也。聞之，欣然規往。未果。尋病終。後遂無問津者。①

例二：韋應物《送楊氏女》

永日方慽慽，出門復悠悠。女子今有行，大江泝輕舟。
爾輩況無恃，撫念益慈柔。幼為長所育，兩別泣不休。
對此結中腸，義往難復留。自小闕內訓，事姑貽我憂。
賴茲託令門，仁卹庶無尤。貧儉誠所尚，資從豈待周？
孝恭遵婦道，容止順其猷。別離在今晨，見爾當何秋？
居閒始自遣，臨感忽難收。歸來視幼女，零淚緣纓流。②

此二例，「例一」所述，全係虛構。故爲造境，爲想像，爲理想派。「例二」所述，全係實事。故爲寫境，爲情景，爲寫實派。然「例一」，雖屬造境，而所寫，甚爲近情近理；故不覺其爲造境。「例二」，雖屬寫境，而所寫，極有取捨、安排，已成典型；故亦不覺其爲寫境。因俱近情近理，理想中有寫實，寫實中有理想；故「頗難分別」其孰爲造境？孰爲寫境？

按觀堂所謂造境，卽理想；寫境，卽寫實；造境合乎自然，寫境鄰於理想，此文學創作之最高原則也。故《詞話》卷上五則云：

自然中之物，互相關係，互相限制，故不能有完全之美。③然其寫之於文學中也，必遺其關係、限制之處。故雖寫實家亦理想家也。又雖如何虛構之境，其材料必求之於自然，而其構造亦必從自然之法則。故雖理想家亦寫實家也。

【附　注】

①　陶潛《陶淵明集》，別集一類，頁六一二五五。（臺北市，臺灣商務印書館，《文淵閣四庫全書》影印本。）

②　韋應物《韋蘇州集》，別集一類，頁六一二五九。（同上）

③　通行本無「故不能有完全之美」，此據原稿本。

三

有有我之境，有無我之境。「淚眼問花花不語，亂紅飛過秋千去。」「可堪孤館閉春寒，杜鵑聲裏斜陽暮。」有我之境也。「采菊東籬下，悠然見南山。」「寒波澹澹起，白鳥悠悠下。」無我之境也。有我之境，以我觀物；故物皆著我之色彩。無我之境，以物觀物，故不知何者爲我，何者爲物。古人爲詞，寫有我之境者多。然未始不能寫無我之境。此在豪傑之士能自樹立耳。①

詳釋三

「有我」「無我」，非就內容言，乃就表達言。作者以身入其境者之身份而表達時之表達，爲「有我」之表達。所表達之境，爲「有我之境」。作者以第三者旁觀而不參與其境之身份而表達時之表達，爲「無我」之表達。所表達之境，爲「無我之境」。以王氏所舉之例而言：則有我之境之例，爲：「吾以淚眼問花而花不語，吾僅見花之亂紅飛過秋千而去。」「吾可堪孤館閉春寒，吾可堪杜鵑聲裏斜陽暮。」無我之境之例，則爲：「有人采菊東籬下，有人悠然見南山。吾見不見其采？見不見其見？以係客觀之事實，與吾無干也。采者爲誰？見者爲誰？亦以係客觀之事實，亦與吾無干也？其人決非吾陶潛也。」「有寒波澹澹起，有白鳥悠悠下。吾見不見其起？見不見其下？以係客觀之事實，與吾無干也。」

「淚眼問花花不語，亂紅飛過秋千去。」爲馮延巳《鵲踏枝》中之句。全詞如下：

庭院深深深幾許？楊柳堆煙，簾幙無重數。玉勒琱鞍遊冶處，樓高不見章臺路。
雨橫風狂三月暮，門掩黄昏，無計留春住。淚眼問花花不語，亂紅飛過秋千去。②

「可堪孤館閉春寒，杜鵑聲裏斜陽暮。」爲秦觀《踏莎行》中之句。全詞如下：

霧失樓臺，月迷津渡。桃源望斷無尋處。可堪孤館閉春寒，杜鵑聲裏斜陽暮？
驛寄梅花，魚傳尺素。砌成此恨無重數。郴江幸自遶郴山，爲誰流下瀟湘去？③

「采菊東籬下，悠然見南山。」爲陶潛《飲酒》第五首中之句。全詩如下：

結廬在人境，而無車馬喧。問君：何能爾？心遠地自偏。采菊東籬下，悠然見南山。山氣日夕佳，飛鳥相與還。此中有真意，欲辨已忘言。④

「寒波澹澹起，白鳥悠悠下。」爲元好問《潁亭留別》中之句。全詩如下：

故人重分携，臨流駐歸駕。乾坤展清眺，萬景若相借。北風三日雪，太素秉元化。九山鬱崢嶸，了不受陵跨。寒波澹澹起，白鳥悠悠下。懷歸人自急，物態本閒暇。壺觴負吟嘯，塵土足悲咤。回首亭中人，平林澹如畫。⑤

「有我之境，以我觀物，」謂：有我之境，乃以我觀物。如上所解，其各「有我之境」之例，皆有「吾」在。皆係我觀彼物。「物皆著我之色彩」，意謂：以我觀物之時，物之情狀，皆隨我之主觀感情而變易。如上各例：花非動物，不能語，不能飛。然因須隨我之主觀感情而變易，故花亦係能語而語、能飛而飛之動物矣。孤館閉春寒，杜鵑聲裏斜陽暮，皆係客觀情景，皆無所謂堪不堪。然因須隨我之主觀感情而變易，故亦有堪不堪之別；而於此為不堪。（可，豈也。可堪，豈堪也。豈堪，反詰疑問語，卽不堪也。）

「以物觀物」，謂：不以我觀物。亦卽：乃就物之性以觀物，不以我之情以觀物。此之謂「反觀」。而能一萬物之情。故曰：「不知何者爲我，何者爲物。」蓋謂物我兩忘也。邵雍《皇極經世緒言》云：

聖人之所以能一萬物之情者，謂其能反觀也。所以謂之反觀者，不以我觀物也。不以我觀物者，以物觀物之謂也。旣能以物觀物，又安有我於其間哉？……以物觀物，性也；以我觀物，情也。性公而明，情偏而暗。⑥

叔本華《世界是意志和表象》云：

每當我們達到純粹客觀的靜觀心境，從而能够喚起一種幻覺，彷彿只有物而沒有我存在的時候，……物與我就完全溶為一體。⑦

「古人爲詞，寫有我之境者爲多。」此語範圍太廣，且亦未必如此；故無法舉例。

「然未始不能寫無我之境。此在豪傑之士能自樹立耳。」豪傑之士，指：作詞才能高超之士。此語暗示：寫無我之境較之寫有我之境難，故寫無我之境之作品較之寫有我之境之作品爲多有價值也。

按原稿本，於「何者爲物」下，有「此卽主觀詩與客觀詩之所由分也」十四字，可知王氏之意，「有我之境」卽「主觀詩」，「無我之境」卽「客觀詩」。滕咸惠《人間詞話新注》（修訂本）修訂後記云：

原稿的表達方式和已經刪去的若干文句，仍然有助于準確理解王氏的思想。如：原稿第卅三條（按通行本第三條），有王氏已刪去的「此卽主觀詩與客觀詩之所由分也。據此，我們可以理解到，王氏所說的「有我之境」卽「主觀詩」，「無我之境」卽「客觀詩」。⑧

【附注】

① 此據通行本：「有我之境，以我觀物，故物皆着我之色彩。無我之境，以物觀物，故不知何者爲我，何者爲物。」原稿本作「有我之境，物皆着我之色彩。無我之境，不知何者爲我，何者爲物。此卽主觀詩與客觀詩之所由分也。」

② 據四印齋本《陽春集》。

③ 據番禺葉氏宋本兩種合印《淮海長短句》卷中。

④ 據陶澍集注本，《陶靖節集》卷三。

⑤ 據《四部備要》本，《遺山詩集箋注》卷一。（臺北市，臺灣中華書局。）

⑥邵雍《皇極經世緒言》，據《四部備要》本。（同上）黃粵洲注云：「皇極以觀物也，卽本物之理觀乎本物，則觀者非我，物之性也。若我之意觀乎是物，則觀者非物，我之情也。性乃公，公乃偏，偏致暗。」

⑦據繆靈珠未刊譯稿。

⑧滕咸惠校注《人間詞話新注》修訂本，頁一三〇。（山東，齊魯書社，民國七十八年三版。）

四

無我之境，人惟於靜中得之。有我之境，於由動之靜時得之。故一優美，一宏壯也。

詳釋四

「靜」，指：不動情。不動情則理智清醒，則冷靜；故曰靜。「由動之靜」，謂：先動情而後不動情。「之」，至也。靜則能得無我之境，從而能得優美之感。由動之靜，則能得有我之境，從而能得宏壯之感。何以故？王氏於《叔本華之哲學及其教育學說》中，有接近此處之答案之解說。其文云：

> 美之中又有優美與壯美之別。今有一物，令人忘利害之關係，而玩之而不厭者，謂之曰優美之感情。若其物不利於吾人之意志，而意志為之破裂，唯由知識冥想其理念者，謂之曰壯美之感情。①

王氏此意，全得之於叔本華。叔本華《世界是意志和表象》云：

美是純粹客觀的靜觀心境。……如果物象是與意志對抗，並以其不可抵抗的力量，使得意志感到威脅，或者其不可測量的體積，使得意志自慚形穢，但是如果欣賞者，……默默靜觀那些威脅意志的物象，……他就充滿了崇高感。②

按：王氏此條所云，不十分正確。如：「穿花蛺蝶深深見，點水蜻蜓款款飛。」「無邊落木蕭蕭下，不盡長江滾滾來。」此二聯所寫，皆爲無我之境，然一優美、一宏壯也。

至於壯美之說，王國維曾舉例言之。其《紅樓夢評論》云：

此書中壯美之部分，較多於優美之部分。……茲舉其最壯美者之一例。卽寶玉與黛玉最後之相見一節曰：「那黛玉聽着傻大姐說寶玉娶寶釵的話，此時心裏竟是油兒醬兒糖兒醋兒倒在一處的一般，甜酸苦鹹，竟說不出什麼味兒來了。……自己轉身，要回瀟湘館去，那身子竟有千百斤重的，兩隻脚却像踏着棉花一般，早已軟了！只得一步一步慢慢的走將下來。走了半天，還沒到沁芳橋畔，脚下愈加軟了。走的慢，且又迷迷痴痴信着脚從那邊繞過來，更添了兩箭地路。這時剛到沁芳橋畔，却又不知不覺的順着隄往向裏走起來。紫鵑取了絹子來，却不見黛玉。正在那裏看時，只見黛玉顏色雪白，身子恍恍蕩蕩的，眼睛也直直的，在那裏東轉西轉。……只得趕過來輕輕的問道：『姑娘怎麼又回去？是要往那裏去？』黛玉也只模糊聽見，隨口答道：『我問問寶玉去。』……紫鵑只得攙他進去。那黛玉却又奇怪了，這時不似先前那樣軟了。也不用紫鵑打簾子，自己掀起簾子進來。……見寶玉在那裏坐着，也不起來讓坐，只瞧他嘻嘻的獃笑。黛玉自己坐下，却也瞧着寶玉笑。兩個也不問好，也不說話，也無推讓，只管對着臉獃笑起來。忽然聽着黛玉說道：『寶玉你為什麼病了？』寶玉笑道：『我為林姑娘病了！』襲人紫鵑兩個嚇得面目改色，連忙用言語來岔。兩個却又不答言，仍舊獃笑起來。……紫鵑攙起黛玉，那黛玉也就站起來，瞧着寶玉，只管笑，只管點頭兒。紫鵑又催道：『姑娘回家去歇歇罷！』黛玉道：『可不是，我這就是回去的時候兒了？』說着，便回身笑着出來了。仍舊不用丫頭們攙扶，自己却走得比往常飛快。」（第九十六回）如此之文，此書中隨處有之，其動吾人之感情何如？凡稍有審美的嗜好者，無人不經驗之也。③

由上所述，可見壯美者，悲壯之美也。紅樓夢之爲悲劇也，所以感發人之情緒，寶玉黛玉唯有相視獃笑，掩蓋內心失戀無奈之痛苦，可謂壯美之極，讀之令人一掬同情之淚也。

又《詞話》卷上二四則云：

晏同叔之「昨夜西風凋碧樹。獨上高樓，望盡天涯路。」……一悲壯耳。

可見「悲壯」，卽「悲哀而壯美」也。

【附注】

① 《王國維先生全集》初編㈤，頁一六九四。（臺北市，大通書局，民國六十五年據趙本影印增益，爲最完備本。）

② 據繆靈珠未刊譯稿。

③ 同注①，頁一七三八—一七四〇。

五

自然中之物，互相關係，互相限制。①然其寫之於文學及美術中也，必遺其關係、限制之處。故雖寫實家，亦理想家也。又雖如何虛構之境，其材料必求之於自然，而其構造，亦必從自然之法則。故雖理想家，亦寫實家也。

詳釋五

此條與第二條所論，大同小異：「自然中之物……亦理想家也。」與第二條「大詩人……所寫之境，必鄰於理想。」之言大同小異。「又雖如何虛構之境，……亦寫實家也。」與第二條「大詩人所造之境，必合乎自然。」之言則幾乎全同。故可分別參看第二條之詳釋；玆不贅。

所謂「小異」，卽：本條嘗提及「美術」。宜略作解說：

此處之「美術」，非採廣義，乃指繪畫。繪自然景物之畫，若一味摹仿自然，唯妙唯肖，了無畫者之個性滲入其中；則此畫，僅爲畫匠之畫，不得謂爲畫家之畫。其與攝影所得之景物照片，毫無差別。其非藝術品也甚明。故曰：「故雖寫實家，亦理想家也。」

叔本華於《世界是意志和表象》中，有若干論述，可助對本條之了解。玆錄之於後：

實際的物象，幾乎總是它們所表現的理念之極不完全的摹仿。所以天才就需要想像力以洞察事物。……天才……不注意事物的聯繫的知識。他忽略了符合充足理由律的那種事物關係的知識，是為了要在事物中，只看它們的理念。……有人會說：「藝術摹仿自然而創造了美的東西。」……這是多麼固執而愚蠢的成見啊！……美的知識，絕不可能純粹是後天的，它總是先天的；至少有一部分是先天的。……只有依賴這種預料，我們才能認識美。……這種預料，就是理想。因為它得之於先驗，至少有一半是先驗的。所以它也是理念。②

至於美術之意義，王國維《叔本華與尼采》一文中有所說明，其引叔本華《世界是意象和表象》云：

夫美術者，實以靜觀中所得之實念，寓諸一物焉而再現之。由其所寓之物之區別，而或謂之彫刻，或謂之繪畫，或謂之詩歌、音樂，然其唯一之淵源，則存於實念之知識，而又以傳播此知識為其唯一之目的也。……而此特別之對象，其在科學中也，則藐然全體之一部分耳。而在美術中，則遽而代表其物之種族之全體，空間時間之形式對此而失其效，關係之法則至此而窮於用，故此時對象非個物而但其實念也。吾人於是得下美術之定義，曰：美術者，離充足理由之原則，而觀物之道也。③

由此可知，觀堂所謂之美術，亦卽藝術家由靜觀宇宙萬物所得之感觸，而透過各種藝術品，如雕塑、繪畫、詩歌、音樂、舞蹈等，所表現之具體印象也。

按原稿本，於「相互限制」下，有「故不能有完全之美」八字，可知王氏受叔本華美學之影響。

滕咸惠《人間詞話新注》修訂後記云：「原稿第卅七條，在『自然中之物，互相關係，互相限制』下，通行本第五條多出『故不能有完全之美』。這就很容易看出叔本華美學思想的痕迹。如果沒有這幾個字，就不那麼明顯了。④

【附　注】

①　原稿本「互相限刷」下，有「故不能有完全之美」。
②　據繆靈珠未刋譯稿。
③　《王觀堂先生全集》初編㈤，頁一七六一—一七六二。
④　滕咸惠校注《人間詞話新注》，頁一三〇。

六

境，非獨謂景物也；喜、怒、哀、樂①亦人心中之一境界。故能寫眞景物、眞感情者，謂之「有境界」；否則，謂之「無境界」。

詳釋六

景物爲境界，感情亦爲境界。感情不止喜、怒、哀、樂，此特舉四例耳。詩詞論者常謂：「景中有情，情中有景。」「寓情於景，融景於情。」……情、景之關係，極爲密切。故情、景二者，有一不眞，不得謂之「有境界」。或曰：情、景二者，僅有一眞，即可謂之「

無境界」。

惟感情眞者，其觀物亦眞。王國維《文學小言》云：

「燕燕于飛，差池其羽。」「燕燕于飛，頡之頏之。」「睍睆黃鳥，載好其音。」「昔我往矣，楊柳依依。」詩人體物之妙，侔于造化，然皆出於離人孼子征夫之口，故知感情真者，其觀物亦真。②

王氏舉詩經語，以說明詩人體物之妙，由於情感眞摯，此可證寫眞景物、眞感情者，謂之有境界矣。

「燕燕于飛，差池其羽。」「燕燕于飛，頡之頏之。」爲《詩經・邶風・燕燕》中之句。全詩如下：

燕燕于飛，差池其羽。之子于歸，遠送于野；瞻望勿及，泣涕如雨。
燕燕于飛，頡之頏之。之子于歸，遠于將之；瞻望勿及，佇立以泣！
燕燕于飛，下上其音。之子于歸，遠送于南。瞻望勿及，實勞我心。
仲氏任只，其心塞淵；終溫且惠，淑愼其身。先君之思，以勖寡人！③

「睍睆黃鳥，載好其音。」爲《詩經・邶風・凱風》中之句。全詩如下：

凱風自南，吹彼棘心。棘心夭夭，母氏劬勞。
凱風自南，吹彼棘薪。母氏聖善，我無令人！

爰有寒泉，在浚之下。有子七人，母氏勞苦！
睍睆黃鳥，載好其音。有子七人，莫慰母心！④

「昔我往矣，楊柳依依。」爲《詩經・小雅・采薇》中之句。全詩如下：

采薇采薇，薇亦作止。曰歸曰歸，歲亦莫止。靡室靡家，玁狁之故。不遑啓居，玁狁之故。
采薇采薇，薇亦柔止。曰歸曰歸，心亦憂止。憂心烈烈，載饑載渴。我戍未定，靡使歸聘。
采薇采薇，薇亦剛止。曰歸曰歸，歲亦陽止。王事靡盬，不遑啓處。憂心孔疚，我行不來。
彼爾維何？維常之華。彼路斯何？君子之車。我車旣駕，四牡業業。豈敢定居，一月三捷。
駕彼四牡，四牡騤騤。君子所依，小人所腓。四牡翼翼，象弭魚服。豈不日戒，玁狁孔棘。
昔我往矣，楊柳依依。今我來思，雨雪霏霏。行道遲遲，載渴載飢。我心悲傷，莫知我哀。⑤

按情感眞摯，除上述王氏所舉《詩經》外，玆復舉陶淵明《歸去來兮辭》如下：

歸去來兮，田園將蕪胡不歸！旣自以心為形役，奚惆悵而獨悲。悟已往之不諫，知來者之可追；實迷途其未遠，覺今是而昨非。舟遙遙以輕颺，風飄飄而吹衣，問征夫以前路，恨晨光之熹微。

乃瞻衡宇，載欣載奔；僮僕歡迎，稚子候門。三逕就荒，松菊猶存；携幼入室，有酒盈罇。引壺觴以自酌，眄庭柯以怡顏；倚南窗以寄傲，審容膝之易安。園日涉以成趣，門雖設而常關；策扶老以流憩，時矯首而遐觀。雲無心而出岫，鳥倦飛而知還；景翳翳以將入，撫孤松而盤桓。

歸去來兮，請息交以絶遊。世與我而相違，復駕言兮焉求！悦親戚之情話，樂琴書以消憂。農人告余以春及，將有事於西疇。或命巾車，或棹孤舟；既窈窕以尋壑，亦崎嶇而經丘。木欣欣以向榮，泉涓涓而始流；善萬物之得時，感吾生之行休！已矣乎，寓形宇內，能復幾時？曷不委心任去留！

胡為乎遑遑兮欲何之？富貴非我願，帝鄉不可期。懷良辰以孤往，或植杖而耘耔，登東皐以舒嘯，臨清流而賦詩。聊乘化以歸盡，樂夫天命復奚疑。⑥

其質樸自然，真情流露，躍然紙上。至於情感虛僞，矯揉造作，言行不一者，莫過於謝靈運，其《初去郡》詩云：

彭薛裁知恥，貢公未遺榮。或可優貪競，宜足稱達生？伊余秉微尚，拙訥謝浮名。廬園當棲岩，卑位代躬耕。顧己雖自許，心迹猶未並。無庸方周任，有疾像長卿，畢娶類向子，薄遊似邴生。恭承古人意，促裝返柴荆。牽絲及元興，解龜在景平。負心二十載，於今廢將迎。理棹遄還期，遵渚鶩脩坰。溯溪終水涉，高嶺始山行。野曠沙岸淨，天高秋月明。憩石挹飛泉，攀林搴落英。戰勝臞者肥，止監流歸停。即是羲唐化，獲我擊壤情。⑦

其詩結構嚴謹，辭藻美麗，典故豐富，對仗工整，幾乎無瑕可指。然其言行不一，人品虛僞。詩意謂謝卻浮名，隱居田園，而其實承繼祖父豐碩遺產，奴僕成羣，鑿山開湖，興建不已。嘗從始寧南山，伐木開逕，直至臨海，隨從數百，太守以爲盜，驚駭異常。其在會稽，亦復如是，常使縣民，不得安生。靈運因不得志回歸鄉里，又與地方官如孟顗等不和，漸有造反之意，終遭殺身之禍。其詩意謂受庖羲、唐堯之感化，獲擊壞而歌之民情，何其僞也！難怪其詩品不及淵明也。

【附　註】

①　通行本「喜怒哀樂」，原稿本作「感情」。
②　《王國維先生全集》初編㈤，《文學小言》㈧頁一九一六。
③　宋朱熹《詩集傳》，詩類，頁六—三一。（臺北市，臺灣商務印書館，《文淵閣四庫全書》影印本。）
④　同上。
⑤　同上。
⑥　陶潛《陶淵明集》，別集一類，頁六—二五五。（同註③）
⑦　謝靈運《謝康樂集》卷二，據《百三名家集》本。

七

「紅杏枝頭春意鬧。」，著一「鬧」字，而境界全出。「雲破月來花弄影。」，著一「弄」字，而境界全出矣。

詳釋七

「紅杏枝頭春意鬧」，爲宋祁《玉樓春》（春景）中之句。全詞如下：

東城漸覺風光好，縠皺波紋迎春棹。綠楊煙外曉寒輕，紅杏枝頭春意鬧。浮生長恨歡娛少，肯愛千金輕一笑。為君持酒勸斜陽，且向花間留晚照。①

「雲破月來花弄影」，爲張先《天仙子》（時爲嘉禾小倅，以病眠，不赴府會。）中之句。全詞如下：

水調數聲持酒聽，午醉醒來愁未醒。送春春去幾時回？臨晚鏡，傷流景。往事後期空記省。沙上竝禽池上暝，雲破月來花弄影。重重簾幕密遮燈。風不定，人初靜，明日落紅應滿徑。②

何以著一「鬧」字、「弄」字，卽境界全出？蓋此二字各合乎「眞」之條件也。「鬧」以外之「鬧」之近義字，諸如：李漁所舉之「吵」「鬥」「打」，《詳釋一》所列之「濃」「厚」「深」「盛」「喧」。「弄」以外之「弄」之近義字，諸如：《詳釋一》所列之「顯」「出」「擺」「搖」「戲」。凡此各字，皆不眞。至眞不眞之標準，則僅可意會，不可言傳也。雖然，必有其客觀之理存焉；僅吾人一時無法知之、言之耳。

王氏何以舉此二例而不舉他例？其或嘗受胡仔之影響亦未可知。胡仔《苕溪漁隱叢話》引《遯齋閑覽》云：

張子野郎中以樂章擅名一時。宋子京尚書奇其才，先往見之。遣將命者謂曰：「尚書欲見『雲破月來花弄影』郎中乎？」子野屛後呼曰：「得非『紅杏枝頭春意鬧』尚書邪？」遂出，置酒盡歡。蓋二人所舉，皆其警策也。③

「鬧」字「弄」字之被公認爲「眞」爲「美」，已有數百年之歷史。李漁於其《窺詞管見》中攻擊「鬧」字，實屬偏見。其說如下：

> 琢句煉字，雖貴新奇；亦須新而妥，奇而確。妥與確，總不越一『理』字。欲望句之驚人，先求理之服衆。時賢勿論，吾論古人。古人多工於此技。有最服余心者，「『雲破月來花弄影』郎中」是也。有蜚聲千載上而不能服强項之笠翁者，「『紅杏枝頭春意鬧』尚書」是也。「雲破月來」句，詞極尖新，而實爲理之所有。若紅杏之在枝頭，忽然加一「鬧」字，此語殊難解。爭鬪有聲之謂鬧。桃李爭春則有之；紅杏鬧春，予實未之見也。「鬧」字可用，則「吵」字、「鬪」字、「打」字皆可用矣。宋子京當日以此噪名；人不呼其姓氏，竟以此作尚書美號。豈由「尚書」二字起見耶？予謂：「鬧」字極粗俗，且聽不入耳。非但不可加於此句，並不當見之詩詞。近日詞中爭尚此字者，子京一人之流毒也。④

錢鍾書謂「鬧」字，可使無聲變有聲，而使聽覺獲得感受之效果，可謂持平之論。其《通感》引宋祁「紅杏枝頭春意鬧」和蘇軾「小星鬧若沸」（《夜行觀星》）云：

> 宋祁和蘇軾所以用「鬧」字，是想把事物的無聲的姿態，描繪成好像有聲音，表示他們在視覺裏彷彿獲得了聽覺的感受。用現代心理學或語言學的術語來說，這兩句都是「通感」（Synaesthesia）或「感覺移借」的例子。……在日常經驗裏，視覺、聽覺、觸覺、嗅覺等等，往往

可以彼此打通或交通，眼、耳、鼻、身等各個官能的領域可以不分界限。……通感的各種現象裏，最早引起注意的，也許是觸覺和視覺向聽覺裏的挪移。……好些描寫通感的詩句，都是直接採用了日常生活裏表達這種經驗的習慣語言。……不過，詩人對事物往往突破了一般經驗的感受。有更深刻、更細緻的體會，因此也需要推敲出一些新穎、奇特的字法，例如前面所擧宋祁和蘇軾的兩句。⑤

錢氏以現代心理學及語言學之術語通感，說明「紅杏枝頭春意鬧」及「小星鬧若沸」，乃視覺向聽覺之挪移，可謂切中肯綮矣！

【附　註】

① 據趙萬里輯本《宋景文公長短句》。
② 據《彊村叢書》本，《張子野詞》卷二。
③ 胡仔《苕溪漁隱叢話》前後集，詩文評類，頁六—三八一。（臺北市，臺灣商務印書館，《文淵閣四庫全書》影印本。）
④ 唐圭璋編《詞話叢編》本，臺北廣文書局。
⑤ 《文學評論》，一九六二年第一期。

八

境界有大小，不以是而分優劣。「細雨魚兒出，微風燕子輕。」何遽不若「落日照大旗，馬鳴風蕭蕭。」？「寶簾閒掛小銀鉤。」何遽不若「霧失樓臺，月迷津渡。」也？

詳釋八

「微風燕子輕」之「輕」，當作「斜」。「細雨魚兒出，微風燕子斜。」爲杜甫《水檻遣心二首》之一之句。全詩如下：

去郭軒楹敞，無村眺望賒。澄江平少岸，幽樹晚多花。細雨魚兒出，微風燕子斜。城中十萬戶，此地兩三家。①

「落日照大旗，馬鳴風蕭蕭。」爲杜甫《後出塞五首》之二之句。全詩如下：

朝進東門營，暮上河陽橋。落日照大旗，馬鳴風蕭蕭。平沙列萬幕，部伍各見招。中天懸明月，令嚴夜寂寥。悲笳數聲動，壯士慘不驕。借問大將軍，恐是霍嫖姚。②

「寶簾閒掛小銀鉤。」爲秦觀《浣溪沙》之句。全詞如下：

漠漠輕寒上小樓。曉陰無賴似窮秋。澹煙流水畫屏幽。

自在花飛輕似夢，無邊絲雨細如愁。寶簾閒掛小銀鉤。③

「霧失樓臺，月迷津渡。」爲秦觀《踏莎行》之句。全詞已見「詳釋三」。

「大」「小」均就詩之內容所表現之氣勢之陰陽言。大，指：所表氣勢陽剛；小，指：所表氣勢陰柔。《易》言陰陽而馴至陰陽家之陰陽，時至今日，已成常識。故何者爲陽？何者爲陰？盡人皆易分辨，玆不多贅。「細雨魚兒出，微風燕子斜。」氣勢何等細弱柔和！「落日照大旗，馬鳴風蕭蕭。」氣勢何等宏壯剛大！「寶簾閒掛小銀鉤」，何等細柔！「霧失樓臺，月迷津渡。」何等遼濶！此盡人皆能體認者也。「大」「小」極易辨也。

至謂「境界不以大小分優劣」，則因有「眞感情」始有境界。故境界之分優劣，乃以「眞感情」爲準，不以「大」「小」爲準。大、小俱有眞感情，則俱優；大、小俱無眞感情，則俱劣。大有眞感情而小無，則大優小劣；小有眞感情而大無，則小優大劣。然一般心理，皆未嘗思及「眞感情」而僅一味以爲：凡大則優，凡小則劣。故王氏以反詰語句強烈指出此等心理之錯誤；且以例明之。「遽」亦「何」義。「何遽」爲複語。然「遽」於此，有「必謂」之味。「何遽不若……？」有「何以人們竟如此昏瞶而必謂此小境不若此大境邪？」之意。蓋強調：境界「絕對」不以大小而分優劣，而僅以有無「眞感情」而分優劣也。

雖然，倘所舉比較之例，爲不同之二人之例，則未免易滋爭辨；故王氏均僅舉同一人之例以作比較。實則，不舉同一人之例，其說亦仍確。不同之人之例，玆舉如下：

大境界之例——岳飛《滿江紅》：

怒髮衝冠，憑欄處，瀟瀟雨歇。擡望眼，仰天長嘯，壯懷激烈。三十功名塵與土，八千里路雲和月。莫等閒，白了少年頭，空悲切。

靖康恥，猶未雪；臣子恨，何時滅？駕長車踏破、賀蘭山闕。壯志飢餐胡虜肉，笑談渴飲匈奴血。待從頭、收拾舊山河，朝天闕。④

小境界之例——趙鼎《滿江紅》（丁未九日南渡泊舟儀眞江口）：

慘結秋陰，西風送、絲絲雨濕。凝望眼，征鴻幾字，暈投沙磧。欲問鄉關何處是，水雲浩蕩連南北。但脩眉，一抹有無中，遙山色。

江上路，天涯客；腸已斷，頭應白。空搔首興歎，暮年離隔。欲待忘憂除是酒，奈酒行有盡愁無極。便挽將、江水入尊罍，澆胸臆。⑤

【附註】

① 仇兆鰲《杜詩詳註》卷十，別集一類，頁六一—二五八。（臺北市，臺灣商務印書，《文淵閣四庫全書》影印本。）

② 同上，卷四。

③ 據《淮海長短句》卷中。

④ 汪中注譯《新譯宋詞三百首》，頁一三三。（臺北市，三民書局，民國六十六年，《古籍今注新譯叢書》本。）

⑤ 唐圭璋編《全宋詞》，明倫出版社。

九

嚴滄浪「詩話」謂：「盛唐諸公，唯在興趣。羚羊挂角，無跡可求。故其妙處，透澈玲瓏，不可湊拍。如空中之音，相中之色，水中之影，鏡中之象，言有盡而意無窮。」余謂：「北宋以前之詞，亦復如是。」

然滄浪所謂「興趣」，阮亭所謂「神韻」，猶不過道其面目；不若鄙人拈出「境界」二字，爲探其本也。

詳釋九

「盛唐諸公」之「公」字，「透澈玲瓏」之「澈」字，「不可湊拍」之「拍」字，「水中之影」之「影」字，《滄浪詩話》原各作「人」「徹」「泊」「月」等字。

嚴滄浪，指：嚴羽。嚴羽，字儀卿，一字丹丘，號滄浪逋客。南宋邵武（今屬福建）人。生卒年不詳。著有《滄浪詩集》《滄浪詩話》

詩話，指：《滄浪詩話》。全書分爲：詩辨、詩體、詩法、詩評、詩證五部分。王氏所引之語，出自《詩辨》。

明高廷禮將唐詩分爲四期：⑴初唐——自唐初至玄宗開元初。⑵盛唐——自開元至代宗大曆初。⑶中唐——自大曆至文宗太和間。⑷晚唐——自太和至唐末。

盛唐著名詩人甚多。最著名者，爲：孟浩然、李白、崔顥、綦毋潛、王維、儲光羲、王昌齡、王之渙、賈至、高適、岑參、杜甫、常建。

嚴氏所言「興趣」，與今語「興趣」，涵義大不相同。爲求對嚴氏之「興趣」易於體味，嚴氏之「興趣」，似宜易以「興味」(或「興致」)爲佳。

何謂「興味」？嚴氏未下定義。然與「興味」二字緊接之下文，有「羚羊挂角，無跡可求。……言有盡而意無窮。」之語。不遠之上文，亦有「不涉理路，不落言筌。」之言。此上下之文，皆可視之爲與定義之作用同等之說明。其中「羚羊挂角，……鏡中之象，」言之似嫌飄忽，使人難以意會。然「言有盡而意無窮」，卽可視爲此飄忽措詞之具體結論。「不涉理路，不落言筌；」，亦與此「言有盡而意無窮」涵義小異大同。吾人倘更具體言之，則爲：詩之表現思想、感情，僅可通過具體事物之描寫而作間接表現；不可以說明、議論文字直接表現。否則其詩必全無興味。

茲舉「間接表現」與「直接表現」之詩各一首，以作比較說明：

間接表現之詩：

劉禹錫《烏衣巷》

朱雀橋邊野草花，烏衣巷口夕陽斜。
舊時王、謝堂前燕，飛入尋常百姓家。①

直接表現之詩：

羅洪先《醒世詩》

得失榮枯總由天，機關用盡枉徒然。人心不足蛇吞象，世事到頭螂捕蟬。

無藥可延卿相壽，有錢難買子孫賢。得過一日過一日，一日清閒一日仙。②

上二詩，主旨均爲：表現消極之思想、感情。均覺：人生榮華富貴，轉眼成空；不必巧用機智，拚命爭取。然劉詩無一語言及此意，而讀畢全詩，則令人於榮華富貴，油然而生心灰意冷之心。羅詩則幾無一句而不明言主旨之意。讀後反覺興味索然。

劉詩卽爲「不涉理路，不落言筌。」卽爲「言有盡而意無窮。」羅詩卽爲「涉理路，落言筌。」卽爲「意有盡而言無窮。」劉詩爲有興味之詩，羅詩爲無興味之詩。

「盛唐諸人，唯在興趣。」乃就大致言；若云百分之百如此，則未必也。玆舉二例以明之：

例一——孟浩然《臨洞庭上張丞相》

八月湖水平，涵虛混太清。氣蒸雲夢澤，波撼岳陽城。
欲濟無舟楫。端居恥聖明。坐觀垂釣者，徒有羨魚情。③

此詩除「氣蒸雲夢澤，波撼岳陽城。」稍有興味之外，餘句皆涉理路，落言筌，意少而言多。尤以起首二句，耗字達十而意僅爲「湖水滿」。且此「湖水滿」，於此詩亦爲多餘之意；蓋宜在下六句之某句中暗示「湖水滿」也。多種詩評，盛稱此「八月湖水平，涵虛混太清。」起法高妙。不知於創作技巧理論上何所據而云然？

例二——杜甫《登岳陽樓》

昔聞洞庭水，今上岳陽樓。吳楚東南坼，乾坤日夜浮。

親朋無一字，老病有孤舟。戎馬關山北，憑軒涕泗流。④

此詩亦如孟詩，除「吳楚東南坼，乾坤日夜浮。」稍有興味外，餘句亦均涉理路，落言筌，意少言多。起句更乃耗達十字而意無；較之孟詩尤拙也。有稱之者，蓋亦「偶像崇拜」之心態作祟也。

「以前」，一般有二意：其一，某以前，包某而言。如：北宋以前，包括北宋。即：唐、五代十國、北宋。其二，某以前，不包某而言。如：北宋以前，不包北宋。即：唐及五代十國也。以王氏盛讚北宋之詞，知此「以前」爲第一義。

「北宋以前之詞，亦復如是。」此亦就大致言。詳細說明，見「詳釋一」。

阮亭，卽：王士禎。王士禎，字子眞，一字貽上。號阮亭，別號漁洋山人。淸山東、新城（今桓臺）人。順治進士。官至刑部尙書。謚「文簡」。在文學上，爲淸之詩人、詩論家。其論詩主「神韻」。著有《帶經堂集》《漁洋山人精華錄》《池北偶談》《居易錄》《漁洋詩話》《五代詩話》《古夫于亭雜錄》等。又選有《古詩選》《十種唐詩選》《唐賢三昧集》《唐人萬首絕句選》《二家詩選》等。

神韻說要旨：主張詩須蘊藉含蓄，淸淡平運，不卽不離，神韻天然，興會超妙，興致神到，得意忘言，其藝術境界，僅可神到意會，無法實指言傳。

此等說法，其「如仙人五城十二樓，縹緲俱在天際；」之情形，與「興趣說」全然無異。故若易以具體之言述之，則與頃述「興趣說」時所述全同。

何謂「面目」？何謂「本」？「面目」猶花枝，「本」猶根。故此處「面目」所指，應爲作品之風格；「本」所指，應爲作品之內容——感情。作品有眞感情則有境界。此語可言傳實指；不若興趣、神韻、格調、性靈……之僅可意會而不可言傳也。故曰「探本」也。

按滄浪所謂興趣，羚羊掛角，無迹可求者，此以禪喻詩也。《傳燈錄》卷十六云：

義存禪師謂衆曰：我若東道西道，汝則尋言逐句；我若羚羊掛角，你向什麼處捫摸？⑤

又卷十七云：

道濟禪師謂衆曰：如好獵狗，只解尋得有踪迹底；忽遇羚羊掛角，莫道迹，氣亦不識。⑥

蓋道無形，不可言說，故禪宗不立文字，以求頓悟，如世尊拈花，迦葉微笑，可謂得其眞諦。滄浪之說，袁枚較得其義。其《隨園詩話》卷八云：

嚴滄浪借禪喻詩，所謂羚羊掛角，香象渡河，有神韻可味，無迹象可尋，此說甚是，然不過詩中一格耳。阮亭奉為至論，馮鈍吟笑為謬談；皆非知詩者。詩不必首首如是，亦不可不知此種境界。如作近體短章，不是半吞半吐；超超元著，斷不能得絃外之音，甘餘之味。滄浪之言如何可詆！若作七古長篇，五言百韵，卽以禪喻，自當天魔獻舞，花雨彌空，雖造八萬四千寳塔不為多也。又何能一羊一象，顯渡河掛角之小神通哉！總在相題行事能放能收方稱作手。⑦

滄浪以禪喻詩，致遭漁洋之誤解，純吟之糾謬。故錢鍾書《談藝錄》云：

嚴滄浪《詩辯》曰：……詩之有神韵者，如水中之月，鏡中之象，透徹玲瓏，不可湊泊，不涉理路，不落言筌云云，幾同無字天書。以詩擬禪，意過于通，宜招鈍吟之糾謬，起漁洋之誤解。禪宗于文字，以膠盆粘着為大忌，法執理障，則藥語盡成病語。故谷隱禪師云：「才涉唇吻，便落意思，盡是死門，終非活路。」（見《五燈會元》卷十二）此莊子得意忘言之說也。若詩自是文字之妙，非言無以寓言外之意。水月鏡花，固可見不可捉，然必有此水而後月可印潭，有此鏡而後花可印面。⑧

衡諸錢氏之意，必有此詩而後可以有言外之意，絃外之音也。漁洋才薄，而生誤解。故《談藝錄》云：

漁洋天賦不厚，才力頗薄，乃遁言神韵妙悟，以自掩飾。一吞半吐，撮摩虛空，往往並未悟入，已作點頭微笑，閉目猛省，出口無從，會心不遠之態。故余嘗謂漁洋病在誤解滄浪，正為文飾才薄，將意在言外，認為言中不必有意，將弦外餘音，認為弦上無音，將有話不說，認作無話可說。趙飴山《談龍錄》謂漁洋一鱗一爪，不是真龍。漁洋固亦真有龍而見首不見尾者，然太半則如明太祖殺牛而留尾插地，以陷土中欺主人，實空無所有也。妙悟云乎哉？妙手空空已耳。⑨

由此可見，觀堂境界之說，實勝于興趣神韵也。

【附　注】

① 劉禹錫《劉賓客文集》外集，別集一類，頁六－二六一。（臺北市，臺灣商務印書館，《文淵閣四庫全書》影印本。）

② 羅洪先《念庵文集》，別集五類，頁六－三四七。（同上）

③ 孟浩然《孟浩然集》，別集一類，頁六－二五八。（同上）

④ 仇兆鰲《杜詩譯注》，別集一類，頁六－二五八。（同上）

⑤ 郭紹虞《滄浪詩話校釋》。

⑥ 同上。

⑦ 袁枚《隨園詩話》卷八，臺北藝文印書館，《清詩話》。

⑧ 錢鍾書《談藝錄》，頁一一四。（臺北明倫出版社翻印本）

⑨ 同上。

十

太白純以氣象勝。「西風殘照，漢家陵闕。」寥寥八字，遂關千古登臨之口。① 後世唯范文正之《漁家傲》，夏英公之《喜遷鶯》，差足繼武；然氣象已不逮矣。

詳釋十

太白，李白字。李白，字太白。唐蜀昌明人。漢將軍李廣之後裔。爲唐代大詩人。著有《李太白集》。

「氣象」，指：氣勢雄偉。

「西風殘照，漢家陵闕。」爲李白《憶秦娥》之句。全詞如下：

簫聲咽，秦娥夢斷秦樓月。秦樓月，年年柳色，霸陵傷別。

樂游原上清秋節，咸陽古道音塵絕。音塵絕，西風殘照，漢家陵闕。②

此詞是否爲李白之作？「西風殘照，漢家陵闕。」是否氣象開闊宏偉？歷來頗有爭論。③此處僅就王氏「肯定有氣象」而論，不言爭論。王氏認此八字，關千古登臨之口。意謂：獨步千古。意謂「空前」。且「關口」之意，更謂「絕後」。下文所舉范、夏二例，卽爲「絕後」作證。

范文正，卽范仲淹。「文正」爲其謚號。范仲淹，字希文。宋吳縣人。大中祥符間，舉進士。官秘閣校理以至參知政事。卒謚文正。

范仲淹《漁家傲》（秋思），全詞如下：

塞下秋來風景異，衡陽雁去無留意。四面邊聲連角起。千嶂裏，長煙落日孤城閉。

濁酒一杯家萬里，燕然未勒歸無計。羌管悠悠霜滿地。人不寐，將軍白髮征夫淚。④

夏英公：「英公」，「英國公」之略。「英國公」，夏竦之封號。夏竦，字子喬。宋江州德安人。由賢良方正累官遷武寧軍節度使。封英國公，進封鄭國公。卒謚文莊。著有文集百卷。

夏竦《喜遷鶯》，全詞如下：

> 霞散綺，月垂鉤，簾捲未央樓。夜涼銀漢截天流，宮闕鎖清秋。
> 瑤臺樹，金莖露，鳳髓香盤煙霧。三千珠翠擁宸遊，水殿按《涼州》。⑤

范詞氣象之句，應爲「長煙落日孤城閉」「將軍白髮征夫淚」，夏詞氣象之句，應爲「夜涼銀漢截天流」「三千珠翠擁宸遊」。然較之「西風殘照，漢家陵闕。」之氣象，雖「差足繼武」，然終「不逮」。蓋范詞未免衰颯，而夏詞則未免諂諛，未若「西風殘照，漢家陵闕。」之悲壯也。

「登臨」，不知何所指。蓋此詞既非「詠『登臨』之詞」，亦非「登臨題壁之詞」。王氏謂「登臨」，恐係一時之有如下兩種錯誤思索：

㈠誤以爲「詠『登臨』之詞」，則或因詞內有「秦樓」「樂游原」之辭，或因邵博《聞見後錄》有如下之語：

> 簫聲咽云云，李太白詞也。予嘗秋日餞客咸陽寶釵樓。漢諸陵在晚照中。有歌此詞者，一座悽然而罷。

㈡誤以爲「登臨題壁之詞」，則因李白之另一詞《菩薩蠻》爲登臨題壁之詞，王氏一時記錯而誤以此詞爲登臨題壁之詞。

《菩薩蠻》爲登臨題壁之詞，《湘山野錄》有云：

> 此詞不知何人寫在鼎州滄水驛樓。復不知何人所撰。魏道輔（泰）見而愛之。後至長沙，得古

風集於曾子宣內翰家，乃知李白所謨。

按李白《菩薩蠻》，全詞如下：

平林漠漠煙如織，寒山一帶傷心碧，瞑色入高樓，有人樓上愁。玉階空佇立，宿鳥歸飛急，何處是歸程，長亭連短亭。⑥

【附　注】

① 通行本「遂關千古登臨之口」，原稿本作「獨有千古」。
② 據《四部叢刋》本，《唐宋諸賢絕妙詞選》卷一。
③ 滕咸惠校注《人間詞話新注》（修訂本），頁三一四。
④ 據《彊村叢書》本，《范文正公詩餘》。
⑤ 據《絕妙詞選》卷二。
⑥ 同注②。

十一

張臯文謂：「飛卿之詞，深美閎約。」余謂：「此四字，唯馮正中足以當之。」劉融齋謂：「飛卿精艷絕人。」差近之耳。

詳釋十一

「精艷絕人」之「艷」字，原作「妙」字。

張皋文，即張惠言。張惠言，字皋文，號茗柯。清江蘇武進（今常州）人。嘉慶進士。官翰林院編修。著有《茗柯文編》《茗柯詞》。編有《詞選》《七十家賦鈔》。

張皋文「飛卿之詞，深美閎約。」之語，出其《詞選序》。全句如下：

> 自唐之詞人，李白為首；其後韋應物、王建、韓翃、白居易、劉禹錫、皇甫淞、司空圖、韓偓並有述造，而溫庭筠最高，其言深美閎約。①

飛卿，溫庭筠字。溫庭筠，本名岐，字飛卿。唐太原人。貞觀宰相溫彥博之後。累舉不第。嘗官尉及巡官。著有《握蘭集》《金荃集》《漢南眞稿》。

馮正中，即馮延巳。馮延巳，一名延嗣，字正中。其先彭城人，唐末徙家新安，又徙廣陵。累官翰林學士承旨，進中書侍郎左僕射同平章事。所著樂府甚多。嘉祐中，陳世修編定爲《陽春錄》一卷。

劉融齋，即劉熙載。劉熙載，字伯簡，號融齋，又號寤崖子。清江蘇興化人。道光進士。官至左春坊左中允、廣東學政。著述甚富，有《四音定切》《說文雙聲》《說文疊韻》《持志塾言》《昨非集》與《藝概》，合稱《古桐書屋六種》。又有《古桐書屋劄記》《游藝約言》《制藝書存》，合稱《古桐書屋續刻三種》。

劉融齋「飛卿精妙絕人」之語，出其《藝概》卷四《詞曲概》。原語如下：

溫飛卿詞精妙絶人，然類不出乎綺怨。②

王國維認爲「深美閎約」，僅馮延巳足以當之；而溫庭筠詞，則僅與「精妙絶人」差近。此非讀二人全部之詞，則無由比較。於此勢不可能。然於此於二人之詞各舉數首以比較之，亦未嘗不可見其概略也。

各舉之詞如下：

馮延巳詞之例：

歸國遙

江水碧，江上何人吹玉笛？扁舟遠送瀟湘客。

蘆花千里霜月白，傷行色。明朝便是關山隔。③

蝶戀花

誰道閑情拋棄久？每到春來，惆悵還依舊。日日花前常病酒。不辭鏡裏朱顏瘦。

河畔青蕪堤上柳。為問新愁，何事年年有？獨立小橋風滿袖。平林新月人歸後。④

溫庭筠詞之例：

菩薩蠻

小山重疊金明滅，鬢雲欲度香顋雪。懶起畫蛾眉，弄妝梳洗遲。

照花前後鏡，花面交相映。新帖繡羅襦，雙雙金鷓鴣。⑤

女冠子

含嬌含笑，宿翠殘紅窈窕，鬢如蟬。寒玉簪秋水，輕紗卷碧煙。雪胸鸞鏡裏，琪樹鳳樓前。寄語青娥伴，早求仙。

上舉馮延巳《歸國遙》《蝶戀花》二詞，深美閎約，流於翰墨。陳廷焯《白雨齋詞話》云：馮正中詞，極沈鬱之致，窮頓挫之妙，纏綿忠厚，與溫、韋相伯仲也。

又上舉溫庭筠《菩薩蠻》《女冠子》詞，精妙絕人，筆端流露。周濟《介存齋論詞雜著》云：詞有高下之別，有輕重之別。飛卿下語鎮紙，端己揭響入雲，可謂極兩者之能事。

皋文曰：「飛卿之詞，深美閎約。」信然。飛卿醞釀最深，故其言不怒不懾，備剛柔之氣。鍼縷之密，南宋人始露痕迹，《花間》極有渾厚氣象。如飛卿則神理超越，不復可以迹象求矣；然細繹之，正字字有脈絡。⑥

觀堂借張劉詞論以評詞，謂深美閎約，馮正中足以當之，而精艷絕人，飛卿差近之耳，可謂持平之論也

【附　注】

① 據《詞選》，中華書局本。

② 據上海古籍出版社本。

③ 據四印齋本《陽春集》。
④ 同上。
⑤ 溫庭筠《溫飛卿集箋注》，別集一類，頁六一一二六四。（臺北市，臺灣商務印書館，《文淵閣四庫全書》影印本。）
⑥ 據人民文學出版社本。

十二

「畫屏金鷓鴣」，飛卿語也。其詞品似之。「絃上黃鶯語」，端己語也。其詞品亦似之。正中詞品，若欲於其詞句中求之，則「和淚試嚴妝」，殆近之歟？

詳釋十二

飛卿，已於「詳釋十一」中有說明。

端己，韋莊字。韋莊，字端己。唐末五代初杜陵人。唐乾寧元年進士。唐亡後，於五代十國之蜀國，官至散騎常侍，判中書門下事。有浣花集。

正中，亦已於「詳釋十一」中有說明。

「畫屏金鷓鴣」，爲溫庭筠《更漏子》之句。全詞如下：

柳絲長，春雨細，花外漏聲迢遞。驚塞雁，起城烏，畫屏金鷓鴣。
香霧薄，透簾幕，惆悵謝家池閣。紅燭背，繡簾垂，夢長君不知。①

「絃上黃鶯語」，爲韋莊《菩薩蠻》之句。全詞如下：

紅樓別夜堪惆悵，香燈半捲流蘇帳。殘月出門時，美人和淚辭。琵琶金翠羽，絃上黃鶯語。勸我早歸家，綠窗人似花。②

「和淚試嚴妝」。爲馮延巳《菩薩蠻》之句。全詞如下：

嬌鬟堆枕釵橫鳳，溶溶春水楊花夢。紅燭淚闌干，翠屏煙浪寒。錦壺催畫箭，玉佩天涯遠。和淚試嚴妝，落梅飛曉霜。③

溫、馮之詞，「詳釋十一」嘗各舉二例。韋詞，茲亦舉二例如下：

清平樂

野花芳草，寂寞關山道，柳吐金絲鶯語早。惆悵香閨暗老。羅帶悔結同心，獨凭朱欄思深。夢覺半牀斜月，小窗風觸鳴琴。④

浣溪紗

夜夜相思更漏殘，傷心明月凭闌干。想君思我錦衾寒。咫尺畫堂深似海，憶來唯把舊書看。幾時携手入長安？⑤

溫詞詞品似「畫屏金鷓鴣」，意謂：其詞品濃艷、濃麗，哀愁、哀怨。於前所舉二例，可見一斑。

韋詞詞品似「絃上黃鶯語」，意謂：其詞品顯豁、清俊、樸素、生動。於頃所舉二例，可見一斑。

馮詞詞品似「和淚試嚴妝」，意謂：其詞品寓悲涼於濃麗。足當「深美閎約」之讚。此亦於前所舉二例，可見一斑。

【附　注】

① 據《花間集校本》。（觀堂自輯本《金荃詞》，文字未經校訂，不足據，應以《花間集》爲據，後同。）

② 同上。

③ 據《陽春集》。

④ 同注①。

⑤ 同上。

十三

南唐中主詞：「菡萏香銷翠葉殘，西風愁起綠波間。」大有「衆芳蕪穢，美人遲暮」之感。乃古今獨賞其「細雨夢回鷄塞遠，小樓吹徹玉笙寒。」故知解人正不易得。

詳釋十三

南唐中主，姓李名璟，字伯玉。徐州人。唐宗室之裔。宋建隆二年卒。宋太祖許追復帝號，廟號元宗。有長短句數首。

「菡萏香銷翠葉殘，西風愁起綠波間。」與「細雨夢回鷄塞遠，小樓吹徹玉笙寒。」，皆南唐中主《浣溪沙》之句。全詞如下：

> 菡萏香銷翠葉殘，西風愁起綠波間。還與韶光共顦顇，不堪看。
> 細雨夢回鷄塞遠，小樓吹徹玉笙寒。多少淚珠何限恨？倚闌干。①

「衆芳蕪穢」「美人遲暮」，俱出屈原《離騷》。茲摘較完整之語句如下：

> ……日月忽其不淹兮，春與秋其代序。惟草木之零落兮，恐美人之遲暮。……余旣滋蘭之九畹兮，又樹蕙之百畝。畦留夷與揭車兮，雜杜衡與芳芷。冀枝葉之峻茂兮，願竢時乎吾將刈。雖萎絶其亦何傷兮，哀衆芳之蕪穢。②

此二語引於此處之涵義，與原處涵義略有不同。此處之義，大致爲：原積極修善之心，轉爲灰心消極；蹉跎歲月，老死無成。

「菡萏」「西風」二語，大有「衆芳蕪穢，美人遲暮」之感；而「細雨」「小樓」二語，則無此感。或：雖亦有此感，而其感乃由前二語所派生，非如前二語之爲主導、原生。乃古今獨賞後二語而無賞前二語者，故曰「解人不易得」也。

「古今獨賞」，所指爲誰？王國維氏未有明言。惟據下引二則記述，王氏所指，應爲馮延巳與王安石。

二則記述如下：

第一則

馬令《南唐書》《馮延巳傳》云：元宗樂府詞云：「小樓吹徹玉笙寒。」延巳有「風作起，吹皺一池春水。」之句。皆為警策。元宗嘗戲延巳，曰：「『吹皺一池春水』，干卿何事？」延巳曰：「未若陛下『小樓吹徹玉笙寒』。」元宗悅。③

第二則

胡仔《苕溪漁隱叢話》引《雪浪齋日記》云：荊公問山谷云：「作小詞，曾看李後主詞否？」云：「曾看。」荊公云：「何處最好？」山谷以「一江春水向東流」為對。荊公云：「未若『細雨夢回鷄塞遠，小樓吹徹玉笙寒。』又，『細雨濕流光』最好。」④

按：王安石應不至誤以中主與馮延巳詞爲後主詞。恐係《雪浪齋日記》所記有誤，或另有他因。

與王氏而有「解人不易得」之同感者，有吳梅氏。吳梅《詞學通論》云：

中宗諸作，自以《山花子》二首為最。……此詞之佳，在於沈鬱。夫「菡萏銷翠」，「愁起西風」與「韶光」無涉也。而在傷心人見之，則夏景繁盛，亦易摧殘，與春光同此顛頓耳。故一則曰「不堪看」，一則曰「何限恨」。其頓挫空靈處，全在情景融洽，不事雕琢，淒然欲絕。至「細雨」「小樓」二語，為「西風愁起」之點染語，鍊詞雖工，非一篇中之勝處。而世人競賞此二語，亦可謂不善讀者矣。⑤

又陳廷焯氏亦有同此感慨，其《白雨齋詞話》云：

南唐中宗《山花子》云：「還與韶光共憔悴，不堪看。」沉之至，鬱之至，淒然欲絕。後主雖善言情，卒不能出其右也。又首二句，大有「衆芳蕪穢，美人遲暮」之感。乃古今獨賞其「細雨夢回鷄塞遠，小樓吹徹玉笙寒。」故知解人正不易得。

按此調本以《浣溪沙》結句破七字爲十字，故名《攤破浣溪沙》，後又另名《山花子》耳。後人因李主此詞「細雨」「小樓」二句，膾炙千古，竟名爲《南唐浣溪沙》。又詞名「沙」，與《浪淘沙》不同，義應作「紗」，則尤當爲「紗」。

【附　注】

① 據戴景素校注本《李後主詞》附錄《中主詞》。
② 據朱熹《楚辭集注》，上海古籍出版社本。
③ 據《墨海金壺》本。
④ 據人民文學出版社本，上册。
⑤ 據商務印書館本。

十四

溫飛卿之詞，句秀也。韋端己之詞，骨秀也。李重光之詞，神秀也。

詳釋十四

溫飛卿，卽溫庭筠。「詳釋十一」已有說明。

韋端己，卽韋莊。「詳釋十二」已有說明。

李重光，卽南唐後主。南唐後主，姓李名煜，字重光。初名從嘉。中主李璟之第六子。建隆二年嗣立。開寶八年國入宋，封違命侯。太平興國中，進封隴西郡公。卒，追封吳王，贈太師。卒時年四十二。煜妙於音律，能自譜樂府。後人合中主所作，刻之爲《南唐二主詞集》一卷。

溫詞，「詳釋十一」有例。

韋詞，「詳釋十二」有例。

李詞，以其神妙無比，玆特舉四例：

相見歡

林花謝了春紅，太匆匆。無奈朝來寒雨晚來風。

胭脂淚，相留醉，幾時重。自是人生長恨水長東。①

又

無言獨上西樓，月如鉤。寂寞梧桐深院鎖清秋。

剪不斷，理還亂，是離愁。別是一般滋味在心頭。②

浪淘沙

簾外雨潺潺，春意闌珊。羅衾不暖五更寒。夢裏不知身是客，一晌貪歡。

獨自莫凭欄，無限江山。別時容易見時難。流水落花春去也，天上人間。③

虞美人

春花秋月何時了，往事知多少？小樓昨夜又東風，故國不堪回首月明中。

雕欄玉砌應猶在，只是朱顏改。問君能有幾多愁，恰似一江春水向東流。④

句秀、骨秀、神秀，爲品評詞品之三級。分別爲下品、中品、上品。何以故？答語以藉具體事物方之較易喩：猶之就健康而論之人體：句秀則猶之外貌白晳而實不健壯。骨秀則猶之肢體粗壯、臟腑機能充旺。神秀則猶之聲似銀鈴，目光如電，神采奕奕。又猶之就德能而論之人品：句秀則猶之衣著講究而不敢有所談吐，以免由談吐而露其淺陋。骨秀則猶之學識豐富、才能高超。神秀則猶之有山高水長之風，令人接之如坐春風。

溫詞，於「詳釋十二」中有說明，以其濃麗，故曰「句秀」。韋詞，亦於「詳釋十二」中有說明。以其淸俊、質樸，故曰「骨秀」。李詞，前無說明。玆就所舉四例而審察之、析賞之，非「神秀」而何？譚獻評周濟《詞辯》論《虞美人》云：

二詞（按：另一《虞美人》為「風迴小樓」。）終當以神品目之。後主之詞，足當太白詩篇，高奇無匹。

《詞曲通義》評《虞美人》云：

此首為詞中至境。

「高奇無匹」，非「神秀」而何？「至境」，非「神秀」而何？

按李後主詞眼界闊大，感慨深沉，神采飛揚，此「神秀」也。溫庭筠詞辭句華美，此「句秀」也。韋端己詞風清骨俊，此「骨秀」也。故後主勝於溫韋甚矣。明胡應麟《詩藪·雜編》云：

> 後主目重瞳子，樂府為宋人一代開山。蓋溫、韋雖藻麗，而氣頗傷促，意不勝辭，至此君方為當行作家，清便宛轉，詞家王、孟。⑤

此外，馮煦以爲北宋詞源於南唐二主及馮延巳。其《南唐五代詞選敍》云：

> 吾家正中翁，鼓吹南唐，上翼二主，下啓歐、晏，實正變之樞貫，短長之流別。

晚清詞人王鵬運甚至稱李煜爲「詞中之帝」，其《半塘老人遺稿》贊美李煜詞「超逸絕倫，虛靈在骨。」

綜上所述，觀堂之見，疑亦受此影響矣！

【附　注】

① 據戴景素校注本《李後主詞》。
② 同上。
③ 同上。
④ 同上。
⑤ 明胡應麟《詩藪》，臺北市，廣文書局，《古今詩話叢編》本。

十五

詞至李後主而眼界始大，感慨遂深；遂變伶工之詞而爲士大夫之詞。周介存置諸溫、韋之下，可謂顛倒黑白矣。「自是人生長恨水長東」「流水落花春去也，天上人間。」《金荃》《浣花》，能有此氣象耶？

詳釋十五

李後主，卽南唐後主李煜。「詳釋十四」已有說明。

「眼界大」，李詞雄奇、豪宕，故曰「眼界大」。

「感慨深」，李煜降宋以後，旦夕以淚洗面，感慨能勿深乎？

「伶工之詞」與「士大夫之詞」之別，猶「畫匠畫」與「畫家畫」之別。一死一活，一俗一雅，一淺一深，……。

「周介存置諸溫、韋之下」，周濟《介存齋論詞雜著》云：

> 李後主詞，如生馬駒，不受控捉。毛嬙、西施，天下美婦人也。嚴妝佳，淡妝亦佳，麤服亂頭，不掩國色。飛卿，嚴妝也。端己，淡妝也。後主，麤服亂頭矣。①

「自是人生長恨水長東」，爲李煜《相見歡》之句。全詞「詳釋十四」已錄。

「流水落花春去也，天上人間。」爲李煜《浪淘沙》之句。全詞「詳釋十四」亦已錄。

「金荃」，指：《金荃集》。爲溫庭筠詞集，已佚。後人輯本名《金荃詞》。

「浣花」，指：《浣花集》。爲韋莊詞集。輯本。

《金荃》《浣花》之詞，可一一以之與李煜之詞對比。對比之後，無論「眼界」「感慨」「士大夫詞之品格」「氣象」，《金荃》《浣花》之詞，每首各項，均不及李煜之詞遠甚。倘無暇一一對比，則就前錄三人之例對比之亦可也。

以此，故王氏反詰之曰：「能有此氣象耶？」而「上品」之詞，反置之「中品」「下品」之下；「中品」「下品」之詞，反置之「上品」之上。不亦過於「顚倒黑白」乎？

按：以上所述，僅就王國維氏之意述之而云然。實則王氏此則所論，頗有錯誤。蓋周濟《介存齋論詞雜著》之言，爲王氏所誤會。茲請略作申說於後：

周濟之意，不惟未將李詞置諸溫、韋之下，且特加指陳而置諸溫、韋之上。「如生馬駒，不受控捉。」「麤服亂頭，不掩國色。」非特加指陳之語乎？「麤服亂頭」，自然也。「不受控捉」，活潑也。而「嚴妝」，亦人爲而死板；而「淡妝」，亦人爲而死板。其與「自然」「活潑」相較，相去奚啻天壤？故周濟之意，李詞乃居「上品」也。不惟上品，實乃「神品」。毛嬙、西施之國色，非神品而何？其置諸溫、韋之下，乃述說次序置諸溫、韋之下，非品級等第置諸溫、韋之下。譬諸行軍，師長、軍長，均行大隊人馬之最後；非師長、軍長之階級不如士兵也。王氏於此，或因一時思索過敏而誤之也。

【附　注】

① 周濟《介存齋論詞雜著》，據人民文學出版社本。

十六

詞人者，不失其赤子之心者也。故生於深宮之中，長於婦人之手，是後主爲人君所短處，亦卽爲詞人所長處。①

詳釋十六

赤子者，有最眞之眞感情者也。無眞感情之人，不足以爲詞人。故曰：詞人者，不失其赤子之心者也。倘詞人基於理智之考慮而使其詞爲政治服務，則其詞將不值一文。

生於深宮之中，長於婦人之手，則世事之艱難，世態之險惡，將全然不知。其與賭痞出身之趙匡胤相較，不削國於趙手而馴至亡國，將何待？故曰：「是後主爲人君所短處。」

四十年來家國，三千里地山河。鳳閣龍樓連霄漢，瓊林玉樹作烟蘿。幾曾識干戈。

一旦歸爲臣虜，沈腰潘鬢銷磨。最是倉皇辭廟日，敎坊猶奏別離歌。揮淚對宮娥。

——李後主《破陣子》②

無賴出身之劉邦，當項王以「烹其父」爲要挾時，則曰：「必欲烹之，則幸分我一桮羹。」「揮淚對宮娥」之與「幸分一桮羹」，無異天壤。故蘇軾《東坡志林》責之曰：「當慟哭於九廟之外，謝其民而後行。」然梁紹壬《兩般秋雨盦隨筆》乃謂：「若以塡詞之法繩後主，則此『淚對宮娥揮』爲有情，對宗廟揮爲乏味也。」「是後主爲人君所短處，亦卽爲詞人所長處。」卽此意。

按赤子之心，天眞自然。論者咸謂王氏此說，語本叔本華。王國維《叔本華與尼采》引叔本華《世界是意志和表象》云：

> 天才者，不失其赤子之心者也。……赤子能感也，能思也，能教也。其愛知識也，較成人為深。而其受知識也，亦視成人為易。……故自某方面觀之，凡赤子皆天才也。又凡天才，自某點觀之皆赤子也。③

其實孟子嘗云：「大人者，不失其赤子之心者也。」（《離婁下》）語句相似。又老子亦云：「含德之厚，比於赤子。」（五十五章）語意亦同。何嘗非王氏之所據乎？

【附　注】

① 原稿本「亦卽爲詞人所長處」下，有「故後主之詞，天眞之詞也。他人，人工之詞也。」（原已刪去）

② 據戴景素校注本《李後主詞》。

③ 《王國維先生全集》初編㈤，頁一七六五——一七六六。

十七

客觀之詩人，不可不多閱世。①閱世愈深，則材料愈豐富，愈變化。《水滸傳》《紅樓夢》之作者是也。主觀之詩人，不必多閱世。閱世愈淺，則性情愈眞。李後主是也。

詳釋十七

文學創作乃生活之反映。無生活則無文學創作。生活愈充實，則文學創作愈高超。此卽「閱世愈深，則材料愈豐富，愈變化；」之意。《水滸傳》《紅樓夢》之所以爲成功之創作，全在其內容具有極爲充實之生活。惟生活，包括物質生活與精神生活。後者尤爲重要。

另一方面，文學創作乃熱烈眞感情之表現。無熱烈眞感情則無文學創作。尤以詩詞爲然。熱烈眞感情愈豐富，則其創作之價値愈高超。然「感情」之與「理智」，互爲消長。閱世愈多之人，經歷人情冷暖，世態炎涼，社會黑暗，人際惡劣，自必理智充盛，以防禍害；馴至老奸巨滑，冷漠無情。此時求其有赤子之心，天眞之情，甚不可得。反之，有如嬰兒，卽教之奸猾，亦不知實行。是卽「閱世愈淺，則性情愈眞；」之意也。李後主之屬此等之人，「詳釋十六」已有說明。

【附　注】

① 通行本「不可不多閱世」，原稿本作「不可不閱世」。

十八

尼采謂：「一切文學，余愛以血書者。」後主之詞，眞所謂「以血書者」也。宋道君皇帝《燕山亭》詞，亦略似之。然道君不過自道身世之戚，後主則儼有釋迦、基督擔荷人類罪惡之意。其大小固不同矣。

詳釋十八

尼采，德國哲學家。學於波因、來比錫兩大學。曾任大學教授。著有《紮刺圖士特刺如是說》《善惡彼岸》《權力意志》等。氏之思想，本於叔本華之「生活意志說」。然叔氏以解脫爲理想，氏則以權力意志爲人生至高原理。謂：一切價值之源，存諸自我。奮鬪以滿足本能，爲人生之目的。又嘗創「超人說」。謂：動物進化爲人，人再進化爲超人。

「以血書」，卽：表現極眞摯熱烈之感情。

後主之詞，無一首而非表現極眞摯熱烈之感情；故曰：「後主之詞，眞所謂『以血書』者也。」

宋道君皇帝，卽：宋徽宗。宋徽宗，姓趙，名佶。神宗第十一子。繼哲宗立。以好道教，自稱「教主道君皇帝」。工書畫，通百藝，頗知學問。惟秉性昏闇，無治世才；且親小人，遠賢臣，乃朝政日非，邊警屢起。金兵南下，徽宗懼，傳位欽宗。靖康二年，金兵陷汴京，虜徽、欽二帝北去。紹興五年，殂於五國城。在位時間爲二十六年。

《燕山亭》詞，全文如下：

燕山亭（北行見杏花）

裁翦冰綃，輕疊數重，淡著燕脂勻注。新樣靚妝，艷溢香融，羞殺蕊珠宮女。易得凋零，更多少無情風雨。愁苦。閑院落淒涼，幾番春暮。

憑寄離恨重重，這雙燕何曾會人言語？天遥地遠，萬水千山，知他故宮何處？怎不思量？除夢裏有時曾去。無據。和夢也新來不做。①

此詞有眞感情。然不及李後主各詞眞感情之熱烈，且氣象大小不同。故曰「略似」。

釋迦，卽：釋迦牟尼。佛教始祖。

基督，卽：耶穌基督。基督教始祖。

佛教主要教義爲「慈航普渡」。基督教主要教義爲「救世」。（「基督」卽「救世主」之意。）皆有「擔荷人類罪惡」之意。

《燕山亭》僅道身世之感，爲私。後主之詞，其所感爲人類同感，爲公。易言之：一獨善，一兼善。氣象大小，固不同也。

按尼采血書之說，見其《蘇魯支語錄》中云：

凡一切已經寫下的，我只愛其人用血寫下的書。用血寫書，然後你將體會到，血便是精義。②

其所謂以血書者，當指情感眞摯，表現深刻而眞切自然之作品，非指眞用「鮮血」書寫也。此類作家，如胸懷悲天憫人之情，如釋迦之慈悲，基督之博愛者也。

【附　注】

① 朱祖謀校輯《彊村叢書》本，《宋徽宗詞》，臺北廣文書局印行。

② 梵澄譯，據《世界文庫》本。

十九

馮正中詞雖不失五代風格，而堂廡特大，開北宋一代風氣。與中、後二主詞，皆在《花間》範圍之外。宜《花間集》中不登其隻字也。①

詳釋十九

馮正中：卽馮延巳。「詳釋十二」中有說明。

五代風格：五代詞究爲何種風格？難以一概而論。大致言之，西蜀詞風，綺靡側艷，風格低而鄙；間有曼艷精巧之作，爲數甚少。南唐詞風，則較淸俊，與西蜀大不相同。此處王氏所言「不失五代風格」之「風格」，偏指西蜀風格。

馮詞不失五代風格：詞例如下：

謁金門

風乍起，吹皺一池春水。閑引鴛鴦香徑裏，手挼紅杏蕊。

鬬鴨闌干獨倚，碧玉搔頭斜墜。終日望君君不至，擧頭聞鵲喜。②

舞春風

嚴妝才罷怨春風，粉牆畫壁宋家東。蕙蘭有恨枝猶綠，桃李無言花自紅。

燕燕巢時簾幕捲，鶯鶯啼處鳳樓空。少年薄倖知何處？每夜歸來春夢中。③

堂廡特大，情形爲何？頗難指說。大致言之，卽：有寓悲涼於濃艷之風格。亦卽王國維氏所謂「和淚試嚴妝」。(見「詳釋十二」。)「和淚」卽悲涼，「嚴妝」卽濃艷。

此外，陳世修《陽春集序》云：

思深辭麗，韻逸調新，眞清奇飄逸之才也。

馮煦《陽春集序》云：

翁俯仰身世，所懷萬端。繆悠其辭，若顯若晦。揆之六義，比興爲多。……其旨隱，其詞微，類勞人、思婦、羈臣、孽子鬱伊愴怳之所爲。翁何故而然耶？

所評亦足助「堂廡特大」之說明。

詞例，則如下：

采桑子

馬嘶人語春風岸，芳草綿綿。楊柳橋邊，落日高樓酒旆懸。
舊愁新恨知多少？目斷遙天。獨立花前，更聽笙歌滿畫船。④

又

花前失却遊春侶，獨自尋芳。滿目悲涼，縱有笙歌亦斷腸。
林間戲蝶簾間燕，各自雙雙。忍更思量，綠樹青苔半夕陽。⑤

開北宋一代風氣：略錄數說以借作此語之解說：

譚獻評周濟《詞辨》云：

開北宋疏宕之派。

劉熙載《藝概》云：

馮正中詞，晏同叔得其俊，歐陽永叔得其深。

馮煦《唐五代詞選敍》云：

吾家正中翁，鼓吹南唐，上翼二主，下啓歐、晏。⑥

中、後二主：卽：南唐中主李璟，後主李煜。分別於「詳釋十三」「詳釋十四」有說明。

《花間》：指《花間集》。《花間集》，五代後蜀趙崇祚編。十卷。選錄唐、五代十八家詞五百首。除溫庭筠外，入選詞家皆爲蜀人。所選之詞，內容多爲反映花間酒邊生活之作；風格甚爲柔靡，與馮延巳及南唐二主之詞之風格，極不相類。

皆在《花間》範圍之外：以風格不類，故曰「在《花間》範圍之外」。

宜《花間》中不登其隻字：《花間集》中未選馮及二主詞，故云。然《花間集》之不選馮及二主之詞，非因風格之故。龍沐勛《唐宋名家詞選》云：

案：《花間集》多西蜀詞人。不采二主及正中詞，當由道里隔絕，又年歲不相及有以致然；非因流派不同遂爾遺置也。王說非是。⑦

蓋《花間集》編成於蜀廣政三年。（集中歐陽炯敍所署時間爲：「廣政三年夏四月。」）其時，李後主僅四歲，而馮延巳亦未顯名。

按所謂馮詞堂廡特大者，揣摩其意，似謂境界更開闊，氣度更恢宏，故謂開北宋一代風氣。《蒿齋論詞》云：

> 詞至南唐，二主作于上，正中和于下，詣微造極，得未曾有。宋初諸家，靡不祖述二主，憲章正中，譬之歐、虞、褚、薛之書，皆出逸少。⑧

由此可見矣！

【附　注】

① 原稿本作「中後二主皆未逮其精詣。《花間》於南唐人詞中雖錄張泌作，而獨不登正中隻字，豈當時文彩爲功名所掩耶？」

② 據《陽春集》，四印齋本。

③ 同上。

④ 同上。

⑤ 同上。

⑥ 據商務印書館本。

⑦ 據開明書店一九三四年版。

⑧ 據《介存齋論詞雜著·復堂詞話·蒿庵論詞》，人民文學出版社本。

二十

正中詞，除《鵲踏枝》《菩薩蠻》十數闋最煊赫外，如《醉花間》之「高樹鵲銜巢，斜月明寒草。」余謂：韋蘇州之「流螢渡高閣」，孟襄陽之「疏雨滴梧桐」，不能過也。

詳釋二十

正中：馮延巳字。馮延巳，「詳釋十一」有說明。

《鵲踏枝》《菩薩蠻》十數闋：「十數闋」，應爲「數十闋」。蓋馮延巳《陽春集》中載《鵲踏枝》十四闋，《菩薩蠻》九闋，共有廿三闋也。

此廿三闋，全錄於此，太費篇幅；故僅各選錄數闋，以見一斑：

《鵲踏枝》選錄四闋：

鵲踏枝

梅落緐枝千萬片，猶自多情，學雪隨風轉。昨夜笙歌容易散，酒醒添得愁無限。

樓上春寒山四面，過盡征鴻，暮景煙深淺。一晌凭闌人不見，紅綃揜淚思量遍。①

又

花外寒雞天欲曙，香印成灰，起坐渾無緒。簷際高相凝宿霧，捲簾雙鵲驚飛去。

屏上羅衣閑繡縷，一晌關情，憶遍江南路。夜夜夢魂休謾語，已知前事無尋處。②

又

煩惱韶光能幾許？腸斷魂銷，看却春還去。衹喜牆頭靈鵲語，不知青鳥全相誤。心若垂楊千萬縷，水闊花飛，夢斷巫山路。開眼新愁無問處，珠簾錦帳相思否？③

又

幾日行雲何處去？忘了歸來，不道春將暮。百草千花寒食路，香車繫在誰家樹？泪眼倚樓頻獨語，雙燕來時陌上相逢否？撩亂春愁如柳絮，悠悠夢裏無尋處。④

《菩薩蠻》選錄三闋：

菩薩蠻

金波遠遂行雲去，疏星時作銀河渡。花景臥秋千，更長人不眠。玉箏彈未徹，鳳髻鸞釵脫。憶夢翠蛾低，微風涼繡衣。⑤

又

畫堂昨夜西風過，繡簾時拂朱門鎖。驚夢不成雲，雙蛾枕上顰。金鑪煙裊裊，燭暗紗牕曉。殘月尚彎環，玉箏和泪彈。⑥

又

楳花吹入誰家笛？行雲半夜凝空碧。欹枕不成眠，關山人未還。聲隨幽怨絕，雲斷澄霜月。月影下重簾，輕風花滿簷。⑦

最煊赫：略錄數評語以爲證：

張惠言《詞選》，評選《鵲踏枝》三首。於第三首之末，作「按語」云：

三詞忠愛纏綿，宛然騷辨之義。

譚獻評周濟《詞辨》云：

金碧山水，一片空濛。

「行雲」「石草」「千花」「香車」「雙燕」，必有所託。

筆墨至此，能事幾盡。

陳廷焯《白雨齋詞話》云：

正中《蝶戀花》（按：即《鵲踏枝》——下同。）四闋，情詞悱惻，可羣可怨。《詞選》云：「三詞忠愛纏綿，宛然騷辨之義。……」數語確當。正中《蝶戀花》首章云：「濃睡覺來鶯亂語，驚殘好夢無尋處。」憂讒畏譏，思深意苦。次章云：「誰道閒情拋棄久，每到春來，惆悵還依舊。日日花前常病酒，不辭鏡裏朱顏瘦。」始終不渝其志，亦可謂自信而不疑，果毅而有守矣。三章云：「淚眼倚樓頻獨語，雙燕來時，陌上相逢否？」忠厚惻怛，藹然動人。四章云：「淚眼問花花不語，亂紅飛過秋千去。」詞意殊怨；然怨之深，亦厚之至。蓋三章獨望其離而復合，四章則絕望矣。作詞解如此用筆，一切叫囂纖冶之失，自然無從犯其筆端。

馮正中《蝶戀花》四章，忠愛纏綿，已臻絕頂。

《醉花間》全詞如下：

晴雪小園春未到，池邊梅自早。高樹鵲銜巢，斜月明寒草。山川風景好，自古金陵道。少年看却老。相逢莫厭醉金杯，別離多，懽會少。」⑧

韋蘇州：即：韋應物。韋應物，唐京兆長安（今陝西西安。）人。中進士後，歷官滁州、江州、蘇州刺史，故稱「韋江州」、「韋蘇州」。又因曾任左司郎中，又有「韋左司」之稱。其詩措詞簡淡，風格秀朗。有《韋蘇州集》行世。

「流螢渡高閣」，爲韋應物《寺居獨夜寄崔主簿》中之句。全詩如下：

幽人寂無寐，木葉紛紛落。寒雨暗深更，流螢渡高閣。坐使青燈曉，還傷夏衣薄。寧知歲方晏，離居更蕭索。⑨

孟襄陽：即：孟浩然。孟浩然，唐襄陽（今屬湖北。）人。爲盛唐田園詩人。與王維齊名。有《孟浩然集》行世。

「疏雨滴梧桐」，爲孟浩然詩句。王士源《孟浩然集序》云：

嘗閒游秘省。秋月新霽。諸英華賦詩作會。浩然句云：「微雲淡河漢，疏雨滴梧桐。」舉座嗟其清絕，咸閣筆不復為繼。⑩

不能過：意謂：馮詞之該二句，亦甚清絕，無遜於韋、孟之句。至「何以無遜？」之理由，則因風格欣賞，類多「只可意會，不可言傳；」而未可作具體之指陳也。

【附　註】

① 據《陽春集》，四印齋本。
② 同上。
③ 同上。
④ 同上。
⑤ 同上。
⑥ 同上。
⑦ 同上。
⑧ 同上。
⑨ 據《韋蘇州集》卷二，《四部備要》本。（臺北市，臺灣中華書局。）
⑩ 據《孟浩然集》（同上）。

二十一

歐九《浣溪沙》詞：「綠楊樓外出秋千。」晁補之謂：只一「出」字，便後人所不能道。余謂：「此本於正中《上行杯》詞『柳外秋千出畫牆』，但歐語尤工耳。」

詳釋二十一

歐九：指：歐陽修。「九」爲大家族堂兄弟排次之次第數。「歐」爲「歐陽」之略稱。如：稱元稹爲「元九」，稱張籍爲「張十八」，稱李紳爲「李二十」。皆與「歐九」相類。歐陽修，字永叔，宋廬陵人。一第進士。歷官禮部侍郎，兼翰林侍讀學士，拜樞密副使，參知政事。以太子少師致仕。卒贈太子太師。謚文忠。有《歐陽修全集》《六一居士詞》行世。

《浣溪沙》：全文如下：

堤上游人逐畫船，拍堤春水四垂天。綠楊樓外出鞦韆。

白髮戴花君莫笑，六么催拍琖頻傳，人生何處似尊前？①

晁補之：字无咎。宋鉅野人。舉進士。官秘書省正字，遷校書郎，以秘閣校理通判揚州。召還，爲著作郎。後知泗洲，卒。有《鷄肋集詞》行世。

只一「出」字，便後人所不能道：吳曾《能改齋漫錄》云：

晁无咎評本朝樂章云：「歐陽永叔《浣溪沙》云：『堤上游人逐畫船，拍堤春水四垂天，綠楊樓外出秋千。』要皆絶妙。然只一『出』字，自是後人道不到處。②

正中：馮延巳字。「詳釋十一」有說明。

《上行杯》：馮延巳《上行杯》，全文如下：

落梅著雨消殘粉，雲重煙輕寒食近。羅幙遮香，柳外秋千出畫牆。

春山顛倒釵橫鳳，飛絮入簾春睡重。夢裏佳期，祇許庭花與月知。③

歐語尤工：馮之「出」爲內動詞，歐之「出」爲外動詞。因「出」爲外動，故「綠楊樓」即被擬人化；較之內動「出」之不可使「秋千」擬人化，則生動多矣。故曰「尤工」。

至於「出」字之所本，龍沐勛以爲歐詞「綠楊樓外出秋千，」本於王維詩「秋千竟出垂楊柳」。其《唐宋名家詞選》云：

唐王摩詰《寒食城東即事詩》云：「蹴蹋屢過飛鳥上，秋千竟出垂楊柳。」歐公用「出」字，蓋本此。④

衡諸王詩歐詞兩句語意相似，其說可信。惟歐詞意境較佳，頗有青出於藍之妙也。

【附　注】

① 據林大椿校本《歐陽文忠公近體樂府》卷三。
② 據中華書局本，下册。
③ 據《陽春集》，四印齋本。
④ 據上海古籍出版社。

二十二

梅舜俞《蘇幕遮》詞：「落盡梨花春事了。滿地斜陽，翠色和煙老。」劉融齋謂：少游一生似專學此種。余謂：「馮正中《玉樓春》詞：『芳菲次第長相續，自是情多無處足。尊前百計得春歸，莫爲傷春眉黛促。』永叔一生似專學此種。」①

詳釋二十二

「舜俞」之「舜」，當作「聖」。「春事了」之「事」，當作「又」。「斜陽」之「斜」，當作「殘」。

梅聖俞：卽梅堯臣。梅堯臣，字聖俞。宋宣城人。初以蔭爲河南主簿。歷鎭安判官。後召試賜進士出身。爲國子監直講。遷都官員外郎。有《宛陵集》行世。

《蘇幕遮》：梅堯臣《蘇幕遮（草）》，全文如下：

露隄平，煙墅杳。亂碧萋萋，雨後江天曉。獨有庾郎年最少。窣地春袍，嫩色宜相照。

接長亭，迷遠道。堪怨王孫，不記歸期早。落盡梨花春又了，滿地殘陽，翠色和煙老。②

劉融齋：卽：劉熙載。「詳釋十一」有說明。

少游一生似專學此種：劉熙載《藝概》《詞曲概》云：「少游詞有小晏之妍，其幽處則過之。梅聖俞《蘇幕遮》云：『落盡梅花春又了，滿地斜陽，翠色和煙老。』此一種，似爲少游開先。」

少游：秦觀字。秦觀，字少游，一字太虛，號淮海居士。宋高郵人。登第後，蘇軾薦於朝，除太學博士。遷正字，兼國史院編修官。有《淮海詞》行世。

少游學梅詞，學處難以確指。玆錄少游詞二首於後，以供比觀：

滿庭芳

晚色雲開，春隨人意，驟雨方過還晴。高臺芳樹，飛燕蹴紅英。舞困榆錢自落，秋千外，綠水橋平。東風裏，朱門映柳，低按小秦箏。

多情，行樂處，珠鈿翠蓋，玉轡紅纓。漸酒空金榼，花困蓬瀛。豆蔻梢頭舊恨，十年夢，屈指堪驚。凭欄久，疎煙淡日，寂寞下蕪城。③

望海潮（洛陽懷古）

梅英疎淡，冰澌溶洩，東風暗換年華。金谷俊遊，銅駝巷陌，新晴細履平沙。長記誤隨車，正絮翻蝶舞，芳思交加。柳下桃蹊，亂分春色到人家。

西園夜飲鳴笳。有華燈礙月，飛蓋妨花。蘭苑未空，行人漸老，重來事事堪嗟。煙暝酒旗斜。但倚樓極目，時見棲鴉。無奈歸心，暗隨流水到天涯。④

馮正中：卽馮延巳。「詳釋十一」有說明。

馮正中《玉樓春》詞：全文如下：

雪雲乍變春雲簇，漸覺年華堪縱目。北枝梅蕊犯寒開，南浦波紋如酒綠。

芳菲次第長相續，自是情多無處足。尊前百計得春歸，莫為傷春眉黛蹙。⑤

永叔學馮詞：一般係指永叔《玉樓春》詞學馮詞。

永叔：歐陽修字。歐陽修，「詳釋二十一」有說明。

歐陽修《玉樓春》，全文如下：

雪雲乍變春雲簇，漸覺年華堪送目。北枝梅蕊犯寒開，南浦波紋如酒綠。
芳菲次第還相續，不奈情多無處足。尊前百計得春歸，莫為傷春歌黛蹙。⑥

對照馮、歐二詞，僅少數幾字有異，餘皆全同。顯然可見：其詞，非馮所作，卽歐所作；決非二人各如此作。至究爲馮作抑爲歐作？迄無定論。

徐調孚《人間詞話校注》云：

此詞未見《陽春集》。《尊前集》作馮延巳詞，不知：何據？《陽春集》既不載，自難徵信，當為歐作無疑。

而王幼安《人間詞話校注》按語云：

按：宋羅泌校《歐陽文忠公近體樂府》，祇云：「此篇《尊前集》作馮延巳，而《陽春錄》不載。」宋朱翌《猗覺寮雜記》卷上引「北枝梅蕊犯寒開」句，作馮延巳詞。朱翌，南宋初人。早於羅泌。所言當有據。明董逢元未見《尊前集》，而所輯《唐詞紀》以此首為馮詞，亦必有據。尚未能斷定「為歐作無疑」也。

以此，王國維氏之謂「永叔學馮」，應非指此《玉樓春》言，應係另指別篇或泛指歐詞。歐如何學馮？難以具體指。玆錄歐詞二首於後，以供比觀而審「學」之線索：

玉樓春

蝶飛芳草花飛路，把酒已嗟春色暮。當時枝上落殘花，今日水流何處去？

樓前獨遶鳴蟬樹，憶把芳條吹暖絮。紅蓮絲芰亦芳菲，不奈金風兼玉露。

又

金花盞面紅煙透，舞急香茵隨步皺。青春才子有新詞，紅粉佳人重勸酒。
也知自為傷春瘦，歸騎休交銀燭候。擬將沈醉為清歡，無奈醒來還感舊。⑦

按末句「永叔一生似專學此種」，原稿本作「少游一生似專學此種」，疑以此爲是。蓋劉氏謂少游專學梅氏《蘇幕遮》詞，王氏不同意劉說，以爲少游專學馮氏《玉樓春》詞。衡諸文意，此則專論少游詞之風格，劉氏既云少游，王氏當亦云少游，否則，前後語意文例不合也。余之拙見，不意滕咸惠氏亦有類似之說，可爲佐證也。其《人間詞話新注》（修訂本）修訂後記云：

原稿（按即王氏筆記本，現藏北京圖書館。）第五十二條引馮延巳詞後說：「少游一生似專學此種」，通行本（按即《國粹學報》所發表各條）第廿二條作「永叔一生似專學此種」。這條是論秦觀繼承了那種詞風，不應忽然又提到歐陽修。通行本很可能也是錯了。這些錯字，或是王氏從原稿整理轉錄時筆誤，或是《國粹學報》誤植。⑧

此種推論，近情合理。

【附　注】

① 通行本末句「永叔一生似專學此種」，原稿本作「少游一生似專學此種」。

② 據《詞綜》卷四，《四部備要》本。

③ 秦觀《淮海詞》，詞曲類，頁六—三八五。（臺北市，臺灣商務印書館，《文淵閣四庫全書》影印本。）

④ 據四印齋本《陽春集》補遺，又見彊村叢書本《尊前集》。

⑤ 據《歐陽文忠公近體樂府》卷二。

⑥ 同上。

⑦ 同上。

⑧ 滕咸惠校注《人間詞話新注》（修訂本），頁一三一。

二十三

人知和靖《點絳脣》、舜俞《蘇幕遮》、永叔《少年》三闋，爲詠春草絕調，不知先有正中「細雨濕流光」五字，皆能攝春草之魂者也。①

詳釋二十三

和靖：林逋之謚。林逋，字君復。宋錢塘人。隱居西湖孤山，垂二十年，足不履城市。不娶，無子，植梅畜鶴以自伴，一時因謂爲「梅妻鶴子」。賜謚「和靖先生」。有集行世。

《點絳脣》：林逋《點絳脣（草）》，全文如下：

金谷年年，亂生春色誰為主？餘花落處，滿地和煙雨。

又是離愁，一闋長亭暮。王孫去，萋萋無數，南北東西路。②

「舜」，當作「聖」。聖俞，梅堯臣字。梅堯臣，「詳釋二十二」有說明。

《蘇幕遮》：梅堯臣《蘇幕遮（草）》，「詳釋二十二」中有全文。

永叔：歐陽修字。歐陽修，「詳釋二十一」有說明。

《少年》：當作「《少年游》」。

永叔《少年游》：吳曾《能改齋漫錄》卷十七云：

梅聖俞在歐陽公坐。有以林逋《草》詞「金谷年年，亂生春草誰為主？」為美者。梅聖俞別為《蘇幕遮》一闋，歐公擊節賞之。又自為一詞云：「闌干十二獨凭春，晴碧遠連雲。千里萬里，二月三月，行色苦愁人。謝家池上，江淹浦畔，吟魄與離魂。那堪疏雨滴黃昏？更特地憶王孫？」蓋《少年游》令也。不惟前二公所不及，雖求諸唐人溫、李集中，殆與之為一矣。今集不載此一篇。惜哉！③

正中：馮延巳字。馮延巳，「詳釋十一」有說明。

「細雨濕流光」：爲馮延巳《南鄉子》詞中之句。《南鄉子》全文如下：

細雨濕流光，芳草年年與恨長。煙鎖鳳樓無限事，茫茫。鸞鏡鴛衾兩斷腸。
魂夢任悠揚，睡起楊花滿繡牀。薄幸不來門半掩，斜陽。負你殘春淚幾行。④

攝春草之魂：意謂：能緊抓春草之最高特性而描寫。且「先有」二字，暗示：馮之此句，較之和靖、聖俞、永叔之句尤佳也。此是否王國維氏對馮詞之偏愛？訴諸各人之仁智之見可也。

【附注】

① 通行本「攝」，原稿本作「寫」

② 據《絕妙詞選》卷二。

③ 據中華書局本，下册。

④ 據《陽春集》，四印齋本。

二十四

《詩》《蒹葭》一篇，最得風人深致。晏同叔之「昨夜西風凋碧樹，獨上高樓，望盡天涯路。」意頗近之。但一灑落，一悲壯耳。

詳釋二十四

《詩》：即一般所稱《詩經》。《詩經》在未被尊爲經以前，即稱爲《詩》。

《蒹葭》篇：爲《詩經》《秦風》《蒹葭》之篇。全文如下：

蒹葭蒼蒼，白露為霜。所謂伊人，在水一方。遡洄從之，道阻且長。遡游從之，宛在水中央。

蒹葭淒淒，白霜未晞。所謂伊人，在水之湄。遡洄從之，道阻且躋。遡游從之，宛在水中坻。

蒹葭采采，白露未已。所謂伊人，在水之涘。遡洄從之，道阻且右。遡游從之，宛在水中沚。①

最得風人深致：謂：此詩作者於此詩中所表感情，深切眞摯。舊以「美」「刺」之說，解說《詩經》。不可取。故此詩，正確解釋，乃爲：詠一青年追求一愛人。其追求之感情，濃厚、熱烈、眞摯，躍然紙上。故曰「最得深致」。

晏同叔：即：晏殊。晏殊，字同叔。宋臨川人。同進士出身。官拜集賢殿學士，同中書門下平章事，兼樞密使。卒贈司空兼侍中。謚元獻。有《珠玉詞》行世。

昨夜西風凋碧樹，獨上高樓，望盡天涯路：爲晏殊《鵲踏枝》詞中之句。《鵲踏枝》全詞如下：

檻菊愁煙蘭泣露。羅幕輕寒，燕子雙飛去。明月不諳離恨苦，斜光到曉穿朱戶。
昨夜西風凋碧樹。獨上高樓，望盡天涯路。欲寄彩箋無尺素，山長水闊知何處？②

意頗近之：晏詞爲念遠之作。所念之人，或爲愛人，或爲摯友，皆無不可。倘爲愛人，則與《蒹葭》之意「意極同之」；若爲摯友，則與《蒹葭》之意，「意頗近之」。

一灑落，一悲壯：《蒹葭》詩人之追求愛人，追之而無意求之必得。此種「只問耕耘，不問收穫；」之心胸，顯然甚爲灑落。晏詞中之主人翁，念之不得，極爲悲苦。然愈悲苦則愈思，愈不得則愈念。此種「鞠躬盡瘁，死而後已；」「春蠶至死絲方盡，蠟炬成灰淚始乾；」之心胸，非悲壯而何？

按所謂「風人深致」者，指詩人「所見者眞，所知者深」，因而可以做到「其言情也必沁人心脾，其寫景也必豁人耳目，其辭脫口而出無一矯揉妝束之態」也。衡諸王氏之意，謂《詩·秦風·蒹葭》一篇，最富詩人眞摯之感情，而晏殊《鵲踏枝》詞，與《蒹葭》一詩，情眞意深，頗爲相近，唯《蒹葭》爲優美，《鵲踏枝》爲壯美耳。

【附　注】

① 據朱熹《詩集傳》，上海古籍出版社本。

② 據唐圭璋編《全宋詞》，中華書局本。

二十五

「我瞻四方，蹙蹙靡所騁。」詩人之憂生也。「昨夜西風凋碧樹，獨上高樓，望盡天涯路。」似之。「終日馳車走，不見所問津。」詩人之憂世也。「百草千花寒食路，香車繫在誰家樹？」似之。

詳釋二十五

「我瞻四方，蹙蹙靡所騁。」：《詩經》《小雅》《節南山》之句。全詩共十章。詩意與此處王氏斷章取義之「憂生」之意不合；故此處不必十章全錄；僅錄第七章。其全文如下：

駕彼四牡，四牡項領。我瞻四方，蹙蹙靡所騁。①

「昨夜西風……天涯路。」：爲晏殊《鵲踏枝》詞中之句。《鵲踏枝》全詞，「詳釋二十四」中已錄出。

似之：《節南山》詩句所表之理念，爲：人生生路多艱。（依王氏斷章取義之義而言。）晏詞所表之理念，爲：人世世路茫茫。多艱則難免茫茫，茫茫則十九多艱。故曰「似之」。

「終日馳車走，不見所問津。」一：爲陶潛《飲酒詩》第二十首中之句。全詩如下：

羲農去我久，舉世少復眞。汲汲魯中叟，彌縫使其淳。鳳鳥雖不至，禮樂暫得新。洙泗輟微響，漂流逮狂秦。詩書復何罪？一朝成灰塵。區區諸老翁，為事誠殷勤。如何絶世下，六籍無一親？終日馳車走，不見所問津。若復不快飲，空負頭上巾。但恨多謬誤，君當恕醉人。②

「百草千花寒食路，香車繫在誰家樹？」一：爲馮延巳《鵲踏枝》詞中之句。其全詞如下：

幾日行雲何處去？忘却歸來，不道春將暮。百草千花寒食路，香車繫在誰家樹？淚眼倚樓頻獨語，雙燕飛來，陌上相逢否？撩亂春愁如柳絮，悠悠夢裏無尋處。③

似之：陶詩之句所表現之理念，爲：世人熙熙攘攘；概世盡從忙裏老，何人肯向死前休？馮詞之句所表現之理念，爲：世事渺渺茫茫；人情似紙張張薄，世事如棋局局新。渺渺茫茫乃因熙熙攘攘，熙熙攘攘終必渺渺茫茫。故曰「似之」。

按此論詩人之兩種心境，一爲憂生，一爲憂世。所謂憂生者，即詩人對人生所感發之憂愁也。所謂憂世，即詩人對人世所興起之憂愁也。以詩爲例，憂生之詩，如《詩經·節南山》，以及相似之晏詞《鵲踏枝》。憂世之詩，如陶詩《飲酒》（第二十首），以及相似之馮詞《鵲踏枝》是也。

【附 注】

① 據《毛詩》卷第十二，臺北藝文印書館，《十三經注疏》本。
② 據《陶靖節集》卷三。
③ 據《陽春集》，四印齋本。

二十六

古今之成大事業、大學問者，必經過三種之境界：「昨夜西風凋碧樹，獨上高樓，望盡天涯路。」此第一境也。「衣帶漸寬終不悔，爲伊消得人憔悴。」此第二境也。「衆裏尋他千百度，回頭驀見，那人正在燈火闌珊處。」此第三境也。此等語，皆非大詞人不能道。然遽以此意解釋諸詞，恐爲晏、歐諸公所不許也。

詳釋二十六

境界：此處之「境界」爲「階段」之代詞。與「詞以境界爲上」之「境界」，含意大不相同。

「昨夜西風……天涯路。」：爲晏殊《鵲踏枝》詞中之句。《鵲踏枝》詞全文，「詳釋二十四」中已錄出。

「衣帶漸寬終不悔，爲伊消得人憔悴。」：爲柳永《鳳棲梧》詞中之句。《鳳棲梧》詞全文如下：

竚倚危樓風細細，望極春愁，黯黯生天際。草色煙光殘照裏，無言誰會凭闌意？

擬把疏狂圖一醉；對酒當歌，强樂還無味。衣帶漸寬終不悔，為伊消得人憔悴。①

「衆裏尋他千百度，回頭驀見、那人正在、燈火闌珊處。」：爲辛棄疾《青玉案（元夕）》詞中之句。引文「回頭驀見」，當作「驀然廻首」。「正」當作「卻」。《青玉案（元夕）》詞全文如下：

東風夜放花千樹，更吹落、星如雨。寶馬雕車香滿路。鳳簫聲動，玉壺光轉，一夜魚龍舞。

蛾兒雪柳黃金縷，笑語盈盈暗香去。衆裏尋他千百度，驀然廻首、那人却在、燈火闌珊處。②

成大事業、大學問之階段：一般，有三階段：

㈠立志。卽：立定志向，抱定遠大希望，樹立遠大目標或抱定遠大理想。

㈡實行。卽：不見異思遷，不知難而退，對準志向，勇往直前，奮鬪到底。

㈢獲得成就。卽：有獲得大事業、大學問之成果之喜悅。

此三階段之理念，若各以詞之藝術語句描述之，則必須將此等語句之原義，作不受拘限之引伸。

王氏於此，選有三詞之語句，分別引伸描述此三階段之理念：

「昨夜西風凋碧樹，獨上高樓，望盡天涯路。」原意爲：「念遠之悲苦」。引伸之，則爲：抱定遠大目標，向前瞻望。亦卽「立志」。

「衣帶漸寬終不悔，爲伊消得人憔悴。」原意爲：「別後之苦思」。引伸之，則爲：堅苦卓絕向前，「亦余心之所善，雖九死其猶未悔。」亦卽：對準志向，奮鬪到底。

「衆裏尋他千百度，驀然廻首，那人卻在、燈火闌珊處。」原意爲：「乍見之驚喜」。引伸之，則爲：歷盡千辛萬苦難以獲得之大事業、大學問之成就，一旦終於獲得。且獲得之後，仍不炫耀，不自滿。亦卽：獲得成果之喜悅。

此等語：指此等可有引伸彈性、可有引伸大彈性之語。此等語，非表現技巧超凡入聖之大詞家不能道。意謂：小詞人之能道者，僅有盡之意而已。

晏、歐：晏，指：晏殊。歐，指：歐陽修。二人，分別在「詳釋二十四」「詳釋二十二」中有說明。

諸公：當係指：范仲淹、梅堯臣、晏幾道、張先、柳永、蘇軾、秦觀、賀鑄、……諸人。

不許：謂：諸人將不許作王氏如此之大彈性引伸。譬之《詩經》，解釋之時，應以「美」「刺」之解釋法爲正途；引伸之而謂「某詩爲戀愛詩」「某詩爲社會詩」……則不許也。

按三種境界，亦卽三種階級，猶初階、中階、上階也。故王國維《文學小言》五則云：

古今之成大事業、大學問者，不可不歷三種之階級：「昨夜西風凋碧樹，獨上高樓，望盡天涯路。」（晏同叔《蝶戀花》）此第一階級也。「衣帶漸寬終不悔，為伊消得人憔悴。」（歐陽永叔《蝶戀花》）此第二階級也。「衆裏尋他千百度，回頭驀見那人正在燈光闌珊處。」（辛幼安《青玉案》）此第三階級也。未有不閱第一、第二階級，而能遽躋第三階級者。文學亦然。

> 此有文學上之天才者，所以又需莫大之修養也。③

由此可見，王氏之意，謂文學修養之三種進展過程也。葉嘉瑩似得其意。其《談詩歌的欣賞與人間詞話的三種境界》云：

> 第一種境界，是寫追求理想時的嚮往的心情。第二種境界，是寫追求理想時的艱苦的經歷。第三種境界，所寫的則是理想得到實現後的滿足的喜樂。④

惟蒲菁氏謂據王國維之解說，以栖栖皇皇者、明知其不可爲而爲之，及歸與之歎，釋三種境界。其《人間詞話補箋》云：

> 江蘇吳碧柳芳吉，曩教於西北大學。某舉此節（按指《人間詞話》此條）問之，碧柳未能對。嗣入都因請於先生（按指王國維）。先生謂第一境，卽所謂世無明王，栖栖皇皇者。第二境，是知其不可而為之。第三境，非歸與歸與之歎與。《湘山野錄》：「李後主神骨秀異，駢齒，一目有重瞳。篤信佛法。迨國勢危削，歎曰：『天下無周公、仲尼，吾道不可行。』著雜說百篇以見志。」然則具周思孔情乃為大詞人。余持此說，亦恐晏、歐諸公所不許也。⑤

王氏所釋三種境界，是否係蒲氏杜撰，不得而知。然當指生於春秋亂世之孔子，其處世之態度是也。第一境所謂「世無明王，栖栖皇皇者」，如春秋亂世，世無聖君，孔子栖遑不安，不可終日，尤疾世人之固執者。《論語・憲問篇》云：

> 微生畝謂孔子曰：「丘，何為是栖栖者與？無乃為佞乎？」孔子曰：「非敢為佞也，疾固

也。」⑥

第二境所謂「是知其不可而爲之者」，此記守門者譏孔子之言。然不知孔子之視天下，無不可爲之時也。《論語・憲問》云：

子路宿於石門。晨門曰：「奚自？」子路曰：「自孔氏。」曰：「是知其不可而為之者與？」⑦

第三境所謂「歸與歸與之歎」者，言孔子在陳，道不行而思歸之歎也。《論語・公冶長》云：

子在陳曰：「歸與！歸與！吾黨之小子狂簡，斐然成章，不知所以裁之！」⑧

以上三種境界，尤其是第三境，頗有「道不行而將浮於海」之感，已趨消極避世，而非《人間詞話》所謂之最高境界，亦非《文學小言》所謂之最上階級，惜乏其他資料可資佐證，唯有存疑以待考耳。

【附　注】

① 據《彊村叢書》本《樂章集》中卷。（原稿自注：歐陽永叔。觀堂先生《靜庵文集續編文學小言》五與此則相同，亦云：歐陽永叔《蝶戀花》。蓋據宋本《歐陽文忠公近體樂府》。）

② 據林大椿校本《稼軒長短句》卷七。觀堂引此有異文，與其他各本亦均不同，疑誤。

③ 《王國維先生全集》初編㈤，頁一九一四—一九一五。

④　葉嘉瑩《王國維及其文學批評》，頁四五六。（臺北市，源流出版社，民國七十一年初版本。）
⑤　據靳德峻箋證、蒲菁補箋《人間詞話》，四川人民出版社本。
⑥　據《十三經注疏》本《論語》，臺北藝文印書館影印版。
⑦　同上。
⑧　同上。

二十七

永叔「人間自是有情癡，此恨不關風與月。」「直須看盡洛城花，始與東風容易別。」於豪放之中有沈著之致，所以尤高。

詳釋二十七

永叔：歐陽修字。歐陽修，「詳釋二十二」中有說明。

「人間自是有情癡，此恨不關風和月。」「直須看盡洛城花，始與東風容易別。」：皆爲歐陽修《玉樓春》詞中之句。引文「間」當作「生」。「與」當作「共」。「東」當作「春」。《玉樓春》詞全文如下：

尊前擬把歸期說，未語春容先慘咽。人生自是有情癡，此恨不關風與月。
離歌且莫翻新闋，一曲能教腸寸結。直須看盡洛城花，始共春風容易別。①

於豪放中有沈著之致：美麗、達觀、靜觀自得，則可顯豪放。悲痛、苦悶，則必致沈著。此詞有

「美麗」「達觀」與「靜觀自得」，亦有「悲痛」與「苦悶」；故曰「於豪放中有沈著之致。」具體指出，則：「尊前」「春容」「洛城花」與「春風」，俱美麗。「直須看盡洛城花，始共春風容易別。」，可顯達觀。「人生自是有情癡，此恨不關風與月。」，可顯靜觀自得。俱「豪放」之源。「慘咽」「腸寸結」「擬把歸期說」「且莫翻新闋」，俱悲痛、苦悶。爲「沈著」之源。

尤高：能豪放則難能沈著，能沈著則不易豪放。二者能得兼，故曰「尤高」。

【附　注】

① 據《歐陽文忠公近體樂府》卷二。觀堂引此，而有異文，疑誤。

二十八

馮夢華《宋六十一家詞選》《序例》謂：「淮海、小山，古之傷心人也。其淡語皆有味，淺語皆有致。」余謂：「此唯淮海足以當之。小山矜貴有餘，但可方駕子野、方回，未足抗衡淮海也。」①

詳釋二十八

馮夢華：即：馮煦。馮煦，字夢華，號蒿菴。清江蘇金壇人。清道光二十三年（一八四三年）生，民國十六年（一九二七年）卒。著有《蒿菴類稿》等，編有《宋六十一家詞選》行世。

淮海：秦觀號「淮海居士」之略稱。秦觀，「詳釋二十二」有說明。

小山：晏幾道號。晏幾道，字叔原，號小山。晏殊幼子。嘗監潁昌許田鎮，後爲開封府推官。有

《小山詞》行世。

子野：張先字。「張先，字子野。宋湖洲人。天聖進士。仕至都官郎中。有《子野詞》行世。

方回：賀鑄字。賀鑄，字方回。宋衞州（今河南汲縣）人。孝惠皇后族孫。嘗官武弁、州通判、州倅。退居吳下，自號慶湖遺老。有《東山詞》行世。

小山僅足方駕子野、方回，未足抗衡淮海：王氏此一見解之與馮見互異，純係仁智互見之不同，吾人未能居中遽下定論。且所論純係泛論詞作之風格，具體錄出詞作以爲確指，尤不可能。故玆僅分別選錄四人之代表作各數首與詞論家對該四人詞風之評語各若干則，以供吾人作「見仁見智」見解時之參考：

淮海詞代表作，選三首：

滿庭芳

山抹微雲，天黏衰草，畫角聲斷譙門。暫停征棹，聊共引離尊。多少蓬萊舊事，空回首，煙靄紛紛。斜陽外，寒鴉萬點，流水繞孤邨。

消魂。當此際，香囊暗解，羅帶輕分。漫贏得青樓、薄倖名存。此去何時見也？襟袖上、空惹啼痕。傷情處，高城望斷，燈火已黃昏。②

踏莎行

霧失樓臺，月迷津渡。桃源望斷無尋處。可堪孤館閉春寒，杜鵑聲裡斜陽暮。

驛寄梅花，魚傳尺素。砌成此恨無重數。郴江幸自遶郴山，為誰流下瀟湘去？③

浣溪沙

漠漠輕寒上小樓，曉陰無賴似窮秋，淡煙流水畫屛幽。自在飛花輕似夢，無邊絲雨細如愁，寶簾閒挂小銀鉤。④

詞論家對淮海詞之評論，選六則：

第一則

《詞源》《雜論》云：秦少游詞，體製淡雅，氣骨不衰，淸麗中不斷意脈，咀嚼無滓，久而知味⑤

第二則

《介存齋論詞雜著》：晉卿曰：「少游正以平易近人，故用力者終不能到。」⑥

第三則

《藝概》云：少游詞，有小晏之妍，其幽趣則過之。⑦

第四則

《白雨齊詞話》云：少游名作甚多，而俚詞亦不少；去取不可不愼。⑧

第五則

《白雨齋詞話》又云：讀古人詞，貴取其精華，遺其糟粕。且如少游之詞，幾奪溫、韋之席；

而亦未嘗無纖俚之語。讀《淮海集》，取其大者高者可矣。若徒賞其「怎得香香深處，作箇蜂兒抱。」等句，則與山谷之「女邊著子，門裡安心；」其鄙俚纖俗，相去亦不遠矣。⑨

第六則

胡適《詞選》云：秦觀……他的詞，當時人推為在蘇軾的詞之上。晁補之說：「近來作者，皆不及少游。」葉夢得說他的樂府「語工而入律，知樂者謂之作家。」又說：「子瞻（蘇軾）最善少游，然猶以氣格為病。故嘗戲云：『山抹微雲秦學士，露花倒影柳屯田。』」（葉夢得《避暑錄話》卷下）這話頗可玩味。秦觀的詞和柳永的詞很相近。柳永的詞能通俗，但風格不高；秦觀的詞的意境，稍勝於柳詞，但有時也還不免俗氣。即如「山抹微雲」一首中有佳句；但下半闋的風格，實在不脫柳永的氣味，蘇軾便沒有這種俗氣了。⑩

小山詞代表作，選四首：

臨江仙

夢後樓臺高鎖，酒醒簾幕低垂。去年春恨却來時。落花人獨立，微雨燕雙飛。

記得小蘋初見，兩重心字羅衣。琵琶絃上說相思，當時明月在，曾照彩雲歸。⑪

蝶戀花

醉別西樓醒不記，春夢秋雲，聚散真容易。斜月半窗還少睡，畫屏閒展吳山翠。

衣上酒痕詩裡字，點點行行，總是淒涼意。紅燭自憐無好計，夜寒空替人垂淚。⑫

鷓鴣天

彩袖殷勤捧玉鍾，當年拚却醉顏紅。舞低楊柳樓心月，歌盡桃花扇底風。從別後，憶相逢。幾回魂夢與君同，今宵賸把銀釭照，猶恐相逢是夢中。⑬

思遠人

紅葉黃花秋意晚，千里念行客。看飛雲過盡，歸鴻無信，何處寄書得？淚彈不盡臨窗滴，就硯旋研墨。漸寫到別來，此情深處，紅箋為無色。⑭

詞論家對小山詞之評論，選七則：

第一則

黃庭堅序《小山詞》云：其樂府可謂狹邪之大雅，豪士之鼓吹。其合者，《高唐》《洛神》之流，其下者，豈減《桃葉》《團扇》哉？……若乃妙年美士近知酒色之娛，苦節臞儒晚恨裙裾之樂，鼓之舞之，使晏安酖毒而不悔；是則叔原之罪也哉！⑮

第二則

《歷代詩餘》引陳質齋云：叔原詞在諸名勝中，猶可追逼《花間》，高處或過之。⑯

第三則

《詞林紀事》云：毛子晉云：「小山詞，字字娉娉嫋嫋，如攬嬙、施之袂。恨不能起蓮、鴻、蘋、雲，按紅牙板唱和一過。⑰

第四則

《宋四家詞選》云：晏氏父子，仍步溫、韋。小晏精力尤勝。⑱

第五則

《藝概》云：叔原貴異，方回贍逸，耆卿細貼，少游清遠，《四家詞趣各別；惟尚婉則同耳。⑲

第六則

《白雨齋詞話》云：《三百篇》，大旨歸於「無邪」。北宋晏小山，工於言情，出元獻、文忠之右。然不免思涉於邪，有失風人之旨。而措詞婉妙，則一時獨步。⑳

第七則

《白雨齋詞話》又云：晏元獻、歐陽文忠皆工詞，而皆出小山下。專精之詣，固應讓渠獨步。然小山雖工詞，而卒不能比肩溫、韋，方駕正中者，以情溢詞外，未能意蘊言中也。故悅人甚易，而復古則不足。㉑

子野詞代表作，選三首：

天仙子（送春）

水調數聲持酒聽，午醉醒來愁未醒。送春春去幾時回？臨晚鏡，傷流景，往事後期空記省。

沙上竝禽池上瞑，雲破月來花弄影。重重簾幕密遮燈。風不定，人初靜，明日落紅應滿徑。㉒

木蘭花（乙卯吳興寒食）

龍頭舴艋吳兒競，筍柱秋千遊女竝。芳洲拾翠暮忘歸，秀野蹋青來不定。行雲去後遙山暝，已放笙歌池院靜。中庭月色正清明，無數楊花過無影㉓。

靑門引

乍暖還輕冷，風雨晚來方定。庭軒寂寞近清明，殘花中酒，又是去年病。樓頭畫角風吹醒，入夜重門靜。那堪更被明月、隔牆送過秋千影？㉔

詞論家對子野詞之評論，選五則：

第一則

《歷代詩餘》引李之儀云：子野詞，才不足而情有餘。㉕

第二則

《宋四家詞選》云：子野清出處，生脆處，味極雋永，只是偏才，無大起落。㉖

第三則

《藝概》云：宋子京詞，是宋初體。張子野始創瘦硬之體。雖以佳句互相稱美，其實趣尚不同。詞品喻諸詩，東坡、稼軒，李、杜也。耆卿，香山也。夢窗，義山也。白石、玉田，大歷十子也。其有似韋蘇州者，張子野當之。㉗

第四則

《白雨齋詞話》云：張子野詞，古今一大轉移也。前此則為晏、歐，為溫、韋；體段雖具，聲色未開。後此則為秦、柳，為蘇、辛，為美成、白石；發揚蹈厲，氣局一新，而古意全失。子野適得其中：有含蓄處，亦有發越處。但含蓄不似溫、韋，發越亦不似豪蘇、膩柳。規模雖隘，氣格却近古。自子野一千年來，溫、韋之風不作矣；益令我思子野不置。㉘

第五則

胡適《詞選》云：張先與柳永齊名。晁補之說：「人以為子野不及耆卿；而子野韻高，是耆卿所乏處。」晁氏所謂「韻」，我們叫做「風格」。柳永風格甚低，常有惡劣氣味。張先的風格也不高，但惡劣氣味較少。㉙

方回詞代表作，選二首：

青玉案

淩波不過橫塘路，但目送、芳塵去。錦瑟年華誰與度？月臺花榭，瑣窗朱戶，唯有春知處。碧雲冉冉蘅皐暮，彩筆新題斷腸句。試問閒愁都幾許？一川煙草，滿城風絮，梅子黃時雨。㉚

踏莎行

楊柳回塘，鴛鴦別浦，綠萍漲斷蓮舟路。斷無蜂蝶慕幽香，紅衣脫盡芳心苦。返照迎潮，行雲帶雨，依依似與騷人語：當年不肯嫁東風，無端却被秋風誤。㉛

詞論家對方回詞之評論，選五則：

第一則

《宋四家詞選》云：方回鎔景入情，故穠麗。㉜

第二則

《白雨齋詞話》云：方回詞，胸中眼中，另有一種傷心説不出處。全得力於《楚騷》，而運以變化。允推神品。㉝

第三則

《白雨齋詞話》又云：方回詞極沈鬱，而筆勢卻又飛舞，變化無端，不可方物。吾烏乎測其所至？㉞

第四則

《白雨齋詞話》又云：方回筆墨之妙，真乃一片化工。㉟

第五則

《白雨齋詞話》又云：張文潛謂：方回詞絶妙一世。盛麗如游金、張之堂。妖冶如攬嬙、施之袪，幽索如屈、宋，悲壯如蘇、李。此猶論其貌耳。若論其神，則如雲煙縹緲，不可方物。㊱

【附　註】

① 通行本「但可方駕子野、方回，未足抗衡淮海也。」原稿本作「但稍勝方回耳。古人以秦七、黄九，或小晏、秦郎並稱，不圖老子乃與韓非同傳。」

② 秦觀《淮海詞》，詞曲類，頁六一—三八五。（臺北市，臺灣商務印書館，《文淵閣四庫全書》影印本。）

③ 同上。

④ 同上。

⑤ 唐圭璋編《詞話叢編》，臺北廣文書局。

⑥ 同上。

⑦ 同上。

⑧ 同上。

⑨ 同上。

⑩ 胡適《詞選》，臺灣商務印書館，《人人文庫》本。

⑪ 晏幾道《小山詞》，詞曲類，頁六一—三八五。（同注②）

⑫ 同上。

⑬ 同上。

⑭ 同上。

⑮ 同上。

⑯ 清沈辰垣等編《歷代詩餘》，詞曲類，頁六一—三九一。（同注②）

⑰ 同注⑤

⑱ 同上。

⑲ 同上。

⑳ 同上。

㉑ 同上。

㉒ 宋張先《安陸集》，詞曲類，頁六—三八五。（同注②）

㉓ 同上。

㉔ 同上。

㉕ 同注⑯。

㉖ 同注⑤。

㉗ 同上。

㉘ 同上。

㉙ 同注⑩。

㉚ 同注⑯。

㉛ 同上。

㉜ 同注⑤。

㉝ 同上。

㉞ 同上。

㉟ 同上。

㊱ 同上。

二十九

少游詞境最爲淒婉。至「可堪孤館閉春寒，杜鵑聲裏斜陽暮。」則變而淒厲矣。東坡賞其後二語，猶爲皮相。

詳釋二十九

少游：秦觀字。秦觀，「詳釋二十二」中有說明。

「可堪孤館閉春寒，杜鵑聲裏斜陽暮。」：爲秦觀《踏莎行》中之句。《踏莎行》全詞，「詳釋二十八」中已錄出。

淒婉……淒厲：詞中所表意境淒慘悲涼而詞之措詞和緩婉約，是爲淒婉。詞中所表意境淒慘悲涼而詞之措詞激烈嚴厲，是爲淒厲。秦觀仕途受挫前之詞多淒婉，仕途受挫後之詞多淒厲。如：王氏此條所舉之例，「孤」「閉」「寒」，皆淒厲之詞，「杜鵑聲」「斜陽暮」，皆淒厲之景，使人有「窮途末路卽將來臨」之感。故曰「淒厲」。至如：秦氏《滿庭芳》一詞，（詞見「詳釋二十八」。）其中「抹」「黏」「停」「引」「繞」「解」「分」「贏」「存」「見」「惹」，無一而非婉詞。卽「聲斷」「望斷」之「斷」，「銷魂」之「銷」，「傷情」之「傷」，雖非婉詞，然由上下文，亦可見出其有婉性。至「微雲」「衰草」「畫角」「譙門」「征棹」「舊事」「烟靄」「斜陽」「寒鴉」「流水」「香囊」「羅帶」「青樓」「襟袖」「高城」「燈火」，無一而非婉景。卽「離尊」「孤村」「啼痕」，雖非婉景，要亦不得視爲厲景。然其所表淒涼則一。故曰「淒婉」。

東坡：蘇軾號「東坡居士」之略稱。蘇軾，字子瞻，一字和仲，自號東坡居士。宋眉山（今屬四川）人。第進士。累除中書舍人翰林學士，歷端明殿學士，禮部尚書。卒贈資政殿學士，再贈太師。謚文忠。有《蘇東坡全集》行世。

其後二語：指：「郴江幸自遶郴山，爲誰流下瀟湘去？」

賞其後二語：胡仔《苕溪漁隱叢話》前集卷五十引釋惠洪《冷齋夜話》云：少游到郴州，作長短句云：「……（按：即《踏莎行》詞。詞見「詳釋二十八」。）」東坡絕愛其尾兩句。自書於扇，曰：「少游已矣，雖萬人何贖？」①

猶爲皮相：意謂：賞「可堪孤館閉春寒，杜鵑聲裏斜陽暮。」之句，則爲「探本」，賞「郴江幸自遶郴山，爲誰流下瀟湘去？」則爲「皮相」。何故爲「皮相」？王氏未有明言。想係謂：「郴江……」二句之淒厲程度，未有「可堪……」二句之淒厲程度之高也。

按：皮相與否？見仁見智性質甚高。王氏之見，非必正確。蓋論「淒厲」，就內容言，「郴江幸自遶郴山，爲誰流下瀟湘去。」二句，暗示作者此時此地受仕途挫折而悔恨交加而又無可奈何。天下淒厲事，無有過於此情此景者。故較之「可堪孤館閉春寒，杜鵑聲裏斜陽暮。」二句所表淒厲之情，高出多多。就表達技巧言，「可堪……」二句，不過「狀難寫之景，如在目前。」而「郴江……」二句，則「含不盡之意，見於言外。」「爲誰……？」之問，方之屈原《天問》諸問，了無遜色。綜此二點，可見：賞此「郴江……」二句，乃爲「探本」而非「皮相」。王氏嘗有「解人正不易得」之語。由玆所論，王氏之此語，則可增補之而曰：「解人不惟正不易『得』，抑且正不易『定』。」

夫《踏莎行》（郴州旅舍）爲少游貶謫湖南郴州時所作。其身繫江湖，心懷魏闕，然而濃霧籠罩皇宮（喻羣小迷惑皇上），月色朦朧（喻時局混亂），返鄉之渡口，亦難尋覓（喻赦免無望），而陶淵明理想中之桃花源，②人世間難覓此境，可謂隱居避身無處，天下之大，而無容身之所，何其悲也！在此春寒料峭之季節，旅居孤獨館舍，冷冷清清淒淒慘慘戚戚，其情何堪？耳聞杜鵑泣血，目覩夕陽西下，頗有斷腸人在天涯之感，③觸景生情，不禁悲從中來。親友所賜安慰之書信及梅花等禮物，不僅未解身心之痛苦，反而益增無窮之愁恨感慨而已。隱居無望，返鄉無期，不久少游卽卒於藤州。此詞可謂少游之絕命詞，可與屈原《懷沙》④媲美。

東坡深愛其末二句：「郴江幸自遶郴山，爲誰流下瀟湘去？」自書於扇，嘆曰：「少游已矣，雖萬人何贖？」⑤洵爲知音。筆者揣摩少游心聲，末二句至爲悲痛，其意似謂：「郴江之水兮！本來自環遶郴山而行，朝夕與吾爲伴，而今又爲何棄我而去？流向遙遠之瀟湘二水，難道亦不耐山城之淒苦寂寞？余旣羡汝之無拘無束悠閒自得，而又恨己身之爲罪人，貶謫此間，不得自由，不知何時才能蒙恩赦免，回歸故土歟！」頗有李後主《虞美人》詞：「問君能有幾多愁，恰似一江春水向東流」⑥之意也。東坡之所以愛此二句，引起共鳴，蓋以「同是天涯淪落人」⑦，與少游之遭遇貶謫相同。紹興初，坐訕謗，安置惠州，徙昌化。豈非「同病相憐」之情乎？觀堂雖有亡淸之痛，而無貶官之苦，其又何能知之也。

【附注】

①胡仔《苕溪漁隱叢話》前集，詩文評類，頁六—三八一。（臺北市，臺灣商務印書館，《文淵閣四庫全書》影印本。）

②陶潛《陶淵明集》（桃花源記），別集一類，頁六—二五五。（同上）

③馬致遠《天淨沙》（秋思）：「枯藤、老樹、昏鴉。小橋、流水、平沙。古道、西風、瘦馬。夕陽西下，斷腸人在天涯！」（見《東籬樂府》）

④漢王逸《楚辭章句》（懷沙），楚詞類，頁六—二五三。（同注①）

⑤同注①。

⑥李煜《虞美人》詞：「春花秋月何時了？往事知多少。小樓昨夜又東風，故國不堪回首月明中！雕闌玉砌應猶在，只是朱顏改。問君能有幾多愁？恰似一江春水向東流！」（見《歷代詩餘》）。

⑤白居易《白香山詩集》，別集一類，頁六—二六三。（同注①）《琵琶行》中云：「同是天涯淪落人，相逢何必曾相識！……座中泣下誰最多，江州司馬青衫濕。」蓋白氏遭貶謫，以棄婦琵琶女自喻也。

三十

「風雨如晦，鷄鳴不已。」「山峻高以蔽日兮，下幽晦以多雨。霰雪紛其無垠兮，雲霏霜而承宇。」「樹樹皆秋色，山山盡落暉。」「可堪孤館閉春寒，杜鵑聲裏斜陽暮。」氣象皆相似。

詳釋三十

「風雨如晦，鷄鳴不已。」：爲《詩經》《鄭風》《風雨》篇之句。《風雨》篇全文如下：

風雨淒淒，鷄鳴喈喈。旣見君子，云胡不夷？

風雨瀟瀟，鷄鳴膠膠。旣見君子，云胡不瘳？

風雨如晦，鷄鳴不已。旣見君子，云胡不喜？①

「山峻高以蔽日兮，下幽晦以多雨。霰雪紛其無垠兮，雲霏霏而承宇。」：爲屈原《九章》《涉江》篇之句。《涉江》篇全文，以辭長（文繁），一般注解書咸不錄。此處爲助「氣象」一語之可獲清晰了解，乃仍錄全文如下：

余幼好此奇服兮，年旣老而不衰。帶長鋏之陸離兮，冠切雲之崔嵬。被明月兮珮寶璐。世溷濁而莫余知兮，吾方高馳而不顧。駕青虬兮驂白螭，吾與重華遊兮瑤之圃，登崑崙兮食玉英。與天地兮同壽，與日月兮同光。哀南夷之莫吾知兮，旦余濟乎江湘。乘鄂渚而反顧兮，欸秋冬之緒風。步余馬兮山皐，邸余車兮方林。乘舲船余上沅兮，齊吳榜以擊汰。船容與而不進兮，淹回水而疑滯。朝發枉陼兮，夕宿辰陽。苟余心其端直兮，雖僻遠之何傷？入漵浦余儃佪兮，迷不知吾所如。深林杳以冥冥兮，猨狖之所居。山峻高以蔽日兮，下幽晦以多雨。霰雪紛其無垠兮，雲霏霏而承宇。哀吾生之無樂兮，幽獨處乎山中。吾不能變心而從俗兮，固將愁苦而終窮。接輿髡首兮，桑扈臝行。忠不必用兮，賢不必以。伍子逢殃兮，比干菹醢。與前世而皆然兮，吾又何怨乎今之人？余將董道而不豫兮，固將重昏而終身。」亂曰：

鸞鳥鳳皇日以遠兮，燕雀烏鵲巢堂壇兮。

露申辛夷死林薄兮，腥臊並御芳不得薄兮。

陰陽易位時不當兮，懷信侘傺忽乎吾將行兮。②

「樹樹皆秋色，山山盡落暉。」：爲王績《野望》詩中之句。「盡」當作「唯」。《野望》全文如下：

東皐薄暮望，徙倚欲何依？樹樹皆秋色，山山唯落暉。牧人驅犢返，獵馬帶禽歸。相顧無相識，長歌懷采薇。③

「可堪孤館閉春寒，杜鵑聲裏斜陽暮。」：爲秦觀《踏莎行》詞中之句。《踏莎行》詞，「詳釋二十八」中已錄出。

氣象皆相似：所引四處語句，涵意稍有不同：前者涵意爲「不變志節」，所謂「松柏後凋於歲寒，鷄鳴不已於風雨。」如文天祥是也。故劉熙載謂文文山詞有「風雨如晦，鷄鳴不已」之意。次者涵意爲「憂心罔極」，蓋君子「憂道不憂貧」、所謂「君子道消，小人道長。」如屈原之憂是也。故其辭謂「鸞鳥鳳皇日以遠兮，燕雀烏鵲巢堂壇兮。」「鸞鳥鳳皇」以喻「君子」，亦以自喻；「燕雀烏鵲」以喻「小人」，亦以喻靳尚之流也。再次者涵意爲「高風亮節」，君子達則兼善天下，不達則獨善其身。故處亂世則「蹈光養晦」，隱居山野，如陶淵明之「登東皐以舒嘯，臨清流而賦詩」，悠然自得其樂是也。後者涵意爲「心懷魏闕」，少游身繫江湖，貶謫郴州，一心一意祈求「蒙恩赦免」，恢復自由，得歸故土，但終於絕望，客死藤州，何其悲也！故東坡嘆曰：「少游已矣！雖萬人何贖？」夫人窮則憂生，達則憂世，其氣象則一。故觀堂曰「皆相似」是也。

【附注】

① 據《毛詩》卷四，臺北藝文印書館，《十三經注疏》影印宋本。
② 漢王逸《楚辭章句》（九章・涉江），楚辭類，頁六—二五三。（臺灣商務印書館，《文淵閣四庫全書》影印本。）
③ 據《岱南閣叢書》本，《王無功集》卷中。

三十一

昭明太子稱：陶淵明詩「跌宕昭彰，獨超衆類。抑揚爽朗，莫之與京。」王無功稱：薛收賦「韻趣高奇，詞義晦遠，嵯峨蕭瑟，眞不可言。」詞中惜少此二種氣象。前者惟東坡，後者惟白石，略得一二耳。

詳釋三十一

昭明太子：指「蕭統」。蕭統，字德施。南蘭陵（今江蘇常州）人。南朝梁武帝蕭衍長子。天監元年立爲太子。未即位，因落水得病而卒。諡昭明。世稱「昭明太子」。嘗築文選樓，引納文學之士集古著述，編成《文選》三十卷。世稱「昭明文選」。原有集，已散佚。明人輯有《昭明太子集》。

陶淵明：即：陶潛。陶潛，一名淵明，字元亮。一說：名潛，字淵明。晉潯陽、柴桑（今江西、九江西南）人。嘗官江州祭酒，因不堪仕途汙濁，不久辭官。後迫於生計，又先後出任鎮軍參軍、建威參軍、彭澤令等職。彭澤令僅任八十餘日即棄官歸去。從此躬耕隱居。劉宋嘗召爲著作郎，不就。死後友人私諡爲「靖節先生」。有《陶淵明集》行世。

「跌宕昭彰，獨超衆類，抑揚爽朗，莫之與京。」：爲蕭統《陶淵明集序》中語。①序之全文，辭長而與此處之詳釋關係不密，故不備錄。

《昭明文選》選陶詩，共計七首。辭繁，不錄。

王無功：即：王績。王績，字無功。隋絳州龍門（今山西河津）人。嘗居東皐，自號東皐子。仕隋爲秘書省正字。唐初以原官待詔門下省。不久棄官還鄉，縱酒隱居；世稱「斗酒學士」。有《王無功集》（一名《東皐子集》）行世。

薛收：隋薛道衡子。字伯褒。年十二，能屬文。以父冤死於隋煬帝手，不肯仕隋。歸唐高祖後，官秦王府主簿。後授天策府記室參軍。封汾陰縣男。

「韻趣高奇，詞義晦遠，嵯峨蕭瑟，眞不可言。」：爲王績《王無功集》中《答馮子華處士書》中語。②書之全文，與此處詳釋關係不密，故不錄。（「晦」當爲「曠」。）

薛收賦：指：薛收《白牛谿賦》。

東坡：蘇軾號「東坡居士」之略稱。蘇軾，「詳釋二十九」有說明。

東坡詞之「何以於『跌宕昭彰、抑揚爽朗』氣象上略得一二？」未能具體作答；僅能舉出例詞以供吾人提出仁智之見時之參考。例如下：

例一　水調歌頭（丙辰中秋，歡飲達旦，作此篇；兼懷子由。）

明月幾時有？把酒問青天。不知天上宮闕，今夕是何年？我欲乘風歸去，惟恐瓊樓玉宇，高處不勝寒。起舞弄清影，何似在人間。

轉朱閣，低綺戶，照無眠。不應有恨，何事偏向別時圓？人有悲歡離合，月有陰晴圓缺，此事古難全。但願人長久，千里共嬋娟。③

例二　念奴嬌（赤壁懷古）

大江東去，浪淘盡、千古風流人物。故壘西邊，人道是、三國周郎赤壁。亂石崩雲，驚濤裂岸，捲起千堆雪。江山如畫，一時多少豪傑？

遙想公瑾當年，小喬初嫁了，雄姿英發。羽扇綸巾，談笑間、強虜灰飛煙滅。故國神游，多情應笑我、早生華髮。人間如夢，一尊還酹江月。④

例三　臨江仙（夜歸臨皐）

夜飲東坡醒復醉，歸來彷佛三更。家童鼻息已雷鳴，敲門都不應。倚杖聽江聲。

長恨此身非我有，何時忘却營營？夜闌風靜縠紋平，小舟從此逝，江海寄餘生。⑤

例四　江城子（乙卯正月二十日夜記夢）

十年生死兩茫茫，不思量，自難忘。千里孤墳，無處話淒涼。縱使相逢應不識，塵滿面，鬢如霜。

夜來幽夢忽還鄉。小軒窗，正梳妝。相顧無言，惟有淚千行。料得年年腸斷處，明月夜，短松岡。

白石：姜夔號「白石道人」之略稱。姜夔，字堯章，宋鄱陽人。流寓吳興，自號白石道人。嘗進《大樂議》於朝廷，今載於《宋史》《樂志》。又進自製《聖宋鐃歌鼓吹曲》十四首，詔付太常收掌。卒年約八十。有《白石詞》行世。

白石詞之「何以於『高奇曠遠、嵯峨蕭瑟』氣象上略得一二？」未能具體作答；僅能舉出例詞以供吾人提出仁智之見時之參考。例如下：

例一　點絳脣（丁未冬過吳松作）

雁燕無心，太湖西畔隨雲去。數峯清苦，商略黃昏雨。

第四橋邊，擬共天隨住。今何許？憑闌懷古，殘柳參差舞。⑦

例二　鷓鴣天（元夕有所夢）

肥水東流無盡期，當初不合種相思。夢中未比丹青見，暗裏忽驚山鳥啼。

春未綠，鬢先絲。人間別久不成悲。誰教歲歲紅蓮夜？兩處沈吟各自知。⑧

按：是否某人略得？或：某人是否略得？或：略得一二？抑略得三四？抑略得五六？抑略得七八？凡此，均僅能憑個人偏見性感受，武斷言之；未能有客觀之定論。王國維於類此場合，武斷習性頗重；故其言未可遽信。（此處僅依王氏之意，強釋之而已。後或復有此種出言武斷情形，則請類推處理可也；不再以「按語」說明。）

觀堂不同意昭明太子稱陶淵明詩之語，以爲惟東坡略得此種氣象一二。亦不同意王無功稱薛收賦之語，以爲惟白石略得此種氣象一二也。劉熙載亦不同意王無功之說，以爲惟小山《招隱士》足當此評。其《藝概・賦概》云：

> 王無功謂薛收《白牛溪賦》，「韻趣高奇，詞義曠遠，嵯峨蕭瑟，真不可言。」余謂賦之足當此評者蓋不多有。前此其惟小山《招隱士》乎？

觀堂論詞，劉熙載論賦，其不同意王無功之說則一也。

【附注】

①蕭統《陶淵明集序》云：「其文章不群，詞采精拔，跌宕昭彰，獨超衆類，抑揚爽朗，莫之與京。橫素波而傍流，干青雲而直上。語時事則指而可想，論懷抱則曠而且眞。」（據《陶淵明集》）

②王績《答馮子華處士書》云：「吾往見薛收《白牛溪賦》，韻趣高奇，詞義曠遠，嵯峨蕭瑟，眞不可言。壯哉！邈乎揚、班之儔也。高人姚義常語吾曰：『薛生此文，不可多得，登太行、俯滄海，高深極矣。』」（

據《東皐子集》，四部叢刊續編本。）

③蘇軾《東坡詞》，詞曲類，頁六—三八五。（臺灣商務印書館，《文淵閣四庫全書》影印本。）

④同上。

⑤同上。

⑥同上。

⑦姜夔《白石道人歌曲》，別集詞曲類，頁六—三八九。（同注③）

⑧同上。

三十二

詞之雅鄭，在神不在貌。永叔、少游雖作艷語，終有品格。方之美成，便有淑女與倡伎之別。①

詳釋三十二

在神不在貌：何種情形，始爲「在神不在貌」？不易妥帖作答。茲以「距離說」答之，或可接近「妥帖」。

《西廂記》《酬簡》中有如下之描寫語：

暖玉溫香抱滿懷，……春至人間花弄色，……露滴牡丹開，……魚水得和諧，嫩蕊嬌香蝶恣採。②

此顯然爲描寫張生與鶯鶯之縱情性交。如用粗語直語描之，必淫穢不堪。今如此置於心理距離之外描之，則使人絲毫不生淫穢之感而僅有藝術美感。如此「僅顯神而不露貌」之描寫，是爲「在神不在貌」。具體言之，則爲：寫之含蓄、文雅，則爲「顯神」或「在神」，則爲「雅」。寫之直率、粗俗，則爲「露貌」或「在貌」，則爲「鄭」。

永叔：歐陽修字。歐陽修，「詳釋二十一」中有說明：

少游：秦觀字。秦觀，「詳釋二十二」中有說明。

永叔艷詞之例：

例一　生查子（元夕）

去年元夜時，花市燈如晝。月上柳梢頭，人約黃昏後。
今年元夜時，月與燈依舊。不見去年人，淚濕春衫袖。③

例二　臨江仙

柳外輕雷池上雨，雨聲滴碎荷聲。小樓西角斷虹明。闌干私倚處，待得月華生。
燕子飛來窺畫棟，玉鈎垂下簾旌。涼波不動簟紋平。水精雙枕畔，傍有墮釵橫。④

少游艷詞之例：

例一　水龍吟

小樓連苑橫空，下窺繡轂雕鞍驟。朱簾半捲，單衣初試，清明時候。破暖輕風，弄晴微雨，欲無還有。賣花聲過盡，斜陽院落，紅成陣，飛鴛甃。

玉佩丁東別後，悵佳期參差難又。名韁利鎖，天還知道，和天也瘦。花下重門，柳邊深巷，不堪回首。念多情、但有、當時皓月，照人依舊。⑤

例二　八六子

倚危亭，恨如芳草，萋萋剗盡還生。念柳外青驄別後，水邊紅袂分時，愴然暗驚。無端天與娉婷，夜月一簾幽夢，春風十里柔情。怎奈向歡娛，漸隨流水，素絃聲斷，翠綃香減，那堪片片飛花弄晚，濛濛殘雨籠晴？正銷凝，黃鸝又啼數聲。⑥

終有品格：上所舉四例，雖皆艷詞；然因寫之而有心理距離，即如「水精雙枕畔，傍有墮釵橫。」亦不令人起淫穢之感而使全詞「終有品格」。餘三例，無「水精……」之措詞，則尤無論。

美成：周邦彥字。周邦彥，字美成。宋錢塘人。元豐初，進《汴都賦》，神宗異之，除太學正。歷官秘書監，進徽猷閣待制，提舉大晟府。出知順昌府，徙知處州。秩滿以待制提舉南京鴻慶宮。有《清眞集》《清眞後集》行世。

美成艷詞之例：

風流子

新綠小池塘，風簾動，碎影舞斜陽。羨金屋去來，舊時巢燕，土花繚繞，前度莓牆。繡閣裏，鳳幃深幾許？聽得理絲簧。欲說又休，慮乖芳信；未歌先噎，愁近清觴。遙知新妝了，開朱戶，應自待月西廂。最苦夢魂，今宵不到伊行。問甚時說與、佳音密耗，寄將秦鏡，偷換韓香。天便教人，霎時廝見何妨！⑦

有淑女與倡伎之別：有否此種分別？就「心理距離說」而論，似難以定論。吾人就所舉三人之例，比觀而定論之可也。《揮麈錄》云：「美成爲溧水令。主簿之姬有色而慧，每出侑酒，美成爲《風流子》以寄意。」⑧據此，王氏之謂「有淑女與倡伎之別」，蓋就動機而論之成分爲多也。雖然，《風流子》下闋四句，固較「水精雙枕畔，傍有墮釵橫。」之句之心理距離描寫程度爲稍低也。「天便教人，霎時廝見何妨！」尤爲「露貌」。

【附　注】

① 通行本「淑女」，原稿本作「貴夫人」。
② 董王合刊本《西廂記》，臺北里仁書局。
③ 歐陽修《六一詞》，詞曲類，頁六—三八五。（臺灣商務印書館，《文淵閣四庫全書》影印本。）
④ 同上。
⑤ 秦觀《淮海詞》，詞曲類，頁六—三八五。（同注③）
⑥ 同上。
⑦ 周邦彥《片玉詞》，詞曲類，頁六—三八六。（同注③）
⑧ 宋王明清《揮麈錄》，小說家類，頁六—二三九。（同注③）

三十三

美成深遠之致，不及歐、秦。唯言情體物，窮極工巧，故不失爲第一流之作者。但恨創調之才多，創意之才少耳。

詳釋三十三

美成：周邦彥字。周邦彥，「詳釋三十二」中有說明。

歐：指：歐陽修。歐陽修，「詳釋二十一」中有說明。

秦：指：秦觀。秦觀，「詳釋二十二」中有說明。

美成深遠之致，不及歐、秦：可綜合各人所得近正詞評而比較之：

歐所得近正詞評，選三則：

第一則

《介存齋論詞雜著》云：永叔詞只如無意，而沉著在和平中見。①

第二則

《藝概》云：馮延巳詞，……歐陽永叔得其深。②

第三則

《宋六十一家詞選》《例言》云：歐陽文忠……其詞與元獻同出南唐，而深致則過之。③

秦所得近正詞評，選三則：

第一則

《白雨齋詞話》云：詞理莫深於少游。④

第二則

《白雨齋詞話》又云：少游詞，最深厚，最沉著。⑤

第三則

《宋六十一家詞選》《例言》云：少游之詞，詞心也。得之於內，不可以傳。⑥

美成所得近正詞評，選二則：

第一則

《藝概》云：美成詞信富艷精工，只是當不得個「貞」字。⑦

第二則

《藝概》又云：周美成律最精審，……然未得為君子之詞者，周旨蕩……也。⑧

比較此三人之詞評，美成詞，旨蕩而不貞，僅富麗而精工。其不及歐、秦之深遠，自屬必然。言情體物，窮極工巧：亦卽《藝概》「富麗精工」之意也。玆摘錄其工巧之句數句以證之：

愁一箭風快，半篙波暖，回頭迢遞便數驛。（《蘭陵王》）

斜陽冉冉春無極。（《蘭陵王》）

願春暫留，春歸如過翼，一去無迹。（《六醜》）

兎葵燕麥，向斜陽欲與人齊。但徘徊班草，欷歔酹酒，極望天西。（《夜飛鵲》）

怒濤寂寞打孤城，風檣遙度天際。（《西河》）

夜深月過女牆來，傷心東望淮水。（《西河》）

葉下斜陽照水，捲輕浪，沉沉千里。（《夜遊宮》）

創調之才多：美成所創之調，近人有統計之者。計有二十餘調。此專指獨創。若併「改舊調亦算創調」計之，則不下五十餘調。所創之調有若此之數，不可謂不多。故曰「創調之才多」。玆將其獨創調調名，選列數名於後，以見一斑：

憶舊游　花心動　玲瓏四犯

解蹀躞　瑞龍吟　蕙蘭芳引

創意之才少：創意之才之有、無、多、少，難以具體以例證指。故玆僅能舉一端以爲旁證。即：陳振孫《直齋書錄解題》所云：「清眞詞多用唐人詩語檃括入律。」⑨或張炎《詞源》所云：「美成詞……採唐詩融化如自己者。」⑩且不惟採唐詩語句，更有採《詩經》《楚辭》古詩、漢、魏、晉詩及宋人詩、詞語句者。所採詩人、詞人，多達十餘家。如：王粲、杜甫、李白、李賀、白居易、韓愈、李商隱、劉禹錫、杜牧、溫庭筠、韓偓、歐陽修、王安石、司馬光、蘇軾、……彼等詩句、詞句，均在被採之列。玆隨舉數例，以見一斑：

周詞《滿庭芳》：雨肥梅子。

杜甫詩：紅綻雨肥梅。

周詞《滿庭芳》：人靜烏鳶自樂。

杜甫詩：人靜烏鳶樂。

周詞《點絳脣》：暮天草露霑衣潤。

王粲詩：下船登高防，草露霑我衣。

此一旁證，或可略作王氏「創意之才少」一語之具體解釋。蓋創意之才多者，不致如此之襲人辭句不少也。

此外，各家對清眞詞，頗多褒語。強煥謂其寫物曲盡其妙。其《題周美成詞》云：

公之詞，其摹寫物態，曲盡其妙。⑪

觀堂以強煥此語，爲知言也。⑫沈義父謂其下字運意，皆有法度。其《樂府指迷》云：

凡作詞當以清真為主。蓋清真最為知音，且無一點市井氣，下字運意，皆有法度，往往自唐、宋諸賢詩句中來，而不用經史中生硬字面，此所以為冠絕也。⑬

以唐人詩句入詞，不僅非病，且爲冠絕。周濟謂其集大成者。其《宋四家詞選目錄序論》云：

清真，集大成者也。

《清真渾厚，正于鉤勒處見。他人一鉤勒便刻削，清真愈鉤勒，愈渾厚。⑭

陳廷焯推爲詞人巨擘，其《白雨齋詞話》云：

詞至美成，乃有大宗，前收蘇、秦之終，後開姜史之始，自有詞人以來，不得不推為巨擘。後之為詞者，亦難出其範圍。然其妙處，亦不外沉郁頓挫。頓挫則有姿態，沈郁則極深厚。極有姿態，又極深厚，詞中三昧，亦盡於此矣。⑮

清眞融化唐人詩句入詞，不僅未影響其詞之造詣，觀堂於《清眞先生遺事・尙論三》中，且譽爲「詞中老杜」，⑬可見此則詞話所謂創意少者，蓋其早年之論也。

【附　注】

① 唐圭璋編《詞話叢編》，臺北廣文書局。
② 同上。
③ 同上。
④ 同上。
⑤ 同上。
⑥ 同上。
⑦ 同上。

⑧ 同上。
⑨ 陳振孫《直齋書錄解題》，目錄類，頁六一一四二。（同注①）
⑩ 據《詞源注。樂府指迷箋釋》，人民文學出版社本。
⑪ 據《宋六十名家詞・片玉詞》，四部備要本。
⑫ 《詞話》卷下附錄十五則。
⑬ 同注⑩。
⑭ 據《介存齋詞論雜著・復堂詞話・蒿菴論詞》，人民文學出版社本。
⑮ 同注①。
⑯ 《詞話》卷下附錄十四則。

三十四

詞忌用替代字。美成《解語花》之「桂華流瓦」，境界極妙。惜以「桂華」二字代「月」耳。夢窗以下，則用代字更多。其所以然者，非意不足，則語不妙也。蓋意足則不暇代，語妙則不必代。此少游之「小樓連苑」「繡轂雕鞍」，所以爲東坡所譏也。

詳釋三十四

美成：周邦彥字。周邦彥，「詳釋三十二」中有說明。

《解語花》：全文如下：

解語花（元宵）

風銷燄蠟，露浥烘爐，花市光相射。桂華流瓦。纖雲散，耿耿素娥欲下。衣裳淡雅。看楚女，纖腰一把。簫鼓喧，人影參差，滿路飄香麝。

因念都城放夜。望千門如畫，嬉笑游冶。鈿車羅帕，相逢處、自有暗塵隨馬。年光是也。唯只見、舊情衰謝。清漏移，飛蓋歸來，從舞休歌罷。①

境界極妙：月光灑在屋瓦之上。此情此景，誠爲「狀難寫之景如在目前。」故曰「極妙」。

惜以「桂華」二字代「月」：人不知「桂華」爲何物。則此「如在目前」之景，全然消失。故曰「惜」。

夢窗：吳文英號。吳文英，字君特，號夢窗。晚年又號覺翁。宋四明人。有《夢窗甲、乙、丙、丁稿》行世。

夢窗以下：範圍過泛，難以確指。玆選指有代表性之吳文英、周密（二窗）二人。

用代字更多：「多」「少」之標準，亦無由定。玆於二人中，各抉出十代字，或可見其多：

吳文英之十字：

重茵、寶勒、楚腰、題門、墮履。（以上俱在《渡江雲》中。）玉勒、迅羽、小蟾。（以上俱在《霜葉飛》中。）婺蟾。（在《宴清都》中）柔蔥。（在《齊天樂》中。）

周密之十字：

飛瓊。(在《瑤華》中。)銀牀。(在《玉京秋》中。)宮眉、遊勒。(俱在《曲遊春》中。)

湘娥、國香。(俱在《花犯》中。)錦鴛、繡勒、紅衣、翠丸。(俱在《木蘭花慢》中。)

意足則不暇代：意足則必生動詞彙蜂擁奔赴腦際。安排此蜂擁詞彙之不暇，何暇再用不生動之代字？

語妙則不必代：語妙則必清晰之表達已綽綽有餘。何必再用霧裏看花之代字？

少游：秦觀字。秦觀，「詳釋二十二」中有說明。

「小樓連苑」「繡轂雕鞍」：此爲秦觀《水龍吟》中之句。秦觀《水龍吟》，「詳釋三十二」中已錄出。

少游「小樓連苑橫空，下窺繡轂雕鞍驟。」詞句之被譏：《花庵詞選》云：秦少游自會稽入京見東坡。……又問：「別作何詞？」秦舉「小樓連苑橫空，下窺繡轂雕鞍驟。」坡云：「十三箇字，只說得一箇人騎馬樓前過。」②

【附　注】

① 據林大椿校本《清眞集》卷下。

② 黃昇《唐宋諸賢絕妙詞選》卷二。

三十五

沈伯時《樂府指迷》云：「說桃不可直說破桃，須用『紅雨』『劉郎』等字。說柳不可直說破柳，須用『章臺』『灞岸』等字。」若惟恐人不用代字者。果以是爲工，則古今類書具在，又安用詞爲耶？宜其爲《提要》所譏也。

詳釋三十五

沈伯時：即：沈義父。沈義父，字伯時。宋吳江人。宋亡，隱居不仕。擅詞曲。有《樂府指迷》行世。

「安用詞爲？」：詞有境界。倘無視詞之境界而餖飣獺祭，則類書中代字甚多。安用詞爲？

爲《提要》所譏：《四庫提要》集部，詞曲類二「沈氏《樂府指迷》」條云：……又謂「說桃須用『紅雨』『劉郎』等字，說柳須用『章臺』『灞岸』等字，說書須用『銀鉤』等字，說淚須用『玉筯』等字，說簟須用『湘竹』等字；不可直說破。」①其意欲避鄙俗，而不知轉成塗飾。亦非確論。

紅雨：初意爲「紅色之雨」。《致虛閣雜俎》云：「唐天寶十三年，宮中下紅雨，色若桃花。」後詞義演變爲「如紅雨之散落桃花」。黃庭堅《道中寄景珍詩》：「心在青雲故人處，身行紅雨亂花間。」再後詞義復演變爲指一般桃花。袁枚《春日雜詩》：「千枝紅雨萬重煙，畫出詩人得意天。」

劉郎：原意僅普通「劉姓男子」之意。特指何人？則依特殊情景而定。此處係指劉禹錫。《舊唐書》《劉禹錫傳》：叔文敗，坐貶連州刺史。在道，貶朗州司馬。……元和十年，自武陵召還。宰相復欲置之郎署。時禹錫作《遊玄都觀詠看花諸君子》詩，語涉譏刺；執政不悅，復出爲播州刺史。……

…太和二年，自和州刺史徵還，拜主客郎中。禹錫銜前事未已，復作《遊玄都觀》詩。……其前篇有「玄都觀裏桃千樹，盡是劉郎去後栽。」之句。後篇有「種桃道士歸何處？前度劉郎今又來。」之句。②

因有此故事，「劉郎」一詞，遂成爲「桃花」之代字。雖牽扯未免過遠，然代字之本質，固如是也。

章臺：原爲街名。漢長安章臺下街名章臺街。乃歌妓聚居之地。中有柳氏妓。孟棨《本事詩》敍韓翃與柳氏悲歡離合故事甚詳。中有韓翃寄柳氏詩，云：「章臺柳，章臺柳，往日青青今在否？縱使長條似舊垂，亦應攀折他人手。」詩雙關柳氏爲柳樹。

基此故事，後人遂以「章臺」爲「柳樹」之代字。亦未免牽扯過遠。

灞岸：原意爲「灞水之岸」。灞水源出陝西藍田縣東。流經長安。水上有橋，名灞橋。古人於此處折橋頭之柳送行，故又名銷魂橋。

因所折之柳，在橋頭灞水之岸，故以「灞岸」爲「柳」之代字。

觀堂反對沈伯時使用「代字」之說，唯蔡嵩雲則有不同之見，以爲用一二典故印證，別增境界，說破反覺了無餘味。蔡嵩雲《樂府指迷箋釋》引《人間詞話》上條和此條後云：

說某物，有時直說破，便了無餘味，倘用一二典故印證，反覺別增境界。但斟酌題情，揣摩辭氣，亦有時以直說破為顯豁者。謂詞必須用替代字，固失之拘，謂詞必不用替代字，亦未免失之迂矣。美成《解語花》「桂華流瓦」句，單看似欠分曉，然合下句「纖雲散，耿耿素娥欲下」觀之，則寫元夜明月，而兼用雙關之筆，何等精妙！雖用替代字，不害其為佳。《人間詞話》稱其造境，而惜其以桂華二字代月，語殊未然。……至於說某物，既用事暗點，不必更明說。若已暗點，又用明說，疊床架屋，成何章法？而市井賺人耍曲，其詞往往如此。彼只知說破為妙，而不曉不說破之妙。③

蔡氏之言，可謂持平之論。

【附注】

① 《四庫全書總目提要》，臺灣商務印書館，《文淵閣四庫全書》影印本。
② 《舊唐書‧劉禹錫傳》，臺北鼎文書局，《二十五史》點校本。
③ 滕咸惠校注《人間詞話新注》（修訂本），頁一二。

三十六

美成《青玉案》詞：「葉上初陽乾宿雨，水面清圓，一一風荷舉。」此眞能得荷之神理者。覺白石《念奴嬌》《惜紅衣》二詞，猶有隔霧看花之恨。

詳釋三十六

美成：周邦彥字。周邦彥，「詳釋三十二」中有說明。

《青玉案》：當作《蘇幕遮》。

「葉上初陽乾宿雨，水面清圓，一一風荷舉。」：爲周邦彥《蘇幕遮》中之句。《蘇幕遮》全文如下：

燎沈香，消溽暑。鳥雀呼晴，侵曉窺簷語。葉上初陽乾宿雨。水面清圓，一一風荷舉。

故鄉遙，何日去？家住吳門，久作長安旅。五月漁郎相憶否？小檝輕舟，夢入芙蓉浦。①

得荷之神理：卽：對荷之描寫，眞切，生動，自然；「語語都在目前」（王國維語），「模寫物態，曲盡其妙。」（王國維引強煥語）

白石：姜夔號「白石道人」之略稱。姜夔，「詳釋三十一」中有說明。

《念奴嬌》：全文如下：

念奴嬌（予客武陵，湖北憲治在焉。古城野水，喬木參天。予與二三友，日蕩舟其間，薄荷花而飲。意象幽閒，不類人境。秋水且涸，荷葉出地尋丈。因列坐其下，上不見日。清風徐來，綠雲自動。間於疏處窺見游人畫船，亦一樂也。朅來吳興，數得相羊荷花中。又夜泛西湖，光景奇絕。故以此句寫之。）

鬧紅一舸，記來時，嘗與鴛鴦爲侶。三十六陂人未到，水佩風裳無數。翠葉吹涼，玉容消酒，更灑菰蒲雨。嫣然搖動，冷香飛上詩句。

日暮，青蓋亭亭。情人不見，爭忍凌波去。只恐舞衣寒易落，愁入西風南浦。高柳垂陰，老魚吹浪，留我花間住。田田多少？幾回沙際歸路？②

《惜紅衣》全文如下：

惜紅衣（吳興號水晶宮。荷花盛麗。陳簡齋云：「今年何以報君恩？一路荷花，相送到青墩。」亦可見矣。丁未之夏，予游千巖，數往來紅香中。自度此曲，以無射宮歌之。）

簟枕邀涼，琴書換日，睡餘無力。細灑冰泉，并刀破甘碧。牆頭喚酒，誰問訊城南詩客？岑寂。高柳晚蟬，說西風消息。

虹梁水陌，魚浪吹香，紅衣半狼藉。維舟試望故國，眇天北。可惜渚邊沙外，不共美人游歷。問甚時同賦、三十六陂秋色？③

有隔霧看花之恨：有一代字，卽爲白玉之瑕；代字不少，則固有隔霧看花之恨也。兩詞中代字，具體指出，則爲：鬧紅、水佩、風裳、玉容、青蓋、田田、并刀、甘碧、城南詩客、紅衣。多達十字。不可謂「不多」。

【附注】

① 據《清真集》卷上。
② 據《彊村叢書》本，《白石道人歌曲》卷四。
③ 同上卷五。

三十七

東坡《水龍吟》詠楊花，和均而似元唱。章質夫詞，原唱而似和均。才之不可強也如是！

詳釋三十七

東坡：蘇軾號「東坡居士」之略稱。蘇軾，「詳釋二十九」中有說明。

《水龍吟》：全文如下：

水龍吟（次韻章質夫楊花詞。）

似花還似非花，也無人惜從教墜。拋家傍路，思量却是、無情有思。縈損柔腸，困酣嬌眼，欲開還閉。夢隨風萬里，尋郎去處，又還被、鶯呼起。

不恨此花飛盡，恨西園、落紅難綴。曉來雨過，遺蹤何在？一池萍碎。春色三分，二分塵土，一分流水。細看來、不是楊花，點點是離人淚。①

章質夫：即：章楶。章楶，字質夫。宋浦城人。以叔蔭，爲孟州司戶參軍。試禮部第一。歷官樞密直學士、龍圖閣端明殿學士。以平夏州功，拜同知樞密院事。贈右銀青光祿大夫。謚莊簡。

章質夫詞：指：章質夫《水龍吟》。全文如下：

水龍吟（楊花）

燕忙鶯懶芳殘，正堤上，柳花飄墜。輕飛亂舞，點畫青林，全無才思。閒趁游絲，靜臨深院，日長門閉。傍珠簾散漫，垂垂欲下，依前被、風扶起。

蘭帳玉人睡覺，怪春衣、雪霑瓊綴。繡牀漸滿，香毬無數，才圓却碎，時見蜂兒，仰黏輕粉，魚吞池水。望章臺路杳，金鞍游蕩，有盈盈淚。②

和韻而似原唱，原唱而似和韻，才之不可強也如是：就「受限制」之一點而言，和韻較之原唱，其寫作之難易，相去甚遠。今蘇詞較佳於章詞，行見蘇氏之於難者反易，章氏之於易者反難。二人文才相較，章才之不如蘇才，甚為顯明。夫文才泰半出於天才。天才之有無，實不可強致。故曰「才之不可強也如此」。

此為揣王氏之意而釋之。而歷來詞評家，對此二詞之孰優孰劣？則見仁見智，各有不同。茲選錄數則於後：

朱弁《曲洧舊聞》云：章楶（質夫）作《水龍吟》咏楊花，其命意用事，清麗可喜。東坡和之，若豪放不入律呂。徐而視之，聲韻諧婉；便覺質夫詞有織繡功夫。晁叔用云：「東坡如毛嬙、西施，淨洗脚面與天下婦人鬪好。質夫豈可比耶？」③

魏慶之《詩人玉屑》云：章質夫咏楊花詞，東坡和之。晁叔用以為：東坡如毛嬙、西施，淨洗脚面與天下婦人鬪好。質夫豈可比？是則然矣。余以為質夫詞中「傍珠簾散漫，垂垂欲下，依前被、風扶起。」亦可謂曲盡楊花妙處。東坡所和雖高，恐未能及。詩人議論不公如此耳。④

黃昇《花庵詞選》云：「傍珠簾散漫……」數語，形容盡矣。⑤

張炎《詞源》云：東坡次章質夫楊花《水龍吟》韻，機鋒相摩。起句便合讓東坡出一頭地。後片愈出愈奇。真是壓倒古今！⑥

許昂霄《詞綜偶評》云：《水龍吟》（蘇軾）與原作均是絕唱，不容妄為軒輊。⑦

觀此正、反、中和諸評語，可見王氏於本條所作評斷，又未免涉嫌武斷。

【附　注】

① 據龍沐勛《東坡樂府箋》卷二。
② 據四印齋本，《草堂詩餘》卷下。
③ 據知不足齋叢書本。
④ 據中華書局本，下册。
⑤ 黃昇《花庵詞選》詞曲類，頁六—三九一。（臺灣商務印書館，《文淵閣四庫全書》影印本。）
⑥ 據《詞話叢編》本。
⑦ 同上。

三十八

詠物之詞，自以東坡《水龍吟》為最工，邦卿《雙雙燕》次之。白石《暗香》《疏影》，格調雖高，然無一語道着。視古人「江邊一樹垂垂發」等句何如耶？①

詳釋三十八

東坡：蘇軾號「東坡居士」之略稱。蘇軾，見「詳釋二十九」中有說明。

《水龍吟》：全詞，「詳釋三十七」中已錄出。

邦卿：史達祖字。史達祖，字邦卿，號梅溪。宋汴人。有《梅溪詞》行世。

《雙雙燕》：全詞如下：

雙雙燕（詠燕）

過春社了，度簾幕中間，去年塵冷。差池欲住，試入舊巢相並；還相雕梁藻井。又軟語，商量不定。飄然快拂花梢，翠尾分開紅影。

芳徑。芹泥雨潤。愛貼地爭飛，競誇輕俊。紅樓歸晚，看足柳昏花暝。應自棲香正穩，便忘了天涯芳信。愁損翠黛雙蛾，日日畫欄獨憑。②

白石：姜夔號「白石道人」之略稱。姜夔，「詳釋三十一」中有說明。

《暗香》《疏影》：二詞全文如下：

暗香　疏影（辛亥之冬，予載雪詣石湖。止既月，授簡索句，且徵新聲。作此兩曲。石湖把玩不已。使二妓肄習之。音節諧婉。乃名之曰《暗香》《疏影》。）

舊時月色，算幾番照我，梅邊吹笛。喚起玉人，不管清寒與攀摘。何遜而今漸老，都忘却、春風詞筆。但怪得、竹外疏花，香冷入瑤席。

江國，正寂寂。歎寄與路遙，夜雪初積。翠尊易泣，紅萼無言耿相憶。長記曾携手處，千樹壓，西湖寒碧。又片片，吹盡也，幾時見得？③

苔枝綴玉，有翠禽小小，枝上同宿。客裏相逢，籬角黃昏，無言自倚修竹。昭君不慣胡沙遠，但暗憶、江南江北。想佩環，月夜歸來，化作此花幽獨。猶記深宮舊事，那人正睡裏，飛近蛾綠。莫似春風，不管盈盈，早與安排金屋。還教一片隨波去，又却怨，玉龍哀曲。等恁時，重覓幽香，已入小窗橫幅。④

最工：由於「語語都在目前」。

次之：由於什九之「語」「在目前」。什一不「在目前」之「語」，則如「翠黛雙蛾」是。

格調雖高，然無一語道著：王闓運、胡適，皆有對《暗香》《疏影》二詞之評語，皆足助對此「格調雖高，然無一語道著；」之語之了解。王闓運《湘綺樓詞選》云：「此二詞最有名。然語高品下；以其貪用典故也。」「語高」，卽「用語格調高」。（格調，非指「風格」「情調」。）「品下」，卽「措詞品質低下」。（品，非指「品格」「韻致」。）亦卽「無一語道著」。其所以然者，「以其貪用典故也」。「貪用典故」，則必「語高品下」，則亦必「格調雖高，然無一語道著。」胡適《詞選》云：「他的《暗香》《疏影》二曲，張炎稱爲『前無古人，後無來者。自立新意，眞爲絕唱。』（詞源）但這兩首詞，只是用了幾個梅花的古典，毫無新義可取。《疏影》一首更劣下。」⑤「用了幾個梅花的古典」，故使人有「格調高」之感。「毫無新義可取」，與「無一語道著」殆同義。

「江邊一樹垂垂發」：爲杜甫《和裴迪登蜀州東亭送客逢早梅相憶見寄》詩中之句。全詩如下：

東閣官梅動詩興，還如何遜在揚州。此時對雪遙相憶，送客逢春可自由。幸不折來傷歲暮，若為看去亂鄉愁。江邊一樹垂垂發，朝夕催人自白頭。

視古人「江邊一樹垂垂發」等句何如：意爲：視古人「江邊一樹垂垂發」等句自是不如。何以不如？蓋「江邊一樹垂垂發」等句，視梅花爲有生命之物而極寫其生生不息、活躍不已之態；而白石二詞，則「無新義可取」「無一語道著」也。

按《暗香》《疏影》二詞，張炎嘗有數評，其一曰全章精華。其《詞源》云：

詩難於詠物，詞為尤難。體認稍真，則拘而不暢；模寫差遠，則晦而不明；要須收縱聯密，用事合題，一段意思，全在結句，斯為絕妙。……白石《暗香》《疏影》……此皆全章精粹，所詠瞭然在目，且不留滯於物。

其二曰清空騷雅，神觀飛越，其《詞源》云：

詞要清空，不要質實；清空則古雅峭拔，質實則凝澀晦昧。姜白石詞如野雲孤飛，去留無迹。……如《疏影》《暗香》……等曲，不惟清空，又且騷雅，讀之使人神觀飛越。

其三曰自立新意，眞爲絕唱。其《詞源》云：

詞之賦梅，惟姜白石《暗香》《疏影》二曲，前無古人，後無來者，自立新意，真為絕唱。太白所謂：「眼前有景道不得，崔顥題詩在上頭。」誠哉是言也。

張氏立說，則與觀堂異也，此亦仁智之見乎？

【附　注】

① 通行本「一語」，原稿本作「片語」。通行本「江邊一樹垂垂發」，原稿本其下復有「竹外一枝斜更好，疏影橫斜水清淺。」又「格調雖高」後，有已删之：「而境界極淺，情味索然。乃古今均視爲名作，自玉田推爲絕唱，後世遂無敢議之者，不可解也。試讀林君復、梅聖俞春草諸詞，工拙何如耶？」
② 據四印齋本《梅溪詞》。
③ 據《白石道人歌曲》卷五。
④ 同上。
⑤ 胡適《詞選》，臺灣商務印書館，人人文庫本。
⑥ 仇兆鼇《杜詩詳注》卷十，別集一類，頁六一一五八。（臺灣商務印書館，《文淵閣四庫全書》影印本。）

三十九

白石寫景之作，如「二十四橋仍在，波心蕩，冷月無聲。」「數峯清苦，商略黃昏雨。」「高樹晚蟬，說西風消息。」雖格韻高絕，然如霧裏看花，終隔一層。梅溪、夢窗諸家寫景之病，皆在一「隔」字。北宋風流，渡江遂絕。抑眞有運會存乎其間耶？

詳釋三十九

白石：姜夔號「白石道人」之略稱。姜夔，「詳釋三十一」中有說明。

「二十四橋仍在，波心蕩，冷月無聲。」：爲姜夔《揚州慢》詞中之句。其《揚州慢》全詞如下：

揚州慢（淳熙丙午至日，予過維揚。夜雪初霽，薺麥彌望。入其城，則四顧蕭條，寒水自碧。暮色漸起，戍角悲吟。予懷愴然。感慨今昔，因自度此曲。千巖老人以為有黍離之悲也。）

淮左名都，竹西佳處，解鞍少駐初程。過春風十里，盡薺麥青青。自胡馬、窺江去後，廢池喬木，猶厭言兵。漸黃昏清角，吹寒都在空城。

杜郎俊賞，算而今、重到須驚。縱豆蔻詞工，青樓夢好，難賦深情。二十四橋仍在，波心蕩，冷月無聲。念橋邊紅藥，年年知為誰生？①

「數峰清苦，商略黃昏雨。」：爲姜夔《點絳脣》詞中之句。《點絳脣》詞全文，「詳釋三十一」中已錄出。

「高樹晚蟬，說西風消息。」：爲姜夔《惜紅衣》詞中之句。《惜紅衣》詞全文，「詳釋三十六」中已錄出。

格韻高絕：所引前句，感喪亂，有憫世之心。中句，弔古傷今，有憂世之思。後句，嘆孤寂，有憂生之感。憂憫世情、人生之思，自屬高尚；故曰「格韻高絕」。

「霧裏看花，終隔一層。」：語語都在目前，不用代字，不貪典故，則不隔。不事雕琢，天籟自然，亦不隔。此處三句，雖無所語不在目前之病；然雕琢之迹，顯而易見。故曰「霧裏看花，終隔一層。」

梅溪：史達祖號。史達祖，「詳釋三十八」中有說明。

夢窗：吳文英號。吳文英，「詳釋三十四」中有說明。

梅溪寫景之病在「隔」：請參看「詳釋三十八」中所錄史達祖之《雙雙燕》。以「語語都在目前」「不事雕琢，天籟自然」爲標準而衡之，幾乎全爲隔語。代表作如此，其餘更無論矣。

夢窗寫景之病在「隔」：夢窗之隔，於「詳釋三十四」中所舉代字之例，卽可見一斑；無庸再事選錄其全詞以作指陳。

「北宋風流，渡江遂絕。」「北宋詞人措詞不隔之寫作風氣，至南宋卽已無有。此固就大致而言也。」

「抑眞有運會存乎其間耶？」：用反語惜詞作良好表達技巧之式微。

【附　注】

① 據《白石道人歌曲》卷五。

四十

問：「隔」與「不隔」之別？曰：陶、謝之詩不隔，延年則稍隔矣。東坡之詩不隔，山谷則稍隔矣。①「池塘生春草」「空梁落燕泥」等二句，妙處唯在不隔。詞亦如是。卽以一人一詞而論，如：歐陽公《少年游》詠春草。上半闋云：「闌干十二獨凭春，晴碧遠連雲。千里萬里，二月三月，行色苦愁人。」語語都在目前②，便是不隔。至云：「謝家池上，江淹浦畔。」則隔矣。白石《翠樓吟》：「此地，宜有詞仙，擁素雲黃鶴，與君游戲。玉梯凝望久，歎芳草，萋萋千里。」便是不隔。至「酒祓清愁，花消英氣。」則隔矣。然南宋詞，雖不隔處，比之前人，自有淺深厚薄之別。

詳釋四十

陶：指：陶潛。陶潛，「詳釋三十一」中有說明。

謝：指：謝靈運。謝靈運，晉陳郡陽夏（今河南太康）人。世居會稽（今浙江紹興）。晉名將謝玄之孫。晉時襲封爵康樂公，故稱謝康樂。入南朝宋，曾任永嘉太守、侍中、臨川內史等職。以謀反罪流放廣州，被殺。有輯本《謝康樂集》行世。

陶詩不隔：「詳釋三」有陶詩之例。詩中語句，「語語都在目前」，故不隔。「采菊東籬下，悠然見南山。」尤爲標準不隔之句。

謝詩之例：

登池上樓

潛虯媚幽姿，飛鴻響遠音。薄霄愧雲浮，棲川怍淵沈。進德智所拙，退耕力不任。徇祿反窮海，臥痾對空林。衾枕昧節候，褰開暫窺臨。傾耳聆波瀾，舉目眺嶇嶔。初景革緒風，新陽改故陰。池塘生春草，園柳變鳴禽。祁祁傷豳歌，萋萋感楚吟。索居易永久，離羣難處心。持操豈獨古，無悶徵在今。③

謝詩不隔：觀頃所錄詩，其中語句，「語語都在目前」；故不隔。「池塘生春草，園柳變鳴禽。」尤爲標準不隔之句。

延年：顏延之字。顏延之，字延年。南朝、宋，琅琊臨沂（今屬山東）人。官至金紫光祿大夫。與謝靈運齊名，並稱「顏謝」。原有集，已散佚；明人輯有《顏光祿集》。

延年詩之例：

應詔觀北湖田收

周御窮轍跡，夏載歷山川。蓄軫豈明懋，善遊皆聖仙。帝暉膺順動，清蹕巡廣廛。樓觀眺豐穎，金駕映松山。飛奔互流綴，緹轂代廻環。神行埒浮景，爭光溢中天。開冬眷徂物，殘悴盈化先。陽陸團精氣，陰谷曳寒煙。攢素既森藹，積翠亦蔥仟。息饗報嘉歲，通急戒無年。温渥浹輿隸，和惠屬後筵。觀風久有作，陳詩愧未妍。疲弱謝淩遽，取景非纏牽。④

延年稍隔：觀頃所錄詩，其中頗有所「語」不「在目前」之句；故曰「稍隔」。

東坡：蘇軾號「東坡居士」之略稱。蘇軾，「詳釋二十九」中有說明。

東坡詩之例：

例一　春宵

春宵一刻值千金，花有清香月有陰。
歌管樓臺聲細細，鞦韆院落夜沈沈。⑤

例二 西湖

畢竟西湖六月中，風光不與四時同。
接天蓮葉無窮碧，映日荷花別樣紅。⑥

例三 望海樓晚景

青山斷處塔層層，隔岸人家喚欲譍。
江上秋風晚來急，為傳鐘鼓到西興。⑦

例四 舟中夜起

微風蕭蕭吹菰蒲，開門看雨月滿湖。舟人水鳥兩同夢，大魚驚竄如奔狐。夜深人物不相管，我獨形影相嬉娛。暗潮生渚弔寒蚓，落月挂柳看懸蛛。此生忽忽憂患裏，清境過眼能須臾！鷄鳴鐘動百鳥散，船頭擊鼓還相呼。⑧

東坡詩不隔：觀頃所錄四詩，其中語句，皆「語語都在目前」。故不隔。

山谷詩之例：

例一 清明

佳節清明桃李笑，野田荒塚只生愁。雷驚天地龍蛇蟄，雨足郊原草木柔。
人乞祭餘驕妾婦，士甘焚死不公侯。賢愚千載知誰是？滿眼蓬蒿共一坵。⑨

例二 新竹

插棘編籬謹護持，養成寒碧映漣漪。清風掠地秋先到，赤日行天午不知。解籜時聞聲簌簌，放梢初見影離離。歸閒我欲頻來此，枕簟仍教到處隨。⑩

山谷稍隔：觀頃所錄二詩，其中頗有所「語」不「在目前」之句，故曰「稍隔」。

「池塘生春草」：爲謝靈運《登池上樓》詩中之句。全詩頃已錄出。

「空梁落燕泥」：爲薛道衡《昔昔鹽》樂府詩中之句。全詩如下：

垂柳覆金堤，蘼蕪葉復齊。水溢芙蓉沼，花飛桃李蹊。採桑秦氏女，織錦竇家妻。關山別蕩子，風月守空閨。恒斂千金笑，長垂雙玉啼。盤龍隨鏡隱，彩鳳逐帷低。飛魂同夜鵲，倦寢憶晨鷄。暗牖懸蛛網，空梁落燕泥。前年過代北，今歲往遼西。一去無消息，那能惜馬蹄。⑪

等二句：指：「池塘生春草，園柳變鳴禽。」及「暗牖懸蛛網，空梁落燕泥。」

妙處唯在不隔：此四句，一般皆認爲「妙」。「池塘生春草」句，猶有「此句爲謝靈運夢中所得，殆有神助。」之傳說。可見，咸認其妙不可言。其所以稱「妙」，唯在不隔。蓋「語語都在目前」，語語美妙如畫也。

歐陽公：指：歐陽修。歐陽修，「詳釋二十一」中有說明。

《少年游》：全詞，「詳釋二十三」中已錄出。

「謝家池上，江淹浦畔。」：《少年游》下半闋之句。

則隔矣：因所「語」不「在目前」。朱光潛《詩的隱與顯》云：

情趣與意象恰相熨貼，使人見到意象便感到情趣，便是不隔。意象含糊或空洞，情趣淺薄，不能在讀者心目中產生明瞭深刻的印象，便是隔。比如「謝家池上」，是用「池塘生春草」的典。「江淹浦畔」，是用《別賦》「春草碧色，春水綠波；送君南浦，傷如之何！」的典。謝詩、江賦，原來都不隔。何以入歐詞便隔呢？因為「池塘生春草」和「春草碧色」數句，都是很具體的意象，都有很新穎的情趣。歐詞因春草的聯想，而把它們拉來硬湊成典故。「謝家池上，江淹池畔。」意象既不明瞭，情趣又不真切。所以隔。⑫

白石：姜夔號「白石道人」之略稱。姜夔，「詳釋三十一」中有說明：

《翠樓吟》全詞如下：

翠樓吟（淳熙丙午冬，武昌安遠樓成，與劉去非諸友落之。度曲見志。予去武昌十年。故人有泊舟鸚鵡州者，聞小姬歌此詞。問之，頗能道其事。還吳，為予言之。興懷昔遊，且傷今之離索也。）

月冷龍沙，塵清虎落，今年漢酺初賜。新翻胡部曲，聽氈幕，元戎歌吹。層樓高峙，看檻曲縈紅，簷牙飛翠。人姝麗，粉香吹下，夜寒風細。

此地。宜有詞仙，擁素雲黃鶴，與君遊戲。玉梯凝望久，歎芳草，萋萋千里。天涯情味，仗酒祓清愁，花消英氣。西山外，晚來還捲，一簾秋霽。⑬

便是不隔：因「語語都在目前」。

「酒祓清愁，花消英氣。」則隔矣：因所「語」不「在目前」。即：祓之情狀如何？消之情狀如何？均須閉目瞑想而不能開眼見到。印象終隔一層。故曰「則隔矣」。

南宋詞：此語範圍過大，無由具體舉例解說。玆僅就辛棄疾、姜夔、史達祖三大家以作解說。

不隔處：

辛棄疾不隔詞句之例：

易水蕭蕭西風冷，滿座衣冠似雪。（在《賀新郎》中）

姜夔不隔詞句之例：

燕燕輕盈，鶯鶯嬌軟。（在《踏莎行》中）

史達祖不隔詞句之例：

愛貼地爭飛，競誇輕俊。（在《雙雙燕》中）

前人：此亦範圍過大。玆卽舉「池塘生春草」可也。

有淺深厚薄之別：「池塘生春草」，可開眼見到。三人之句，多少尚須閉目瞑想。故不隔之程度，前者較淺薄而後三者較深厚也。

至於各家所論，縷述於後：

沈德潛論蘇、黃詩，謂蘇詩如天馬脫羈，飛仙游戲；黃詩神理未浹，風骨獨存。其《說詩晬語》云：

蘇子瞻胸有洪爐，金銀鉛錫，皆歸熔鑄，其筆之超曠，等於天馬脫羈，飛仙游戲，窮極變幻，而適如意中所欲出，韓文公後，又開闢一境界也。⑭

又云：

> 西江派黃魯直太生，陳無己太直，皆學杜未嚌其肉者，神理未浹，風骨獨存。⑮

其所評頗有褒蘇貶黃之嫌。趙翼論蘇、黃詩，謂蘇詩空明自然，而黃詩則拗峭避俗。其《甌北詩話》云：

> 坡詩有云：「清詩要鍛鍊，方得鉛中銀。」然坡詩實不以鍛鍊為工，其妙處在乎心地空明，自然流出，一似全不著力，而自然沁入心脾。此其獨絕也。⑯

又云：

> 東坡隨物賦形，信筆揮灑，不拘一格，故雖瀾翻不窮，而不見有矜心作意之處。山谷則專以拗峭避俗，不肯作一尋常語，而無從容游泳之趣。⑰

其所論亦含褒蘇貶黃之義。林艾軒論蘇、黃詩，謂蘇詩如丈夫見客，黃詩如女子出門。《許彥周詩話》云：

> 林艾軒論蘇、黃詩：丈夫見客，大踏步便出去，若女子便有許多妝裹。此坡、谷之別也。⑱

其所論頗爲滑稽露骨，然形象顯明，揣摩其意，似謂蘇詩自然大方，而黃詩則忸怩作態矣。

夫顏謝之詩，鮑照嘗論之，謂謝詩如出水芙蓉，顏詩如舖錦列繡。《南史·顏延之傳》云：

> 延之與陳郡謝靈運俱以辭采齊名。……延之嘗問鮑照己與靈運優劣。照曰：「謝五言如初發芙

答，自然可愛；君詩如鋪錦列繡，亦雕繢滿眼。」⑲

揣摩其意，似謂謝詩秀美，顏詩華麗也。一自然，一人爲也。

綜上所述，隔與不隔，由此可見。凡隔之詩，皆非自然，如東施之效捧心也。不隔之詩，如西施之天生麗質也。至於觀堂所謂「語語都在目前，便是不隔」，鍾嶸亦有類似之說。其《詩品》云：

至乎吟咏情性，亦何貴于用事？「思君如流水」，既是卽目；「高台多悲風」，亦唯所見；「清晨登隴首」，羌無故實；「明月照積雪」，詎出經史。觀古今勝語，多非補假，皆由直尋。⑳

此卽觀堂之所本乎？

按「語語都在目前」，原稿本作「語語可以直觀」，「直觀」爲西方美學概念，可知王氏受此啓發。滕咸惠《人間詞話》修訂後記云：

原稿第七十七條，「語語都在目前，便是不隔。」最初作「語語可以直觀」。「直觀」是西方美學常用的概念。這對我們正確理解王氏理論的淵源也有啓發。㉑

【附　注】

① 通行本「陶、謝之詩不隔，延年則稍隔矣。」原稿本作「淵明之詩不隔，韋柳則稍隔矣。」

② 「語語都在目前」，原稿最初作「語語可以直觀」。又原稿眉端尚有已删之；「以一人之詞論，如白石咏蟋蟀『露濕銅鋪，苔侵石井，都是曾聽伊處。』便是不隔。」（按此爲姜夔《齊天樂》，據《姜白石詞編年箋

校》。）

③ 據胡刻《文選》卷二十二。

④ 同上。

⑤ 蘇軾《東坡詩集注》，別集二，頁六—二七四。（臺灣商務印書館，《文淵閣四庫全書》影印本。）

⑥ 同上。

⑦ 同上。

⑧ 同上。

⑨ 清吳之振編《宋詩鈔》，總集五類，頁六—三七六。（同注⑤）

⑩ 同上。

⑪ 據《四部叢刊》本，《樂府詩集》第七十九卷，臺灣商務印書館。

⑫ 何志韶編《人間詞話研究彙編》頁三。（臺北巨浪出版社，民國六十四年修正再版。）

⑬ 據《白石道人歌曲》卷六。

⑭ 據《原詩說時晬語》，人民文學出版社本。

⑮ 同上。

⑯ 趙翼《甌北詩話》，據人民文學出版社本。

⑰ 同上。

⑱ 見《許彥周詩話》，趙翼原注。

⑲《南史・顏延之傳》，臺北鼎文書局，《廿五史》點校本。
⑳據《詩品注》，人民文學出版社本。
㉑滕咸惠校注《人間詞話新注》，頁一三〇。

四十一

「生年不滿百，常懷千歲憂。晝短苦夜長，何不秉燭遊？」「服食求神仙，多爲藥所誤。不如飲美酒，被服紈與素。」寫情如此，方爲不隔。「采菊東籬下，悠然見南山。山氣日夕佳，飛鳥相與還。」「天似穹廬，籠蓋四野。天蒼蒼，野茫茫，風吹草低見牛羊。」寫景如此，方爲不隔。

詳釋四十一

「生年不滿百，……何不秉燭遊？」：爲《古詩十九首》第十五首中之句。全詩如下：

生年不滿百，常懷千歲憂。晝短苦夜長，何不秉燭遊？為樂當及時，何能待來茲？愚者愛惜費，但為後世嗤。仙人王子喬，難可與等期。①

「服食求神仙，……被服紈與素。」：爲《古詩十九首》第十三首中之句。全詩如下：

驅車上東門，遙望郭北墓。白楊何蕭蕭，松柏夾廣路。下有陳死人，杳杳即長暮。潛寐黃昏下，千載永不寤。浩浩陰陽移，年命如朝露。人生忽如寄，壽無金石固。萬歲更相送，聖賢莫能度。服食求神仙，多為藥所誤。不如飲美酒，被服紈與素。②

「寫情如情，方爲不隔。」：因其含不盡之意，見於言外。

「采菊東籬下，……飛鳥相與還。」：爲陶潛《飲酒》詩第五首中之句。全詩，「詳釋三」已錄出。

「天似穹廬，……風吹草低見牛羊。」：爲斛律金《敕勒歌》中之句。全歌如下：

敕勒川，陰山下。天似穹廬，籠蓋四野。天蒼蒼，野茫茫，風吹草低見牛羊。③

「寫景如此，方爲不隔。」：因其狀難寫之景如在目前。

【附　注】

① 據《文選》卷二十九，臺灣藝文印書館本。

② 同上。

③ 據《樂府詩集》第八十六卷。

四十二

古今詞人格調之高，無如白石。惜不於意境上用力，故覺無言外之味，絃外之響。終不能與於第一流之作者也。①

詳釋四十二

白石：姜夔號「白石道人」之略稱。姜夔，「詳釋三十一」中有說明。

「古今詞人格調之高，無如白石。」：此於「詳釋三十九」釋「格韻高絕」時，嘗有說明。陳廷焯《白雨齋詞話》亦云：「白石詞，……格調最高。」②

不於意境上用力：卽：無「含不盡之意見於言外」之內容。亦卽其詞無豐富情感。周濟《介存齋論詞雜著》云：「白石詞如明七子詩，看似高格響調，不耐人細思。」③殆卽「內容不富情感」之意。

「無言外之味，絃外之響。」：此卽「不於意境上用力」之必然結果。

終不能與於第一流之作者：此又「不於意境上用力」之最後必然結果。蓋文學作品僅有形式而無內容，絕不得爲一流也。

所謂「無言外之味」者，卽司空圖所言酸鹹之外而乏醇美也。其《與李生論詩書》云：

文之難而詩尤難。古今之喻多矣，愚以為辨於味而後可以言詩也。江嶺之南，凡足資於適口者，若醯、非不酸也，止於酸而已；若鹺、非不鹹也，止於鹹而已，中華之人所以充飢而遽輟者，知其鹹酸之外，醇美有所乏耳。……近而不浮，遠而不盡，然後可以言韻外之致耳。④

其比喻雖不中亦不遠矣。

此外，各家論白石詞者，陳郁謂意到語工。其《藏一話腴》云：

白石道人姜堯章……意到語工，不期于高遠而自高遠。⑤

其於白石，推崇備至。張炎謂白石詞如野雲無迹，其《詞源》云：

詞要清空，不要質實，清空則古雅峭拔，質實則凝澀晦昧。姜白石詞如野雲孤飛，去留無迹。⑥

去留無迹，如船過水無痕，境界至高，何其自然也。劉熙載謂白石詞幽韻冷香，其《藝概・詞曲概》云：

姜白石詞幽韻冷香，令人挹之無盡。擬諸形容，在樂則琴，在花則梅也。詞家稱白石曰白石老仙。或曰：畢竟與何仙相似？曰：藐姑冰雪蓋為近之。⑦

琴韻梅香，幽靜清雅。其於白石，頗爲讚賞。

綜上所述，除周濟所謂「不耐人細思」，觀堂所謂無「言外之味」外，論白石詞，皆多褒語也。

【附注】

① 通行本末句「終不能與於第一流之作者也。」原稿本作「終落第二手。（按此五字原已刪去）其志清峻則有之，其旨遙深則未也。」

② 唐圭璋編《詞話叢編》，臺北廣文書局。

③ 同上。

④ 據《詩品集解・續詩品注》，人民文學出版社本。

⑤ 據《豫章叢書》本。

⑥ 據《詞源注・樂府指迷箋釋》。

⑦　同注②。

四十三

南宋詞人，白石有格而無情，劍南有氣而乏韻。其堪與北宋人頡頏者，唯一幼安耳。近人祖南宋而祧北宋，以南宋之詞可學，北宋不可學也。學南宋者，不祖白石，則祖夢窗，以白石、夢窗可學，幼安不可學也。學幼安者，率祖其粗獷、滑稽，以其粗獷、滑稽可學，佳處不可學也。幼安之佳處，在有性情，有境界。即以氣象論，亦有「橫素波、干青雲」之概。寧後世齷齪小生所可擬耶？①

詳釋四十三

白石：姜夔號「白石道人」之略稱。姜夔，「詳釋三十一」中有說明。

白石有格而無情：「詳釋四十二」中有說明。

劍南：指：陸游。陸游，字務觀。宋山陰人。以蔭補登仕郎。隆興初，賜進士出身。嘗爲參議。人譏其頹放，因自號放翁。嘉泰初，詔同修國史，升寶章閣待制。有《劍南詩稿》《渭南文集》《南唐書》《老學庵筆記》等行世。

劍南有氣而乏韻：氣，指：才氣。即：措詞之才能功力。屬文章之形式。非指屬文章內容（包括情思、風格）之氣韻、韻味。此由下語「乏韻」可證。「乏韻」之「韻」，指：屬文章內容之情韻、風韻。若「氣」又係情韻、風韻，則爲重複語而非對比語矣。

有氣乏韻之詞之例：

好事近

湓口放船歸，薄暮散花洲宿。兩岸白蘋紅蓼，映一簑新綠。有沽酒處便為家，菱芡四時足。明日又乘風去，住江南江北。②

又

小倦帶餘醒，澹滏數櫺斜日。驅退睡魔十萬，有雙龍蒼壁。少年莫笑老人衰，風味似平昔。扶杖凍雲深處，探溪梅消息。③

驀山溪

窮山孤壘，臘盡春初破。寂寞掩空齋，好一個無聊底我！嘯臺、龍岫，隨分有雲山；臨淺瀨，蔭長松，閑據胡床坐。三杯徑醉，不覺紗巾墮。畫角喚人歸，落梅村，籃輿夜過。城門漸近，幾點妓衣紅；官驛外，酒壚前，也有閑燈火。④

釵頭鳳

紅酥手，黃縢酒，滿城春色宮牆柳。東風惡，歡情薄。一懷愁緒，幾年離索，錯錯錯。春如舊，人空瘦，淚痕紅浥鮫綃透。桃花落，閑池閣。山盟雖在，錦書難託，莫莫莫。⑤

漁家傲（寄仲高）

東望山陰何處是？往來一萬三千里。寫得家書空滿紙。流清淚。書回已是明年事。
寄語紅橋橋下水，扁舟何日尋兄弟？行徧天下真老矣。愁無寐，鬢絲幾縷茶煙裏。⑥

有氣乏韻之評之例：

毛晉《放翁詞跋》云：超爽處……似稼軒。⑦

陳廷焯《白雨齋詞話》云：辛稼軒，……氣魄極雄大。⑧

劉熙載《藝概》云：放翁詞，……乏超然之致，天然之韻。⑨

如例中之「有沽酒處便爲家」「驅退睡魔十萬」「少年莫笑老人衰」「好一個無聊底我」「往來一萬三千里」「行徧天下眞老矣」，皆標準有氣乏韻之句。

幼安：辛棄疾字。辛棄疾，字幼安，號稼軒。宋歷城人。累官浙東安撫使，加龍圖閣待制，進樞密都承旨。卒贈少師。謚忠敏。

幼安堪與北宋詞人頡頏：以簡賅語句說明「北宋詞如何？」，誠非易易。此處僅就上文「有格而無情」「有氣而乏韻」二語而推論之，則爲：北宋詞，有格、有情、有氣、有韻。再就王氏前嘗論及北宋詞之語推論，則爲：北宋詞，語語都在目前之不隔程度，高出南宋詞遠甚。幼安詞堪與北宋詞頡頏，卽謂：幼安詞，有格、有情、有氣、有韻而不隔程度特高。玆舉「詞」及「詞評」之例以證之：

幼安堪與北宋詞頡頏之詞之例：

賀新郎（別茂嘉十二弟）

綠樹聽鵜鴂，更那堪鷓鴣聲住，杜鵑聲切。啼到春歸無啼處，苦恨芳菲都歇。算未抵人間離別。馬上琵琶關塞黑。更長門、翠輦辭金闕，看燕燕，送歸妾。

將軍百戰身名裂。向河梁、回頭萬里，故人長絕。易水蕭蕭西風冷，滿座衣冠似雪。正壯士、悲歌未徹。啼鳥還知如許恨，料不啼、清淚長啼血。誰共我，醉明月？⑩

念奴嬌（書東流村壁）

野塘花落，又怱怱過了清明時節。剗地東風欺客夢，一枕雲屏寒怯。曲岸持觴，垂楊繫馬，此地曾經別。樓空人去，舊遊飛燕能說。

聞道綺陌東頭，行人曾見，簾底纖纖月。舊恨春江流不盡，新恨雲山千疊。料得明朝，尊前重見，鏡裏花難折。也應驚問：近來多少華髮？⑪

醜奴兒

少年不識愁滋味，愛上層樓。愛上層樓，為賦新詞彊說愁。

而今識盡愁滋味，欲說還休。欲說還休，卻道「天涼好箇秋！」⑫

永遇樂（京口北固亭懷古）

千古江山，英雄難覓、孫仲謀處。舞榭歌臺，風流總被、雨打風吹去。斜陽草樹，尋常巷陌，人道寄奴曾住。想當年金戈鐵馬，氣吞萬里如虎。

元嘉草草，封狼居胥，贏得倉皇北顧。四十三年，望中猶記、烽火揚州路。可堪回首、佛狸祠下，一片神鴉社鼓。憑誰問：廉頗老矣，尚能飯否？⑬

青玉案（元夕）

（「詳釋二十六」中已錄出。）

幼安堪與北宋詞頡頏之評之例：

劉克莊《後村詩話》云：公所作，大聲鞺鞳，小聲鏗鍧。横絕六合，掃空萬古。其穠麗綿密處，亦不在小晏、秦郎之下。⑭

周濟《介存齋論詞雜著》云：稼軒……才情富，思力果鋭，南北兩朝，實無其匹。又云：世以蘇辛並稱。蘇之自在處，辛偶能到之。辛之當行處，蘇必不能到。二公之詞，不可同語也。⑮

謝章鋌《賭棋山莊詞話》云：辛以畢生精力注之，比蘇尤為横出。又云：辛之造語俊於蘇。⑯

胡適《詞選》云：辛棄疾……他是詞中第一大家。⑰

近人祖南宋而祧北宋：祖，意爲：以之爲祖師而尊重之，效法之。祧，有「遠隔」之意。此處指：排拒之。近人，指：朱彝尊等人。

朱彝尊《詞綜》《發凡》云：世人言詞，必稱北宋。然詞至南宋，始極其工，至宋季始極其變。⑱

汪森《詞綜》《序》云：鄱陽姜夔出，句琢字鍊，歸於醇雅。於是史達祖、高觀國羽翼之，張輯、吳文英師之於前，趙以夫、蔣捷、周密、陳允平、王沂孫、張炎、張翥效之於後。⑲

朱彝尊《黑蝶齋詩餘序》云：詞莫善於姜夔。宗之者，張輯、盧祖皋、史達祖、吳文英、蔣捷、王沂孫、張炎、周密、陳允平、張翥、楊基，皆具夔之一體。⑳

南宋可學，北宋不可學：文學作品之可學者形式，不可學者內容。北宋詞以內容勝，故不可學；南宋詞以形式勝，故可學。

祖白石：頃有說明。

夢窗：吳文英號。吳文英，「詳釋三十四」有說明。

祖夢窗。文廷式《雲起軒詞鈔序》云：自朱竹垞以玉田爲宗，所選《詞綜》，意旨枯寂。後人繼之，尤爲冗漫。以二窗爲祖禰，視辛、劉爲仇讐。㉑

白石、夢窗可學，幼安不可學：理由同於「南宋可學，北宋不可學。」蓋白石、夢窗詞，皆以形式勝也。白石以形式勝，頃有「白石有格而無情」之言及此言之說明。夢窗以形式勝，以其嘗師白石（頃有說明）即可推知，無庸另舉詞證、評證也。至幼安之不可學，以其以內容勝也。幼安詞以內容勝，頃有說明。

學幼安者，……佳處不可學也：

周濟《介存齋論詞雜著》云：後人以粗豪學稼軒，非徒無其才，並無其情。稼軒固是大才；然情

至處，後人萬不能及。㉒

陳廷焯《白雨齋詞話》云：辛稼軒，詞中之龍也。氣魄極雄大。意境卻極沈鬱。不善學之，流入叫囂一派。㉓

何以如此？仍係形式可學而內容不可學之故。

「幼安之佳處，在有性情、有境界。」：頃說明「堪與北宋詞頡頏」時，有對此語之間接說明。若引伸之，即可變爲直接說明。而所舉五詞例，更可顯然見出幼安詞之有性情、有境界。「啼到春歸無啼處，苦恨芳菲都歇。」「啼鳥還知如許恨，料不啼清淚長啼血。」「舊恨春江流不盡，新恨雲山千疊。」「憑誰問：廉頗老矣，尚能飯否？」各句「悲壯、沈鬱、蒼涼，」，非有性情、有境界而何！

「橫素波、干青雲」：爲蕭統《陶淵明集序》中之語。全句如下：其文章，橫素波而傍流，干青雲而直上。㉔

有「橫素波、干青雲」之概：悲壯、沈鬱、蒼涼，自有此概。

「寧後世齷齪小生所可擬耶？」：「後世齷齪小生」，暗指吳文英輩。無性情、無境界之吳文英輩，自不能與有性情、有境界之辛棄疾比。惟「齷齪小生」，又似詈之過重也。

【附　注】

① 通行本「幼安之佳處」至「寧後世齷齪小生所可擬耶？」」原稿本作「同時白石、龍洲學幼安之作且如此，況

他人乎？其實幼安詞之佳者，如《摸魚兒》《賀新郎》（送茂嘉）《青玉案》（元夕）《祝英臺近》等，俊偉幽咽固獨有千古，其他豪放之處亦有『橫素波、干青雲』之概，寧夢窗輩齷齪小生所可語耶？」

②陸游《放翁詞》，詞曲類，頁六—三八八。（臺灣商務印書館，《文淵閣四庫全書》影印本。）

③同上。

④同上。

⑤同上。

⑥同上。

⑦同上。

⑧唐圭璋編《詞話叢編》，臺北廣文書局。

⑨同上。

⑩沈辰垣等撰《歷代詩餘》，詞曲類，頁六—三九一。（同注②）

⑪同上。

⑫同上。

⑬同上。

⑭據《稼軒詞編年箋注・附錄》

⑮據《介存齋論詞雜著・復堂詞話・蒿菴論詞》。

⑯同注⑧。

⑰ 胡適《詞選》，臺灣商務印書館，《人人文庫》本。
⑱ 據《詞綜》，上海古籍出版社本。
⑰ 同上。
⑳ 據《曝書亭全集》，臺灣中華書局，《四部備要》本。
㉑ 據《中國歷代文論選》下册，中華書局本。
㉒ 同注⑮。
㉓ 同注⑧。
㉔ 陶潛《陶淵明集》，別集一類，頁六一二五五。（同注②）

四十四

東坡之詞曠，稼軒之詞豪。無二人之胸襟而學其詞，猶東施之效捧心也。

詳釋四十四

東坡：蘇軾號「東坡居士」之略稱。蘇軾，「詳釋二十九」中有說明。

稼軒：辛棄疾之號。辛棄疾，「詳釋四十三」中有說明。

曠、豪：以單詞描述情況，詞意未有複詞之易於確定。大致言之：「曠」，指：曠達。即：不計名利得失，不拘於俗務俗見。「富貴不能淫，貧賤不能移。」「小德出入可也。」庶幾近之。「豪」。指：豪壯。即：計較利害得失，乃以社會人羣之福祉爲指歸。「威武不能屈」「見義而勇爲」，庶幾近之。

東坡詞曠：亦以詞「例」「詞評例」證之：

詞例：

定風波（三月三日沙湖道中遇雨。雨具先去，同行皆狼狽。余不覺。已而遂晴。故此作。）

莫聽穿林打葉聲，何妨吟嘯且徐行。竹杖芒鞋輕勝馬，誰怕？一蓑煙雨任平生。

料峭春風吹酒醒，微冷，山頭斜照却相迎。回首向來蕭瑟處，歸去，也無風雨也無晴。①

水調歌頭

念奴嬌

臨江仙

（此三首，在於「詳釋三十二」中已錄出。）

《定風波》之「任天而動」（鄭文焯語）。《水調歌頭》之「仙氣縹緲」（繼昌語）。《念奴嬌》之「翩翩羽化」（李子麟語）。《臨江仙》之「挂冠長嘯」（葉夢得語）。非皆「曠」字之注腳乎？

詞評例：

胡寅《酒邊詞序》云：眉山蘇氏，……逸懷浩氣，超乎塵垢之外。②

王若虛《滹南詩話》云：公……樂府……落筆……絕塵。③

王灼《碧雞漫志》云：東坡先生……作詞曲，高處出神入天，平處……臨鏡笑春。④

稼軒詞豪：「詳釋四十三」中，有「堪與北宋頡頏」之說明。稍引伸之，即可作此處之說明。故此處不贅。

東施效捧心：《莊子》《天運》云：

西子病心而矉其里。其里之醜人，見而美之。歸亦捧心而矉其里。⑤

「無二人之胸襟而學其詞，猶東施之效捧心也。」：言爲心聲。內心無「曠達」「豪壯」之「眞感情」，而僅強發倣效之言，則必如東施捧心效顰之可笑也。

按所謂「東坡之詞曠，稼軒之詞豪」者，劉熙載以神仙出世喻曠達，以龍騰虎擲喻豪傑。其《藝概・詞曲概》云：

「東坡詞具神仙出世之姿。」「稼軒詞龍騰虎擲。」「稼軒豪傑之詞。」⑥

至於「二人之胸襟」，陳廷焯謂東坡心地光明磊落，稼軒有呑吐八荒之慨。其《白雨齋詞話》云：

東坡心地光明磊落，忠愛根於性生，故詞極超曠，而意極和平。稼軒有呑吐八荒之慨，而機會不來，正則可以為郭、李，為岳、韓，變則即桓溫之流亞，故詞極豪雄，而意極悲鬱。蘇辛兩家各自不同，後人無東坡胸襟，又無稼軒氣慨，漫為規撫，適形楚鄙耳⑦。

又云：

東坡一派，無人能繼。稼軒同時則有張、陸、劉、蔣輩，後起則有遺山、迦陵、板橋、心余輩；然愈學稼軒，去稼軒愈遠。稼軒自有真耳，不得其本，徒逐其末，以狂呼叫囂為稼軒，亦誣稼軒矣。⑧

陳氏之論，其理甚明矣。

【附　注】

①　蘇軾《東坡詞》，詞曲類，頁六—三八五。（臺灣商務印書館，《文淵閣四庫全書》影印本。）

②　沈辰垣等撰《歷代詩餘》，詞曲類，頁六—三九一。（同上）

③　同上。

④　同上。

⑤　拙著《莊子寓言研究》，(68)《東施效顰》，頁一五四—一五六。（臺北市，義聲出版社，民國七十年再版本。）

⑥　唐圭璋編《詞話叢編》，臺北廣文書局。

⑦　同上。

⑧　同上。

四十五

讀東坡、稼軒詞，須觀其雅量高致，有伯夷、柳下惠之風。白石雖似蟬蛻塵埃，然終不免局促轅下。①

詳釋四十五

東坡：蘇軾號「東坡居士」之略稱。蘇軾，「詳釋二十九」中有說明。

稼軒：辛棄疾號。辛棄疾，「詳釋四十三」中有說明。

伯夷：商孤竹君墨胎初之子。名元；或作允。伯，其兄弟次也；夷，其謚也。其父將死，遺命立其弟叔齊。父卒，叔齊讓伯夷。伯夷曰：「父命也。」遂逃去。叔齊亦不肯立而逃。後周武王伐商。夷、齊叩馬而諫。及勝商，有天下，夷、齊恥食周粟。隱於首陽山，採薇而食；遂餓死。②

柳下惠：姓展，名獲，字季，又字禽。春秋魯人。嘗仕爲士師。居柳下。謚曰「惠」。故稱「柳下惠」。

伯夷之風：

《孟子》《公孫丑》（上）云：非其君不事，非其民不使；伯夷也。又云：伯夷，非其君不事，非其友不友。不立於惡人之朝，不與惡人言。立於惡人之朝，與惡人言，如以朝衣朝冠坐於塗炭。推惡惡之心，思與鄉人立，其冠不正，望望然去之，若將浼焉。是故諸侯雖有善其辭命而至者，不受也。不受也者，是亦不屑就已。③

《孟子》《萬章》（下）云：伯夷，目不視惡色，耳不聽惡聲。非其君不事，非其民不使。治則進，亂則退。橫政之所出，橫民之所止，不忍居也。思與鄉人處，如以朝衣朝冠坐於塗炭也。當紂之時，居北海之濱，以待天下之淸也。故聞伯夷之風者，頑夫廉，懦夫有立志。④

柳下惠之風：

《論語》《微子》云：柳下惠爲士師，三黜。人曰：「子未可以去乎？」曰：「直道以事人，焉往而不三黜？枉道以事人，何必去父母之邦？」⑤

《孟子》《公孫丑》（上）云：柳下惠，不羞汙君，不卑小官。進不隱賢，必以其道，遺佚而不怨，阨窮而不憫。故曰：「爾爲爾，我爲我；雖袒裼裸裎於我側，爾焉能浼我哉？」故由由然與之偕而不自失焉。援而止之而止。援而止之而止者，是亦不屑去已。⑥

《孟子》《萬章》（下）云：柳下惠，不羞汙君，不辭小官。進不隱賢，必以其道。遺佚而不怨，窮阨而不憫。與鄉人處，由由然不忍去也。「爾爲爾，我爲我；雖袒裼裸裎於我側，爾焉能浼我哉？」故聞柳下惠之風者，鄙夫寬，薄夫敦。⑦

《列女傳》《賢明傳》云：柳下惠旣死，門人將誄之。妻曰：「將誄夫子之德耶？則二三子不如妾知之也。」乃誄曰：「夫子之不伐兮！夫子之不竭兮！夫子之誠信而與人無害兮！柔屈從俗，不強察兮！蒙恥救民，德彌大兮！雖遇三黜，終不弊兮！豈弟君子，永能厲兮！夫子之謚，宜爲『惠』兮！」門人莫能竄一字。⑧

「東坡、稼軒詞，有伯夷、柳下惠之風。」：不必盡讀二人之詞集，僅觀前「詳釋三十一」及「詳釋四十三」中所舉各例，卽可知二人之詞，有伯夷、柳下惠之風。風爲何？「雅量高致」是已。

如：「但願人長久，千里共嬋娟！」（在蘇詞《水調歌頭》中）非「雅量」而何？「人間如夢，一尊還酹江月。」（在蘇詞《念奴嬌》中）非「高致」而何？又如：「憑誰問：廉頗老矣，尚能飯否？」（在辛詞《永遇樂》中）非「雅量」而何？「欲說還休，卻道『天涼好箇秋！』」（在辛詞《醜奴兒》中）非「高致」而何？

白石：姜夔號「白石道人」之略稱。姜夔，「詳釋三十一」中有說明。

蟬蛻塵埃：《史記》《屈原列傳》：濯淖汙泥之中，蟬蛻於濁穢，以浮游塵埃之外，不獲世之滋垢，皭然泥而不滓者也。⑨

局促轅下：《漢書》《灌夫傳》：上怒內史，曰：「公平生數言魏其武安長短；今日廷論，局促效轅下駒！……」⑩

「白石雖似蟬蛻塵埃，然終不免局促轅下。」：意謂：擬有所超脫而陵越周邦彥、辛棄疾、吳文英等，以臻於雅量高致之境，然終以功力之故而未能有所突破。陳廷焯《白雨齋詞話》云：「美成、白石，各有至處；不必過爲軒輊。頓挫之妙，理法之精，千古詞宗，自屬美成。而氣體之超妙，則白石獨有千古，美成亦不能至。」⑪陳銳《褎碧齋詞話》云：「白石擬稼軒之豪快，而結體於虛；夢窗變美成之面貌，而鍊響於實。南渡以來，雙峰並峙；如盛唐之有李、杜矣。」⑫

至於各家所論，擇要論述於後：

所謂「雅量高致」者，胡宣謂東坡逸懷浩氣，超乎塵外。其《題酒邊詞》云：

眉山蘇軾，一洗綺羅香澤之態，擺脫綢繆宛轉之度，使人登高望遠，擧首高歌，而逸懷浩氣超然乎塵垢之外，於是《花間》爲皂隸，而柳氏爲輿臺矣。⑬

兪文豹謂東坡詞適合關西大漢歌唱，其《吹劍錄》云：

東坡在玉堂日，有幕士善歌。因問：「我詞何如柳七？」對曰：「柳郎中詞，只合十七八女郎，執紅牙板，歌『楊柳岸曉風殘月』。學士詞，須關西大漢，銅琵琶鐵綽板，唱『大江東去。』」⑭

此言柳詞婉約，蘇詞豪放也。此外，論稼軒者，周濟謂其雖鋒穎太露，然才情富艷。其《介存齋論詞雜著》云：

稼軒不平之鳴，隨處輒發，有英雄語，無學問語，故往往鋒穎太露；然其才情富艷，思力果銳，南北兩朝，實無其匹，無怪流傳之廣且久也。⑮

由上所述，蘇辛雅量高致，可得其義矣。

【附注】

⑦ 通行本「然終不免局促轅下」，原稿本作「然如韋、柳之視陶公，非徒有上下床之別。」

② 司馬遷《史記・伯夷叔齊列傳》，臺北鼎文書局，《廿五史》點校本。

③ 《孟子・公孫丑》上，臺北藝文印書館，《十三經注疏》影印宋版本。

④ 《孟子・萬章》下，同上。

⑤《論語・微子》，同注③。
⑥同注③。
⑦同注④
⑧劉向《列女傳》，傳記類，頁六一一〇六。（臺灣商務印書館，《文淵閣四庫全書》影印本。）
⑨司馬遷《史記・屈原列傳》，同注②。
⑩班固《漢書・灌夫傳》，同注②。
⑪唐圭璋編《詞話叢編》，臺北廣文書局。
⑫同上。
⑬據《宋六十名家詞・酒邊詞》，中華書局《四部備要》本。
⑭據《御選歷代詩餘・詞話》，臺灣商務印書館本。
⑮同注⑪

四十六

蘇、辛，詞中之狂。白石猶不失爲狷。若夢窗、梅溪、玉田、草窗、中麓輩，面目不同，同歸於鄉愿而已。①

詳釋四十六

蘇：指：蘇軾。蘇軾，「詳釋二十九」中有說明。

辛：指：辛棄疾。辛棄疾，「詳釋四十三」中有說明。

白石：姜夔號「白石道人」之略稱。姜夔，「詳釋三十一」中有說明。

夢窗：吳文英號。吳文英，「詳釋三十四」中有說明。

梅溪：史達祖號。史達祖，「詳釋三十八」中有說明。

玉田：張炎號。張炎，字叔夏，號玉田，又號樂笑翁。本西秦人，家臨安。宋亡，落魄縱遊。有《山中白雲詞》行世。

草窗：周密號。周密，字公謹，號草窗。宋濟南人。流寓吳興。居弁山，自號弁陽嘯翁，又號蕭齋，又號四水潛夫。淳祐中，嘗爲義烏令。有《草窗詞》行世。

中麓：「中」當作「西」。西麓，陳允平之號。陳允平，字君衡，號西麓。宋與化軍人。德祐中，授沿海制置司參議官。喜詩詞，與吳文英、翁元龍齊名。有《日吳漁唱》行世。

狂、狷、鄉愿：

《論語》《子路》：子曰：「不得中行而與之，必也狂狷乎！狂者進取，狷者有所不爲也。」《論語・陽貨》：「子曰：鄉愿，德之賊也。」②

《孟子》《盡心》（下）：萬章問曰：「孔子在陳曰：『盍歸乎來！吾黨之小子狂簡，進取，不忘其初。』孔子在陳，何思魯之狂士？」孟子曰：「孔子『不得中道而與之，必也狂狷乎！狂者進取，狷者有所不爲也。』孔子豈不欲中道哉？不可必得，故思其次也。」「敢問何如斯可謂狂矣？」

曰：「如琴張、曾晳、牧皮者，孔子之所謂狂矣。」「何以謂之狂也？」曰：「其志嘐嘐然，曰，『古之人，古之人。』夷考其行，而不掩焉者也。狂者又不可得，欲得不屑不絜之士而與之。是獧也；是又其次也。孔子曰：『過我門而不入我室，我不憾焉者，其惟鄉原乎！鄉原，德之賊也。』」曰：「何如斯可謂之鄉原矣？」曰：「何以是嘐嘐也？言不顧行，行不顧言，則曰，古之人，古之人。行何爲踽踽涼涼？生斯世也，爲斯世也，善斯可以。閹然媚於世也者，是鄉原也。」萬子曰：「一鄉皆稱原人焉，無所往而不爲原人。孔子以爲德之賊。何哉？」曰：「非之無舉也，刺之無刺也，同乎流俗，合乎汚世。居之似忠信，行之似廉絜。衆皆悅之，自以爲是；而不可與入堯舜之道。故曰：『德之賊』也。孔子曰：『惡似而非者。惡莠，恐其亂苗也。惡佞，恐其亂義。惡利口，恐其亂信也。惡鄭聲，恐其亂樂也。惡紫，恐其亂朱也。惡鄉原，恐其亂德也。』君子反經而已矣。經正，則庶民興。庶民興，斯無邪慝矣。」③

「蘇、辛，詞中之狂，……同歸於鄉愿而已。」：頃所錄《論》《孟》解釋「狂」「狷」「鄉愿」之辭，乃解釋此三者之正面涵意。而王氏此處之「狂」「狷」「鄉愿」，乃非採此正面之意，而係採其側面之意。即：狂，指：以極度認眞之積極態度而寫成之雅量高致之詞。狷，指：以「雖不能至，然心嚮往之；」之積極性消極態度而寫成之「雖非『雅量高致』然近『雅量高致』」之詞。鄉愿，則指：以「迎合世俗喜愛」之態度所寫成之不雅不高、無情乏韻之詞。蘇、辛之詞雅高，故狂。白石之詞接近雅高，或有心不使之不雅高，故狷。夢窗、梅溪、玉田、草窗、西麓輩之詞，皆不雅不高、無情之韻，故「同歸於鄉愿」。

【附　注】

①　此條原稿本作：「東坡、稼軒，詞中之狂。白石，詞中之狷也。夢窗、玉田、西麓、草窗之詞，則鄉愿而已。」滕咸惠《人間詞話新注》修訂後記云：「原稿第一〇〇條，『夢窗、玉田、草窗、西麓』，通行本第四十六條「西麓」作「中麓」。西麓爲南宋詞人陳允平字，中麓爲明人李開先字。王氏這條是論南宋詞人，當然不會忽然提到明代人，通行本顯然錯了。（王幼安校訂時已指出這點，但他用原稿另一條證明這裏的「中麓」應爲「西麓」，沒有注意到原稿此條本來就作西麓。）」（該書頁一三一）

②　《論語》《子路》《陽貨》，臺北藝文印書館，《十三經注疏》影印宋版本。

③　《孟子》《盡心下》，同上。

四十七

稼軒《中秋飲酒達旦，用〈天問〉體作〈木蘭花慢〉以送月》曰：「可憐今夕月，向何處、去悠悠？是別有人間，那邊才見，光景東頭。」詞人想像，直悟月輪遶地之理，與科學家密合。可謂神悟。①

詳釋四十七

稼軒：辛棄疾之號。辛棄疾，「詳釋四十三」中有說明。

「中秋飲酒達旦，……以送月。」：爲辛棄疾《木蘭花慢》詞。詞之全文如下：

木蘭花慢（中秋飲酒將旦，客謂：前人詩詞，有賦待月，無送月者。因用《天問》體賦。）

可憐今夕月，向何處、去悠悠？是別有人間，那邊才見，光景東頭。是天外空汗漫，但長風、浩浩送中秋。飛鏡無根誰繫？姮娥不嫁誰留？

謂經海底問無由，恍惚使人愁。怕萬里長鯨，從横觸破，玉殿瓊樓。蝦蟆故堪浴水，問云何、玉兎解沉浮？若道都齊無恙，云何漸漸如鉤？②

悟月輪遶地之理：「別有人間」，指：地球之另一半。今夕月，向西去悠悠。遶地球之另一半，明朝東邊復起而復遶地球之一半。

想像：文學作品之內容，爲：思想、感情、想像三者。詞人倘缺想像，則難以寫出高超之詞。唯是科學想像之與文學想像，似有不同。此處想像，是否嘗助此詞之臻於高超？殊難定論。

【附注】

①原稿本末句有：「此詞汲古閣刻六十家詞失載。黃蕘圃所藏元大德本亦闕，復屬顧澗蘋就汲古閣抄本中補之，今歸聊城楊氏海源閣，王半塘四印齋所刻者是也。但汲古閣抄本與刻本不符，殊不可解，或子晉於刻詞後始得抄本耳。」

②據《稼軒長短句》卷四。

四十八

周介存謂：「梅溪詞中喜用『偷』字，足以定其品格。」劉融齋謂：「周旨蕩而史意貪。」此二語，令人解頤。

詳釋四十八

周介存：即：周濟。周濟，字保緒，一字介存，號未齋，晚號止庵。清江蘇荆溪（今宜興）人。嘉慶進士。官淮安府學教授。有《味雋齋詞》《詞辨》《介存齋論詞雜著》《晉略》及所編《宋四家詞選》行世。

梅溪：史達祖號。史達祖，「詳釋三十八」中有說明。

「梅溪詞中，喜用『偷』字，足以定其品格。」：此爲周濟《介存齋雜著》中語。原語僅此數字，惟末尾多一「矣」字耳。

喜用「偷」字：史詞共六十六首，共用十「偷」字。未免過多。故曰「喜用」。

足以定其品格：有「偷」之潛意識，筆下之「偷」字，則自然流露。詞人之品格即可見。

劉融齋：即：劉熙載。劉熙載，「詳釋十一」中有說明。

周：指：周邦彥。周邦彥，「詳釋三十二」中有說明。

史：指：史達祖。史達祖，「詳釋三十八」中有說明。

「周旨蕩而史意貪。」：此爲劉熙載《藝概》中語。全語如下：

周美成律最精審，史邦卿句最警鍊，然未得為君子之詞者，周旨蕩而史意貪也。①

周旨蕩：「蕩」，指：浮蕩。「詳釋三十二」中有「詞例」，「詳釋三十三」中有「詞評例」，均可移作此處「浮蕩」之證。

史意貪：「貪」，指：貪尖貪巧而致媮薄。可舉「詞例」「詞評例」以證之：

詞例：

三姝媚

煙光搖縹瓦，望晴檐多風，柳花如灑。錦瑟橫床，想淚痕塵影，鳳絃常下。倦出犀帷，頻夢見、王孫驕馬。諱道相思，偷理綃裙，自驚腰衩。

惆悵南樓遙夜，記翠箔張燈，枕肩歌罷。又入銅駝，徧舊家門巷，首詢聲價。可惜東風，將恨與閒花俱謝。記取崔徽模樣，歸來暗寫。②

詞評例：

周濟《介存齋論詞雜著》云：梅溪甚有心思；而用筆涉尖巧，非大方家數。所謂一鉤勒即薄者。③

解頤：大詞家而有此小家風，自令人解頤。而詞評家之評詞細密如此，亦令人解頤。

周介存謂梅溪偷，劉融齋謂史意貪，王觀堂謂令人解頤，使人笑不能止，頗爲發噱也。《漢書・匡衡傳》：「匡說詩，解人頤。」王氏似本乎此也。史意貪之詞例，已舉《三姝媚》如上。至於梅溪偷，上舉《三姝媚》中，卽有用偷字者，其中「偷理綃裙」是也。玆再舉三例如下：如《東風第一枝》（春雪）云：「巧沁蘭心，偷沾草甲，東風欲障新暖。」又如《綺羅香》（詠春雪）云：「做冷欺花，將煙困柳，千里偷催春暮。」又如《夜合花》云：「輕衫未攬，猶將淚點偷藏。」由此可見一斑矣！

【附　注】

① 唐圭璋編《詞話叢編》，臺北廣文書局。

③ 沈辰垣等撰《歷代詩餘》，詞曲類，頁六—三九一。（臺灣商務印書館，《文淵閣四庫全書》影印本。）

③ 據《介存齋論詞雜著・復堂詞話・蒿菴論詞》，據人民文學出版社本。

四十九

介存謂：「夢窗詞之佳者，如水光雲影，搖蕩綠波，撫玩無極，追尋已遠。」余覽《夢窗甲乙丙丁稿》中，實無足當此者。有之，其「隔江人在雨聲中，晚風菰葉生秋怨。」二語耳。

詳釋四十九

介存：周濟字。周濟，「詳釋四十八」中有說明。

夢窗：吳文英號。吳文英，「詳釋三十四」中有說明。

「夢窗詞之佳者，……追尋已遠。」：此爲周濟《介存齋論詞雜著》中語。與原語略有出入，乃因此處爲擇有關者而摘之之語。原語如下：

夢窗非無生澀處，總勝空滑。況其佳者，天光雲彩，搖蕩綠波；撫玩無斁，追尋已遠。①

夢窗詞之佳者，是否如此？介存謂爲是，王氏謂爲非。仁智互見如此，故無由具體舉詞例而確指。王氏所指二語，基於「仁智互見」，亦不得遽指爲確足當之。

「隔江人在雨聲中，晚風菰葉生秋怨。」：爲吳文英《踏莎行》中之句。全詞如下：

潤玉籠綃，檀櫻倚扇。繡圈猶帶脂香淺。榴心空疊舞裙紅，艾枝應壓愁鬟亂。午夢千山，窗陰一箭。香瘢新褪紅絲腕。隔江人在雨聲中，晚風菰葉生秋怨。②

【附　注】

① 據《介存齋論詞雜著・復堂詞話・蒿菴論詞》。

② 據《彊村叢書》本，《夢窗詞集補》。

五十

夢窗之詞，吾得取其詞中之一語以評之。曰：「映夢窗凌亂碧。」玉田之詞，余得取其詞中之一語以評之。曰：「玉老田荒。」

詳釋五十

夢窗：吳文英號。吳文英，「詳釋三十四」中有說明。

「映夢窗凌亂碧」：「凌」當作「零」。「映夢窗零亂碧」，爲吳文英《秋思》詞中之句。全詞如下：

秋思（荷塘爲括蒼妹求賦其聽雨小閣）

堆枕香鬟側。驟夜聲，偏稱畫屏秋色。風碎串珠，潤侵歌板，愁壓眉窄。動羅箑清商，寸心低訴敘怨抑。映夢窗零亂碧。待漲綠春深，落花香汎，料有斷紅流處，暗題相憶。

歡酌。檐花細滴。送故人，粉黛重飾。漏侵瓊瑟，丁東敲斷，弄晴月白。怕一曲《霓裳》未終，催去驂鳳翼。歎謝客猶未識。漫瘦却東陽，鐙前無夢到得。路隔重雲雁北。①

「夢窗之詞，……曰：『映夢窗零亂碧。』」：意謂：以「映夢窗零亂碧」之景況，狀夢窗詞之風格，甚爲適合。張炎《詞源》云：「夢窗如七寶樓臺，眩人眼目。拆碎下來，不成片段。」②胡適《詞選》云：「《夢窗四稿》中的詞，幾乎無一首不是靠古典與套語堆砌起來的。張炎說：『吳夢窗詞如七寶樓臺，眩人眼目。碎拆下來，不成片段。』這話眞不錯。」③張、胡二氏之評之與王氏之評，殆若合符節。

玉田：張炎號。張炎，「詳釋四十六」中有說明。

「玉老田荒」：爲張炎《祝英臺近》一詞中之句。全詞如下：

祝英臺近（與周草窗話舊）

水痕深，花信足，寂寞漢南樹。轉首青陰，芳事頓如許。不知多少消魂，夜來風雨。猶夢到、斷紅流處。最無據。長年息影空山，愁入庾郎句。玉老田荒，心事已遲暮。幾回聽得啼鵑，不如歸去。終不似，舊時鸚鵡。④

「玉田之詞，……曰：『玉老田荒』」：意謂：以「玉老田荒」之景狀，狀玉田詞之風格，甚爲適合。周濟《介存齋論詞雜著》云：「玉田，近人所最尊奉。才情詣力亦不後諸人。終覺積穀作米，把纜放船，無開闊手段。」又云：「叔夏所以不及前人處，只在字句上着功夫，不肯換意。」⑤胡適《詞選》云：「詞到了宋末，已成了末運。……詞家所講究的，只是：如何能刻劃事物？如何能使用古典？如何能調協音律？這一類的詞和後世的試帖詩同一路數。於是詞的生氣完了。……張炎在當日以詠物詞著名。他的詠物詞，確有很工的。……但從文學史的觀點看來，這種詠物詩詞，只是一種做謎的遊戲。……只是工匠的手藝而已。」⑥周、胡二氏之評之與王氏之評，殆若合符節。

此外，各家論夢窗、玉田詞者，雖毀譽參半，然仍瑕不掩瑜也。茲擇要縷述於後：

論夢窗詞而毀之者，除上引張、胡二氏評語外，胡雲翼復闡釋張氏之說，謂夢窗詞之缺點，在於講究用事與講求事面。其《宋詞研究》云：

夢窗詞有最大的一個缺點，就是太講究用事，太講求字面了。這種缺點，本也是宋詞人的通病，但以夢窗陷溺最深。唯其專在用事與字面上講求，不注意詞的全部的脈絡，縱然字面修飾得很好看，字句運用得很巧妙，也還不過是一些破碎的美麗辭句，決不能成功整個的情緒之流的文藝作品。此所以夢窗受玉田「夢窗詞如七寶樓臺……不成片段」之譏也。

論夢窗詞而譽之者，如尹煥以清眞並舉，其云：

求詞於吾宋者，前有清真，後有夢窗，此非煥之言，四海之公言也。⑦

天下之公言，雖未必然，而沈義父亦謂深得清眞之妙。其《樂府指迷》云：

夢窗深得清真之妙，其失在用事下語太晦處，人不可曉。⑧

沈謂得清眞之妙，周濟謂雖淸眞不過也。其《宋四家詞選目錄序論》云：

夢窗奇思壯采，騰天潛淵，返南宋之清泚，為北宋之穠摯。

又云：

夢窗立意高，取徑遠，皆非餘子所及。惟過嗜餖飣，以此被議。並其虛實並到之作，雖清真不過也。

沈周二氏以夢窗比淸眞，而況周頤喩之蘇辛，謂殊流同源，沈摯之思。其《蕙風詞話》云：

重者，沈著之謂。在氣格，不在字句。於夢窗詞庶幾見之。即其芬菲鏗麗之作，中間雋句艷字，莫不有沈摯之思，灝瀚之氣，挾之以流轉。令人玩索而不能盡，則其中所存者厚。沈著者，厚之發見乎外者也。

又云：

夢窗與蘇、辛二公，實殊流而同源。其見為不同，則夢窗致密其外耳。⑨

尹煥以清眞、夢窗並舉，陳洵更謂之知言。其《海綃說詞》云：

天祚斯文，鍾美君特，水樓賦筆，年少承平，使北宋之緒微而復振。尹煥謂：「前有清眞，後有夢窗。」信乎其知言矣！

又云：

飛卿嚴妝，夢窗亦嚴妝，惟其國色，所以為美。若不觀其倩盼之質，而徒眩其珠翠，則飛卿且譏，何止夢窗。玉田所謂「碎折不成片段」者，眩其珠翠耳。⑩

戈載以夢窗詞猶玉谿生之詩，其《宋七家詞選》云：

以綿麗為尚，運意深遠，用筆幽邃，鍊字鍊句，迥不猶人。貌觀之雕繢滿眼，而實有靈氣行乎其間。細心吟繹，覺味美於方回，引人入勝，旣不病其晦澀，亦不見其堆垛。……猶之玉谿生之詩，藻采組織，而神韻流轉，旨趣永長，未可妄譏其獺祭也。

戈氏之言，吳梅頗表贊同，曾引其說而增益之。其《詞學通論》云：

其實夢窗才情超逸，何嘗沈晦。夢窗長處正在超逸之中見沈鬱之思，烏得轉以沈鬱為晦耶？若叔夏「七寶樓臺」之喻，亦所未解。……至夢窗詞，合觀通篇，固多警策，卽分摘數語，亦自入妙，何嘗「不成片段」耶？⑪

葉嘉瑩對戈氏之言，深表贊同。其《拆碎七寶樓臺》云：

我在早歲讀詞的時候就不能欣賞夢窗詞，然而近年來，為了要給學生講授的緣故，不得不把夢窗詞重新取讀，如戈載之所云：「細心吟繹」了一番，於是乃於夢窗詞中發現一種極高遠之致、窮幽艷之美的新境界，而後乃覺前人對夢窗所有贊美之詞都為有得之言，而非誇張過譽；而所有前人對夢窗詆毀之詞乃不免如樊增祥氏所云：「世人無真見解，惑於樂笑翁『七寶樓臺』之論，……真瞽談耳。」⑫

葉氏於「細心吟繹」之後，發現夢窗詞有兩點特色，其云：

夢窗詞之遺棄傳統而近於現代化的地方，最重要的乃是他完全擺脫了傳統上理性的羈束，因之在他的詞作中，就表現了兩點特色：其一是他的敍述往往使時間與空間為交錯之雜揉；其二是他的修辭往往但憑一己之感性所得，而不依循理性所慣見習知的方法。⑬

葉氏復從夢窗詞中所「閃爍心焰」，歸納幾點特色，其云：

一是對高遠之境界的嚮往，……夢窗詞中，一般說來他所感人的還不僅只是寫出了一幅高遠的景物而已，而是其中所隱隱透露着的對一份不可知的超遠之境界的嚮往，而這種嚮往的本身，乃是特別屬於一些有理想、有境界的作家所共有的特色。至於他們所真正嚮往的究竟是什麼，則又往往不可具言，但總之這種嚮往絕不會發自一個庸俗鄙下的靈魂，則是可以斷言的。再則，夢窗詞中充滿了對此塵世無常的盛衰之悲慨，……至如《古香慢・賦滄浪看桂》一首所悲慨的「殘雲賸水」，《三姝媚・過都城舊居有感》一首所悲慨的「紫曲門荒」，則更有極深切的一份家國之痛。從這些詞句，我們都可以看到夢窗從一己之時代擴大而至於對整個人世之盛衰戰亂的感慨哀傷。除此兩點特色外，夢窗詞中所具體敘述的情事，其寫的最多的乃是他在感情方面所曾經體認到的一份殘缺和永逝的創痛。我在前面簡單介紹夢窗之生平時，曾經提到過他在蘇州曾有一妾，後遭遣去，他在杭州也有一妾，後則亡歿。一個生離；一個死別。關於這兩生離、死別的前後詳情，我們雖已無從確考，然而從夢窗詞中，我們却時時可以窺見其心靈中那一份傷損殘缺的陰影。⑭

葉氏於深研之下，切中肯綮，頗具卓見，可謂夢窗之知音矣！

至於論玉田詞者，仇遠譽之白石老仙，其《山中白雲序》云：

> 讀《山中白雲詞》，意度超元，律呂協洽，……方之古人，當與白石老仙相鼓吹。

又云：

> 古人有言：鉛汞交煉而丹成，情景交煉而詞成，指迷妙訣，吾將從叔夏北面而求之。⑮

周濟則毀之，謂玉田才不高。其《宋四家目錄序論》云：

> 玉田才本不高，專恃磨礱雕琢，裝頭作脚，處處妥當，後人翕然宗之。⑯

劉熙載論玉田詞，謂清遠纏綿，瓣香白石，毀譽參半。其《藝概・詞曲概》云：

> 張玉田詞，清遠蘊藉，淒愴纏綿，大段瓣香白石，亦未嘗不轉益多師，卽《探芳信》之次韻草窗，《瑣窗寒》之悼碧山，《西子妝》之效夢窗可見。⑰

綜上所述，觀堂所論，是否持平，由此可見矣。

【附注】

① 據《彊村叢書》本，《夢窗詞集》。

② 唐圭璋編《詞話叢編》，臺北廣文書局。

③ 胡適《詞選》，臺灣商務印書館，《人人文庫》本。

④ 張炎《山中白雲詞》卷二，詞曲類，頁六—三八九。（臺灣商務印書館，《文淵閣四庫全書》影印本。）

⑤ 據《介存齋論詞雜著・復堂詞話・蒿菴論詞》。

⑥ 同注③。

⑦ 宋黄昇編《花庵詞選》，詞曲類，頁六—三九一。（臺灣商務印書館，《文淵閣四庫全書》影印本。）

⑧ 沈義父《沈氏樂府指迷》，詞曲類，頁六—三九二。（同上）

⑨ 王幼安校《蕙風詞話・人間詞話》合刊本。（臺北河洛圖書出版社，民國六十九年影印初版，《河洛文庫》本。）

⑩ 唐圭璋編《詞話叢編》，臺北廣文書局。

⑪ 吳梅《詞學通論》，臺灣商務印書館。

⑫ 葉嘉瑩《迦陵論詞叢稿》，頁一四三。（臺北市，明明出版社。）

⑬ 同上，頁一四四。

⑭ 同上，頁二〇二—二〇三。

⑮ 同注④。

⑯ 同注⑤。
⑰ 同注②。

五十一

「明月照積雪」「大江流日夜」「中天懸明月」「黃河落日圓」，此種境界，可謂千古壯觀。求之於詞，唯納蘭容若塞上之作，如《長相思》之「夜深千帳燈」，《如夢令》之「萬帳穹廬人醉，星影搖搖欲墜」差近之。①

詳釋五十一

「明月照積雪」：爲謝靈運《歲暮》詩中之句。全詩如下：

殷憂不能寐，苦此夜難頹。明月照積雪，朔風勁且哀。運往無淹物，年逝覺已催。②

「大江流日夜」：爲謝朓《暫使下都夜發新林至京邑贈西府同僚》詩中之句。全詩如下：

大江流日夜，客心悲未央。徒念關山近，終知反路長。秋河曙耿耿，寒渚夜蒼蒼。引顧見京室，宮雉正相望。金波麗鳷鵲，玉繩低建章。驅車鼎門外，思見昭丘陽。馳暉不可接，何況隔兩鄉？風雲有鳥路，江漢限無梁。常恐鷹隼擊，時菊委嚴霜。寄言罻羅者，寥廓已高翔。③

「中天懸明月」：爲杜甫《後出塞》詩中之句。全詩，「詳釋八」中已錄出。

「黃河落日圓」：「黃」當作「長」。「長河落日圓」，爲王維《使至塞上》詩中之句。全詩如下：

單車欲問邊，屬國過居延。征蓬出漢塞，歸雁入胡天。大漠孤煙直，長河落日圓。蕭關逢候騎，都護在燕然。④

納蘭容若：即：納蘭性德。納蘭性德，原名成德，因避東宮諱，改名性德。字容若，號楞伽山人。滿洲正黃旗人。大學士明珠長子。康熙十五年進士。官一等侍衛。著有《通志堂集》。後人輯有《納蘭詞》。

《長相思》：全詞如下：

山一程，水一程，身向榆關那畔行。夜深千帳燈。風一更，雪一更，聒碎鄉心夢不成。故園無此聲。⑤

《如夢令》：全詞如下：

萬帳穹廬人醉，星影搖搖欲墜。歸夢隔狼河，又被河聲攪碎。還睡，還睡，解道醒來無味。⑥

差近之：四詩句所詠，其境界豪壯雄偉，可謂千古壯觀。納蘭詞句所詠，其境界亦豪壯雄偉，亦可謂千古壯觀。僅豪壯雄偉程度稍遜耳。故曰「差近」。

【附　注】

① 原稿本「大江流日夜」下，有「澄江淨如練」「山氣日夕佳」「落日照大旗」；「中天懸日月」下，有「大

漢孤煙直」。「壯觀」作「壯語」。

② 據《百三名家集》本，《謝康樂集》卷二。

③ 梁蕭統編《文選》卷二十六，總集類，頁六—三五九。（臺灣商務印書館，《文淵閣四庫全書》影印本。）

④ 王維《王右丞集》卷九，臺灣中華書局，《四部備要》本。

⑤ 據《清名家詞》本，《通志堂詞》。

⑥ 據《通志堂詞集外詞》。

五十二

納蘭容若以自然之眼觀物，以自然之舌言情。此由初入中原，未染漢人風氣，故能眞切如此。北宋以來，一人而已。①

詳釋五十二

納蘭容若：卽：納蘭性德。納蘭性德，「詳釋五十一」中有說明。

「以自然之眼觀物，以自然之舌言情。」：此於「詳釋五十一」中所錄《長相思》《如夢令》二詞中之觀物言情，可以充分見出，不必另舉例。或另舉例亦可；則如下例是：

采桑子

誰翻樂府凄涼曲？風也蕭蕭，雨也蕭蕭。瘦盡燈花又一宵。

不知何事縈懷抱？醒也無聊，醉也無聊。夢也何曾到謝橋？②

漢人風氣：漢人若何風氣？胡適《詞選》《序》中有稍可作爲此處代答之言。錄之如下：

詞起於民間，流傳於娼女歌伶之口。後來才漸漸被文人學士採用。體裁漸漸加多，內容漸漸變豐富。但這樣一來，詞的文學，就漸漸和平民離遠了。詞到了宋末，早已死了。但民間的娼女歌伶仍舊繼續變化他們的歌曲，他們翻新的花樣就是「曲子」。他們先有小令，次有雙調，次有套數。套數一變，就成了雜劇。雜劇又變為明代的劇曲。這時候，文人學士又來了。他們也做曲子。也做劇本。體裁又變複雜了，內容又變豐富了。然而他們帶來的古典，搬來的書袋，傳染來的酸腐氣味，又使這一類新文學，漸漸和平民離遠，漸漸失去生氣，漸漸死下去了。③

「漢人風氣」，殆指用典掉書袋之風氣。

納蘭容若未染此風氣，故能眞切。

北宋以來：指：北宋以來詞人。北宋以來之朝代，爲：南宋、金、元、明、淸、民國。其間詞人，無可勝數。其有名者，不下五百。岳飛、辛棄疾、姜夔、陸游、史達祖、吳文英、周密、王沂孫、張炎、文天祥、李淸照、朱淑眞、元好問、耶律楚材、白樸、關漢卿、趙孟頫、高啓、文徵明、吳承恩、徐渭、王世貞、湯顯祖、袁宏道、王夫之、屈大均、吳偉業、宋琬、尤侗、王士禎、彭孫遹、陳維崧、朱彝尊、孔尙任、顧貞觀、厲鶚、鄭燮、曹雪芹、洪亮吉、張惠言、周濟、龔自珍、譚獻、王鵬運、陳廷焯、王闓運、鄭文焯、況周頤、朱祖謀、康有爲、梁啓超、王國維、吳梅、唐圭璋、等五十餘人，俱包括在內。

一人而已：謂：就「運用自然之眼舌」言，納蘭容若在此不下五百人之中，不惟係第一，抑且係唯一。——誠令吾人不禁有類似「十四萬人齊解甲，竟無一個是男兒！」「茫茫四海人無數，哪個男兒是丈夫？」之類浩歎之浩歎。

【附　注】

① 通行本「以自然之舌言情」，原稿本作「以自然之筆寫情」。通行本「北宋以來，一人而已。」原稿本作「同時朱、陳、王、顧諸家，便有文勝則史之弊。」

② 據《清名家詞》本，《通志堂詞》。

③ 胡適《詞選》，臺灣商務印書館，《人人文庫》本。

五十三

陸放翁跋《花間集》，謂：「唐季五代，詩愈卑，而倚聲者輒簡古可愛。能此不能彼，未可以理推也。」《提要》駁之，謂：「猶能舉七十斤者，舉百斤則蹶，舉五十斤則運掉自如。」其言甚辨。然謂詞必易於詩，余未敢信。善乎陳臥子之言曰：「宋人不知詩而強作詩，故終宋之世無詩。然其歡愉愁苦之致，動於中而不能抑者，類發於詩餘，故其所造獨工。」五代詞之所以獨勝，亦以此也。

詳釋五十三

「未可以理推也」之「可」，當爲「易」。

「然其歡愉愁苦之致」之「苦」，當爲「怨」。

陸放翁：即：陸游。陸游，「詳釋四十三」中有說明。

《花間集》：「詳釋十九」中有說明。

《提要》：指：《四庫全書總目提要》。《四庫全書總目提要》，凡二百卷。對四庫十六萬八千餘册書，每書均撮舉大凡，撰爲提要。一般，略稱「四庫提要」。

「猶能舉七十斤者，舉百斤則蹶，舉五十斤則運掉自如。」：此爲《四庫提要》集部、詞曲類(一)《花間集》條之語。此爲摘要語；語意較爲完足之原語如下：

> 後有陸游二跋。……其二稱：「唐季五代，詩愈卑，而倚聲者輒簡古可愛。能此不能彼，未易以理推也。」不知文之體格有高卑，人之學力有强弱。學力不足副其體格，則擧之不足。學力足以副其體格，則擧之有餘。律詩降於古詩，故中晚唐古詩多不工，而律詩則時有佳作。詞又降於律詩，故五季人詩不及唐，詞乃獨勝。此猶能擧七十斤者，擧百斤則蹶，擧五十斤則運掉自如。有何不可理推乎？①

陳臥子：即：陳子龍。陳子龍，字臥子，號大樽。明松江華亭（今上海松江）人。崇禎進士。官兵科給事中。嘗與夏允彝等組織「幾社」，反對宦官魏忠賢專權。後參加抗清運動，失敗被捕，投水而死。清乾隆間追謚忠裕。有《陳忠裕公全集》行世。

「宋人不知詩而強作詩，……故其所造甚工。」：此爲陳子龍《王介人詩餘序》中之語。原語如下：宋人不知詩而强作詩，其為詩也言理而不言情；故終宋之世無詩焉。然宋人亦不免於有情也。故凡其歡愉愁怨之致，動於中而不能抑者，類發於詩餘。故其所造獨工，非後世可及。蓋以沉至之思，而出之必淺近，使讀之者，驟遇如在耳目之表，久誦而得儁（原作沉）永之趣，則用意難也；以嬛利之詞，而制之實工練，使篇無景句，句無累字，圓潤明密，言如貫珠，則鑄詞（原作調）難也；其為體也纖弱，所謂明珠翠羽，尚嫌其重，何況龍鸞？亦有鮮妍之姿，而不藉粉澤，則設色難也；其為境也婉媚，雖以警露取妍，實貴含蓄有餘不盡，時在低徊唱歎之際，則命篇難也。惟宋人專力事之，篇什既多，觸景皆會。天機所啓，若出自然。雖高談大雅，而亦覺其不可廢。何則？物有獨至，小道可觀也。②

本條主旨乃謂：唐季五代詞盛詩衰之原因，非由於詞易作而詩難作，乃由於作者具有發之於詞之眞實、充實而熱烈之情感，而無發之於詩之此等情感。何以發之於詩卽無此等情感？則以不知「詩為抒情之作而非說理之作」也。

【附　注】

① 《四庫全書總目提要》，臺灣商務印書館，《文淵閣四庫全書》影印本。

② 據《陳臥子先生安雅堂稿》，並據《歷代詩餘・詞話》引校改。

五十四

四言敝而有楚辭，楚辭敝而有五言，五言敝而有七言，古詩敝而有律絕，律絕敝而有詞。蓋文體通行既久，染指遂多，自成習套。豪傑之士，亦難於其中自出新意，故遁而作他體，以自解脫。一切文體所以始盛終衰者，皆由於此。故謂文學後不如前，余未敢信。但就一體論，則此說固無以易也。

①

詳釋五十四

「四言敝而有楚辭，楚辭敝而有五言，五言敝而有七言，古詩敝而有律絕，律絕敝而有詞。」：此言詩之演變之自然趨勢。四言，指《詩》之四言。《詩》之四言，始於何時何篇？以難以考知，故迄無定論。一般認爲：始於商至周初之一段時間內之《豳風》《七月》。楚辭，一般認爲：始於戰國末年屈原之《離騷》。五言，指：五言古詩。一般認爲：始於東漢時無名氏之《古詩十九首》。七言，指：七言古詩。一般認爲：始於三國時魏曹丕之《燕歌行》。律、絕，一般認爲：始於初唐沈、宋之律、絕詩。詞，一般認爲：始於唐李白之《菩薩蠻》《憶秦娥》二詞。

「就一體論，此說固無以易。」：就四言論，束晳之《補亡詩》，韋孟之《諷諫詩》，固不如《詩》中之各四言詩。就楚辭論，宋玉之《九辯》，賈誼之《惜誓》，固不如屈原之《離騷》。就五言古詩論，陶潛之《飲酒詩》，杜甫之《贈衞八處士》，固不如《古詩十九首》。就七言古詩論，李白之《金陵酒肆留別》，韓愈之《石鼓歌》，固不如曹丕之《燕歌行》。就律、絕論，王維之《山居秋暝》，孟浩然之《春曉》，韋應物之《寄李儋、元錫》，賀知章之《回鄉偶書》，固不如沈、宋之律、絕詩。

按觀堂此論，似本葉燮之說，而闡述之。其《原詩》云：

「大凡物之踵事增華，以漸而進，以至於極，故人之智慧心思，在古人始用之，又漸出之，而未窮未盡者，得後人精求之而益用之出之，乾坤一日不息，則人之智慧心思，必無盡與窮之日。

又云：

唐詩為八代以來一大變，韓愈為唐詩之一大變，……遞至大曆貞元元和之間，沿其影響字句者且百年，此百餘年之詩，其傳者已少殊尤出類之作，不傳者更可知矣，必待有人焉，起而撥正之，則不得不改絃而更張之。愈嘗自謂陳言之務去，想其時陳言之為禍，必有出于目不忍見，耳不堪聞者。」②

衡諸葉氏之言，謂文體之衍變，由於「踵事增華」「推陳出新」；由樸實而華美，創造文學之新生命，非由其敝，非由其衰也。而王氏以爲「某文體敝而有某文體」「始盛終衰」，則與葉氏之旨稍異其趣矣！

推陳出新，不僅爲文體衍變之原因，亦爲文體創作之原則，如袁枚《隨園詩話》云：

題古迹能翻陳出新最妙。河南邯鄲壁上或題云：「四十年中公與侯，雖然是夢也風流。我今落魄邯鄲道，要替先生借枕頭。」嚴子陵釣台或題云：「一着羊裘便有心，虛名傳誦到如今。當時若着蓑衣去，烟水茫茫何處尋？」凡事不能無弊，學詩亦然。學漢、魏《文選》者，其弊常流於假；學李、杜、韓、蘇者，其弊常失於粗；學王、孟、韋、柳者，其弊常流於弱；學元、白、放翁者，其弊常失於淺；學溫、李、冬郎者，其弊常失於纖。人能取諸家之精華，而吐其糟粕，則諸弊盡捐。大概杜、韓以學力勝，學之，刻鵠不成，猶類鶩也。太白、東坡以天分勝，學之，畫虎不成，反類狗也。佛云：「學我者死。」無佛之聰明而學佛，自然死矣。③

綜上所述，文體之衍變，由於「推陳出新」，而非由於「始盛終衰」也。

【附　注】

① 「習套」，原稿本作「陳套」。「以自解脱」，原稿本作「以發表其思想感情」。「後不如前」，原稿本作「今不如古」。

② 葉燮《原詩》卷下。

③ 袁枚《隨園詩話》卷上。

五十五

詩之三百篇、十九首，詞之五代、北宋，皆無題也。非無題也，詩詞中之意，不能以題盡之也。自《花菴》《草堂》每調立題，並古人無題之詞亦爲之作題。如觀一幅山水，「而卽曰此某山某河。」可乎？詩有題而詩亡，詞有題而詞亡。然中材之士，鮮能知此而自振拔者矣。①

詳釋五十五

三百篇：指：《詩》（後稱《詩經》）

十九首：指：《古詩十九首》。又《古詩十九首》，東漢無名氏作。最早見於《昭明文選》。

《花庵》：指：《花庵詞選》。《花庵詞選》，宋黃昇編。二十卷。前十卷曰「《唐宋諸賢絕妙詞選》」，後十卷曰「《中興以來絕妙詞選》」。

《草堂》：指：《草堂詩餘》。《草堂詩餘》，不知何人所編。凡四卷。舊傳南宋人所編。其中分「小令」「中調」「長調」編輯。詞家有此分法，自此集始。

「每調立題，並古人無題之詞，亦爲之作題。」：

《花庵詞選》如此作法之例：

蘇子瞻

蝶戀花（中春）

賀新郎（夏景）

西江月（感懷）

又（重九）

《草堂詩餘》如此作法之例：

漁家傲

春景　王介甫
春恨　周美成
秋思　范希文
冬景　六一居士
漁父　謝無逸
漁父　張仲宗

「詩有題而詩亡，詞有題而詞亡。」：此語中之「亡」，非指眞亡，乃指有下二缺點之一：㈠誤導欣賞者之欣賞路線。㈡局限欣賞者之欣賞範圍。有此二缺點之一，則雖未亡亦猶之已亡。故曰「亡」。

中材之士鮮能知此而自振拔：如《十五家詞》中之十五家詞，幾無一首而無題。吳偉業等十五詞人，其皆中材之士乎！

其立題情形，舉尤侗之詞數首，以見一斑：

最高樓（漫興）
驀山溪（夏興）
意難忘（元宵）
滿江紅（春閨）

滿江紅（感遇）

關於「無題」之論，陳廷焯亦有類似之說，而怒斥後人妄增詩題爲無識無恥。其《白雨齋詞話》云：

古人詞大率無題者多，唐五代人，多以調爲詞。自增入「閨情」「閨思」等題，全失古人托興之旨；作俑於《花庵》《草堂》，後世遂相沿襲，最為可厭。至《清綺軒詞選》，乃於古人無題者妄增入一題，誣已誣人，匪獨無識，直是無恥。②

衡諸古人詩詞之所以無題者，蓋以標題數字不能盡含全詩詞之義也。故觀堂謂「詩有題而詩亡，詞有題而詞亡」，則亡失詩詞之意也。

【附　注】

① 「亦爲之作題下」，原稿本有「其可笑孰甚。詩詞之題目本爲自然及人生。自古人誤以爲美刺投贈詠史懷古之用，題目既誤，詩亦自不能佳。後人才不及古人，見古名、大家亦有此等作，遂遺其獨到之處而專學此種，不復知詩詞之本意。於是豪傑之士不得不變其體格，如楚辭、漢之五言詩、唐五代北宋之詞皆是也。故此等皆無題。」（按此段除「其可笑孰甚」外，餘皆原已刪去。）而無「如觀一幅山水，而卽曰此某山某河，可乎？」

② 唐圭璋編《詞話叢編》，臺北廣文書局。

五十六

大家之作，其言情也必沁人心脾，其寫景也必豁人耳目。其辭脫口而出，無矯揉妝束之態。以其所見者眞，所知者深也。詩詞皆然。持此以衡古今之作者，可無大誤矣。①

詳釋五十六

此條意謂：寫作措詞，須如行雲流水。《宋史》《蘇軾傳》云：「嘗自謂作文如行雲流水，初無定質；但常行於所當行，止於所不可不止。雖嬉笑怒駡之辭，皆可書而誦之。」蘇軾之文之詩之詞之賦，無有不如此者。是以名垂千古。

牀前明月光，疑是地上霜。
舉頭望明月，低頭思故鄉。（李白《靜夜思》）

脫口而出！千古傑作！

春眠不覺曉，處處聞啼鳥。
夜來風雨聲，花落知多少？（孟浩然《春曉》）

脫口而出！千古傑作！

君王城上豎降旗，妾在深宮那得知？
十四萬人齊解甲，寧無一個是男兒？（花蕊夫人《述亡國》）

脫口而出！千古傑作！

梵志翻著襪，人皆道是錯。
乍可刺你眼，不可隱我脚。（王梵志《梵志翻著襪》）

脫口而出！雖稍嫌近俗，仍係千古傑作！（黃庭堅極愛此詩。嘗有《書〈梵志翻著襪詩〉》）

好個嚴子陵！可惜漢光武！
子陵有釣臺，光武無寸土。（張飛《詠子陵釣臺》）

脫口而出！雖稍嫌近俗，仍係千古傑作！

江南好，風景舊曾諳。日出江花紅勝火，春來江水綠如藍。能不憶江南？（白居易《憶江南》）

脫口而出！千古傑作！

西塞山前白鷺飛，桃花流水鱖魚肥。青箬笠，綠蓑衣，斜風細雨不須歸。（張志和《漁歌子》）

脫口而出！千古傑作！

一隻船兒任意飛，眼前不管是和非，魚兒得了渾閒事，未得魚兒未肯歸。
全是嬾，又如癡。這些快活有誰知？華堂只見燈花好，不見波平月上時。（王質《鷓鴣天》《詠漁父》）

脫口而出！雖稍嫌近俗，仍係千古傑作！

故曰「持此（按：「此」，指：脫口而出）以衡古今之作者，可無大誤。」斯亦「不隔」之間接伸說。

所謂沁人心脾，豁人耳目，脫口而出，順乎自然，見眞知深，觀堂《宋元戲曲考》亦有類似之說，其《序》云：

> 往者讀元人雜劇而善之，以為能道人情，狀物態，詞采俊拔，而出乎自然，蓋古所未有，而後人所不能彷彿也。②

其《考》云：

> 然元劇最佳之處，不在其思想結構，而在其文章。其文章之妙，亦一言以蔽之曰：有意境而已矣。何以謂之有意境？曰：寫情則沁人心脾，寫景則在人耳目，述事則如其口出是也。古詩詞之佳者，無不如是。元曲亦然。③

觀堂斯論，頗具卓見也。

【附　註】

① 「所知者深也」下，原稿本無「詩詞皆然」。「可無大誤矣」，原稿本作「百不失一」。其下復有「此余所以不免有北宋後無詞之嘆也。」

② 《王國維先生全集》初編㈣，頁一四四六，臺灣大通書局，民國六十五年影印本。

③ 《觀堂曲學名著八種》，臺北盤庚出版社，民國六十七年《文史叢刊》本。

五十七

人能於詩詞中不爲美刺投贈之篇，不使隸事之句，不用粉飾之字，則於此道已過半矣。①

詳釋五十七

不爲美刺投贈之篇：《大學》云：「人莫知其子之惡，莫知其苗之碩。」又云：「好而知其惡，惡而知其美者，天下鮮。」②卽如韓愈之耿直，爲美刺投贈之文，亦難免攙雜私人愛憎之情於其間，況如蔡邕之流之無耿直之性者乎？故爲美刺投贈之篇不昧心而出虛假之言者，天下鮮。爲文而無眞情感，覆醬瓿之不値也。反之，專寫有眞情感之文，則其文價値之高，不言而喩矣。

不使隸事之句：卽：不用典。用典，非絕對不可用。蓋用之得當，則亦可用。《石林詩話》云：「詩之用事，不可牽強。甚至於不得不用而後用之，則事詞爲一，莫見其安排鬥湊之迹。……前輩詩材亦或預爲儲蓄，然非所當用，未嘗強出。」③用事能如此，則可用。唯是不善用之之場合爲多，強用之，斯不妥矣。不用，則文意明朗而無隔霧看花之弊。

不用粉飾之字：粉飾之字，指：與代字或游詞相仿之字。亦卽：所抒情感既不眞切、所表意義又不明確之字。如不用之，則作品之抒情眞切而措詞明確矣。

於此道已過半：作品之形成，無非內容、形成兩項。「不爲美刺投贈之篇」，則所抒情感眞切。「不使隸事之句」，則措詞明確。「不用粉飾之字」，則既抒情眞切，又措詞明確。內容、形式，雙管齊下。作品而有此，自「已過半」矣。

所謂「美刺投贈」，觀堂另有類似之說，其《論哲學家與美術家之天賦》云：

詩歌之方面，則詠史懷古感事贈人之題目彌滿充塞於詩界，而抒情敍事之作什佰不能得一。其有美術上之價值者，僅其寫自然之美之一方面耳。甚至戲曲小說之純文學，亦往往以懲勸為恉。其有美術上之目的者，世非惟不知貴且加貶焉。

陳廷焯更謂無聊酬應而乏誠意，其《白雨齋詞話》云：

> 無論詩古文詞，推到極處，總以一誠為主。……明乎此，則無聊之酬應與無病之呻吟，皆不可作矣！

觀堂反對美刺投贈詠史懷古，由此可見矣！

【附　註】

① 「投贈」下，原稿本有「懷古詠史」四字，「粉飾」作「裝飾」。

② 朱熹《大學章句》，四書類，頁六—六三。（臺灣商務印書館，《文淵閣四庫全書》影印本。）

③ 宋葉夢得《石林詩話》，詩文評類，頁六—三八〇。（同上。）

④ 《王國維先生全集》初編㈤，頁一八三九。（臺灣大通書局，民國六十五年影印本。）

⑤ 唐圭璋《詞話叢編》本，臺北廣文書局。

五十八

以《長恨歌》之壯采，而所隸之事，只「小玉、雙成」四字。才有餘也。梅村歌行，則非隸事不辦。白、吳優劣，卽於此見。不獨作詩爲然，塡詞家亦不可不知也。

詳釋五十八

《長恨歌》：白居易作。文長，不錄。

「小玉、雙成」：語意完足之句，爲：「金闕西廂叩玉扃，轉教小玉報雙成。」小玉，吳王夫差女。雙成，西王母侍女。在此歌行中，均泛指侯門仙女。「轉教小玉報雙成」，謂：各侯門仙女，逐一先後向內報稟。既係泛指仙女，則「小玉」「雙成」，應係代字而非用典。惟代字、用典，相差不多；故認爲用典，亦無不可。

才有餘：才，指文才，亦卽「能使所作之歌意足語妙」之才能。有餘，形容此種才能充沛而用之不竭。

梅村：吳偉業號。吳偉業，字駿公，號梅村。清江蘇太倉人。崇禎四年成進士。歷官翰林院編修，南京國子監司業。師事張溥，列名復社。明亡，隱居久之。順治十年，被迫入都，官國子祭酒。十四年丁母憂歸，遂不復出。著有《梅村家藏稿》。

梅村歌行：指：《圓圓曲》《永和宮詞》之類歌行。文長，不錄。

非隸事不辦㈠：隸事之處，就《圓圓曲》指出如下：

㈠鼎湖。喻崇禎帝。　㈡玉關。喻山海關。

㈢縞素。喻喪服。　㈣黃巾。喻李自成。

㈤黑山賊。喻李自成兵。

㈥田竇家。喻懷宗后周奎家。

㈦戚里。喻帝王外戚居處。

㈧浣花里。喻妓女居處。

㈨夫差苑。喻帝王宮苑。

㈩永巷。喻宮掖。

⑾白皙通侯。喻吳三桂。

⑿長安。喻北京。

⒀樓頭柳。喻一般柳色。

⒁綠珠。喻圓圓。

⒂絳樹，喻圓圓。

⒃蛾眉。喻美人，指圓圓。

⒄周郎。喻吳三桂。

此外尚有雖非用典而有用典性質之處數處，不備指。

非隸事不辨㈡：「非隸事不辨」，意卽「才不足」也。亦卽無「能使所作之歌意足語妙」之才能。無此才能，則須乞靈於隸事以濟之。

於此見：「此」，指：有否「能使所作之歌意足語妙」之充沛才能？白有此才能則其歌優，吳無此才能則其歌劣。

所謂「隸事」，亦卽「使事」。觀堂《致豹軒先生函》云：

前作《頤和園詞》一首，雖不敢上希白傅，庶幾追步梅村。蓋白傅能不使事，梅村則專以使事為工。然梅村自有雄氣駿骨，遇白描處尤有深味，非如陳雲伯輩但以秀縟見長，有肉無骨也。①

觀堂之所以反對使用隸事，由此可見端倪矣！

【附　注】

① 據日本神田信暢編《王忠慤公遺墨》。

五十九

近體詩體製，以五七言絕句爲最尊。律詩次之，排律最下。蓋此體於寄興言情，兩無所當。殆有均之駢體文耳。詞中小令如絕句，長調似律詩，若長調之《百字令》《沁園春》等，則近於排律矣。①

詳釋五十九

絕句：凡四句。或散句，或對句。對句，或一對，或二對。各字之平仄及何處叶韻，均有一定限制。種類，有五言絕句、七言絕句之別。

律詩：凡八句。兩句爲一組，共四組。各組名稱，依次爲起聯、頷聯、頸聯、尾聯。各組名稱，均有異名；茲從略。最少須有兩組爲對句。此兩組，多半爲中兩組。各字平仄及何處叶韻，均有一定限制。種類，有五言律詩、七言律詩之別。

排律：不止八句之律詩。句數不定。數十句、百句皆可。其餘限制，均同律詩。初仍名律詩而無排律之名，後始名排律。

最尊、次之、最下：以「受限制之多少」及「歷代詩作成就之高低」爲標準而定之。絕句受限制較少而歷代詩作成就高者多；故曰「最尊」。律詩受限制較多而歷代詩作成就高者次多；故曰「次之」。排律受限制最多而歷代詩作成就高者極少；故曰「最下」。

「寄與言情，兩無所當。」限制過大，自不便寄與言情。

均之駢體文：駢體文亦係限制甚大，束縛文思；排律與之相埒。故曰「均之駢體文」。

小令、長調：萬樹《詞律發凡》云：自《草堂》有小令、中調、長調之目，後人因之。但亦約略云爾。……錢唐毛氏云：『五十八字以內爲小令，五十九字至九十字爲中調，九十一字以外爲長調，古人定例也。』愚謂：此亦就《草堂》所分而拘執之。②

《百字令》：詞牌名。《念奴嬌》之別名。又名《酹江月》《壺中天》《淮甸春》《赤壁詞》《大江東去》。字數應係百字。但亦有百一字或百二字者。

《沁園春》：詞牌名。一名《壽星明》《洞庭春色》《大聖樂》《東仙》。字數，有百十二字、百十三字、百十五字、百十六字等五種。

小令如絕句：

打起黃鶯兒，莫敎枝上啼。
啼時驚妾夢，不得到遼西。（金昌緒《春怨》）

心耿耿，淚雙雙，皓月清風冷透窗。

人去秋來宮漏永，夜深無語對銀釭。（秦少游《擣練子》《秋閨》）

《秋閨》如《春怨》，俱最尊。

長調似律詩：

楚塞三湘接，荆門九派通。

江流天地外，山色有無中。

郡邑浮前浦，波瀾動遠空。

襄陽好風日，留醉與山翁。（王維《漢江臨汎》）

紅蓼花繁，黄蘆葉亂，夜深玉露初零。霽天空濶，雲淡楚江清。獨棹孤蓬小艇，悠悠過，煙渚沙汀。金鈎細，絲綸慢捲，牽動一潭星。

時時，横短笛，清風皓月，相與忘形。任人笑生涯、泛梗飄萍。飲罷不妨醉臥；塵勞事，有耳誰聽？江風静，日高未起，枕上酒微醒。（張仙《滿庭芳》《漁父》）

《漁父》似《漢江臨汎》，皆次之。

長調《百字令》《沁園春》等近排律：

峻閣峙洪都，凌虚落照孤。縈迴環島嶼，波浪接荆吴。

舊地君王賞，分封禮數殊。霓旌千騎入，玉佩幾行趨。

水泛魚龍宅，花濃蛺蝶圖。星霜歌舞換，俯仰物華徂。蹟以三王重，名將百代俱。雄文思往事，高興亦吾徒。闌檻看如昨，登臨信可娛。西山開積雨，南浦散平蕪。作賦秦公子，行吟楚大夫。由來憑眺地，襟帶有江湖。（朱彝尊《登滕王閣》）

登臨縱目，對川原繡錯，如接襟袖。指點十三陵樹影，天壽低迷如阜。一霎滄桑，四山風雨，王氣消沉久。濤生金粟，老松疑作龍吼。

惟有沙草微茫，白狼終古，滾滾邊牆走。野老也知人世換，尚說山靈呵守。平楚蒼涼，亂雲合沓，欲酹無多酒。出山回望，夕陽猶戀高岫。（王鵬運《念奴嬌》《登暘臺，上絕頂，望明陵》）

猶上遺臺，目斷清秋，鳳兮不還。悵吳宮幽徑，埋深花草，晉時高冢，銷盡衣冠。橫吹深沉，騎鯨人去，月滿空江雁影寒。登臨處，且摩挲石刻，徙倚闌干。

青天半落三山，更白鷺洲橫二水間。問誰能心比，秋來水淨；漸教身似、嶺上雲閒？擾擾人生，紛紛世事，就裏何嘗不強顏？重回首，怕浮雲蔽日，不見長安。（白樸《沁園春》《金陵鳳凰臺眺望》）

《登暘臺，上絕頂，望明陵。》《金陵鳳凰眺望》近於《登滕王閣》。「等」，從略。

【附　註】

①此條原稿本作：「詩中體制以五言古及五、七言絕句爲最尊，七古次之，五、七律又次之，五言排律爲最下，蓋此體於寄興言情均不相適，殆與駢體文等耳。詞中小令如五言古及絕句，長調如五、七律，若長調之《沁園春》等闋，則近於五排矣。」

②清萬樹撰《詞律》，臺灣商務印書館本。

六十

詩人對宇宙人生，須入乎其內，又須出乎其外。入乎其內，故能寫之；出乎其外，故能觀之。入乎其內，故有生氣；出乎其外，故有高致。美成能入而不出。白石以降，於此二事，皆未夢見。①

詳釋六十

入內、能寫、有生氣：詩人對宇宙人生，須有深入而確切之觀察、分析與認識。斯則所寫之詩，始能予人以眞實、生動之感。此卽第二條所揭櫫之「寫實」「寫境」之謂。

出外、能觀、有高致：然而寫實，每易爲所寫之實所限；卽永在內而不能出。斯則雖眞實生動，終不得爲偉大高超。故詩人又須超出寫實之外，發揮想像力，擴大觀察範圍；使其所寫作品，宏偉而有高致。此卽第二條所揭櫫之「理想」「造境」之謂。

美成：周邦彥字。周邦彥，「詳釋三十二」中有說明。

美成能入而不出：卽美成之詞，雖描寫生動，然細味之，則可知其未有高致。此於「詳釋三十三」中已有說明，故茲不贅。

白石：姜夔號「白石道人」之略稱。姜夔，「詳釋三十一」中有說明。

白石以降：此語範圍過大，無從確定所指爲誰。茲選指吳文英、周密以爲代表。

「於此二事，皆未夢見。」：吳文英、周密二人之詞，意不足而語不妙，既未能入，又未能出。故曰「於此二事，皆未夢見。」此於「詳釋三十四」中已有說明。

所謂「入乎其內，故有生氣。出乎其外，故有高致」者，龔自珍謂尊史必須尊心，以「善入、善出、不善入、不善出」闡述之，可作本句之說明。其《尊史》云：

> 史之尊非其職語言、司謗譽之謂，尊其心也。心如何尊？善入。何者善入？天下山川形勢，人心風氣，土所宜，性所貴，皆知之。國之祖宗之令，下逮吏胥之所宜守，皆知之。其於言禮、言兵、言政、言獄、言掌故、言文體、言人賢否，如其言家事，可謂入矣。又如何而尊？善出。何者善出？天下山川形勢，人心風氣，土所宜，性所貴，國之祖宗之令，下逮吏胥之所守，皆有聯事焉，皆非所專官。其於言禮、言兵、言政、言獄、言掌故、言文體、言人賢否，如優人在堂下號咷舞歌，哀樂萬千，堂上觀者，肅然踞坐，眄睞而指點焉，可謂出矣。不善入者，非實錄，垣外之耳，烏能治堂中之優也耶？則史之言，必有餘寱（囈）。不善出者，必無高情至論，優人哀樂萬千，手口沸羹，彼豈復能自言其哀樂也耶？則史之言，必有餘喘。②

龔氏以論史之出入之理，可謂淋漓盡致。周濟更以詞非寄托不入，專寄託不出，論出入之道。② 其《宋四家詞選目錄序論》云：

> 夫詞，非寄託不入，專寄託不出。一物一事，引而伸之，觸類多通，驅心如游絲之罥飛英，含毫如郢斤之斲蠅翼，以無厚入有間，既習已，意感偶生，假類畢達，閱載千百，謦欬弗違，斯入矣。賦情獨深，逐境必寤，醞釀日久，冥發妄中，雖鋪敘平淡，摹繪淺近，而萬感橫集，五中無主，讀其篇者，臨淵窺魚，意為魴鯉，中宵驚電，罔識東西，赤子隨母笑啼，鄉人緣劇喜怒，抑可謂能出矣。③

周氏以詞之寄託說明出入之理，觀堂以「由全知曲，由曲知全」說明之。其《國學叢刊序》云：

> 夫天下之事物，非由全不足以知曲，非致曲不足以知全。雖一物之解釋，一事之決斷，非深知宇宙人生之真相者不能為也；而欲知宇宙人生者，雖宇宙中之一現象，歷史上之一事實，亦未始無所貢獻。故深湛幽渺之思，學者有所不避焉；迂遠繁瑣之譏，學者有所不辭焉。事物無大小，無遠近，苟思之得其真，紀之得其實，極其會歸，皆有裨於人類之生存福祉。④

觀堂斯論，似言詩人對於宇宙事物，必須觀察入微，然後客觀紀述眞切，可謂「入內出外」也。其論詩人對自然人生出入之理，可謂切中肯綮矣。俞平伯重印《人間詞話序》引申之曰：

> 作文藝批評，一在能體會，二在能超脫。必須身居局中，局中人知甘苦；又須身處局外，局外人有公論。

俞氏之言，而益明晰矣！

【附　註】

① 「宇宙人生」，原稿本作「自然人生」。滕咸惠《人間詞話新註》修訂後記云：「原稿第一一七條『詩人對自然人生，須入乎其內，又須出乎其外。』通行本第六十條『自然人生』作『宇宙人生』。應該說，前者較後者更確切。」（該書頁一三一）

② 據《龔定庵全集・續集》，臺灣中華書局《四部備要》本。

③ 據朱祖謀校輯《彊村叢書》本，臺北廣文書局。

④ 《王國維先生全集》初編㈣，頁一四二九。臺灣大通書局，民國六十五年影印本。

六十一

詩人必有輕視外物之意，故能以奴僕命風月。又必有重視外物之意，故能與花鳥共憂樂。

詳釋六十一

「詩人必有輕視外物之意，故能以奴僕命風月。」：意謂：能靈活運用景物以抒情。無論何等難寫之景，亦能充分控制之而狀之如在目前，有如控制頑梗之奴僕然。如：春風又綠江南岸，明月何時照我還。如：前村深雪裏，昨夜一枝開。如：鳥宿池邊樹，僧敲月下門。詩人必控制此頑梗景物奴僕，聽命於筆下之「綠」「一」「敲」主人而後可。

「必有重視外物之意，故能與花鳥共憂樂。」意謂：能有「擬人」「移情」之修辭手段，使景生動。如：感時花濺淚，恨別鳥驚心。如：蠟炬有心還惜別，替人垂淚到天明。如：陽春召我以煙景，大塊假我以文章。詩人能視花、鳥、蠟炬、陽春、大塊爲親人而與之共憂共樂。

所謂「輕視外物」，亦卽「出乎其外」，客觀者也，乃能超脫直觀，以物觀物，故能以奴僕命風月，寫景如在目前，此無我之境也。所謂「重視外物」，亦卽「入乎其內」，主觀者也，乃能親身體驗，以物觀物，故能與花鳥共憂樂，抒情沁人心脾，此有我之境也。職是之故，文學家必須「入乎其內」，又須「出乎其外」，方有驚天地泣鬼神感人肺腑之偉大不朽傑作。故馮友蘭《新理學》云：

> 藝術家以藝術作品示其經驗時，亦係暫置己於旁觀，以賞玩其經驗，否則不能有藝術作品。詩人作詩，亦必旁觀賞玩此情，否則痛哭流涕之不暇，何能作詩。①

馮氏所謂旁觀，亦卽客觀是也。如醫院急診室之醫生，遇急診病人及其家屬，因急病投醫，驚懼恐慌，痛哭流涕，如醫生亦隨其悲痛情緒，則必張惶失措，何以能了解病情，對症下藥乎？故偉大之文學家亦然，處憂患而不懼，方有不朽之傑作。漢司馬遷《史記・自序》云：

> 昔西伯拘羑里，演《周易》；孔子厄陳、蔡，作《春秋》；屈原放逐，著《離騷》；左丘失明，厥有《國語》；孫子臏脚，而論兵法；不韋遷蜀，世傳《呂覽》；韓非囚秦，《說難》《孤憤》，《詩三百篇》，大抵賢聖發憤之所爲作也。②

此司馬遷有感而發也，其作《史記》而何尚不然？吾效鸚鵡之饒舌而狗尾續貂曰：「史遷宮刑，乃有《史記》。」夫文學與生活關係至爲密切，無安史之亂，杜甫豈有「朱門酒肉臭，路有凍死骨」之語乎？胡震亨《唐音癸籤》云：

凡詩，一人有一人本色。無天寶一亂，鳴侯止寫承平；無拾遺一官，懷忠難入篇什，無杜詩矣。③

又謝榛《四溟詩話》云：

子美不遭天寶之亂，何以發忠憤之氣，成百代之宗。④

是故，詩人必須以生活爲作詩之本。錢謙益《周元亮賴古堂合刻序》云：

古之為詩者有本焉。《國風》之好色，《小雅》之怨悱，《離騷》之疾痛叫呼，結轖於君臣夫婦朋友之間，而發作於身世偪側，時命連蹇之會，夢而噩，病而吟，春歌而溺笑，皆是物也。故曰有本。唐之李杜，光焰萬丈，人皆知之。放而為昌黎，達而為樂天，麗而為義山，譎而為長吉，窮而為詔諫，詭詼傲兀而為盧同、劉義，莫不有物焉，魁壘耿介，槎枒於肺腑，擊撞於胸臆，故其言之也不慚，而其流傳也至於歷刼而不朽。今之為詩，本之則無，徒以詞章聲病，比量於尺幅之間，如春花之爛發，如秋水之時至，風怒霜殺，索然不見其所有，而舉世咸以此相誇相命，豈不末哉？⑤

詩人不僅以生活爲詩之本，而且必須深刻感受之。黃宗羲《黃孚先詩序》云：

古之人情與物相游，而不能相舍，不但忠臣之事其君，孝子之事其親，思婦勞人結不可解，即風雲月露，草木蟲魚，無一非真意之流通。⑥

欲深刻感受生活，則必須身歷目見。王夫之《夕堂永日緒論》云：

身之所歷，目之所見，是鐵門限。卽極寫大景，如「陰暗衆壑殊」，「乾坤日夜浮」，亦必不逾此限。非按輿地圖便可云：「平野入青徐」也，抑登樓所得見者耳。隔垣聽演雜劇，可聞其歌，不見其舞；更遠則但聞鼓聲，而可云所演何出乎？前有齊、梁，後有晚唐及宋人，皆欺心以炫巧。⑦

身歷目見，必須深思謹識，醞釀蓄積。魏禧《宗子發文集序》云：

人生平耳目所見聞，身所經歷，莫不有其所以然之理，雖市儈優倡大猾逆賊之情狀，灶婢丐夫米鹽凌雜鄙褻之故，必皆深思而謹識之，醞釀蓄積，沈浸而不輕發。及其有故臨文，則大小淺深，各以類觸，沛乎若決陂池之不可禦。譬之富人積財，金玉布帛竹頭木屑糞土之屬，無不預貯，初不必有所用之。而當其必需，則糞土之用，有時與金玉同功。⑧

醞釀蓄積，然後一吐胸臆，非無病呻吟者也。沈德潛《說詩晬語》云：

古人意中有不得不言之隱，借有韻語以傳之。如屈原「江潭」，伯牙「海上」，李陵「河梁」，明妃「遠嫁」，或慷慨吐臆，或沈結含凄，長言短歌，俱成絕調；若胸無感觸，漫爾抒詞，縱辨風華，枵然無有。⑨

欲一吐胸臆，則必須物我無間，與生活事物同憂樂。劉熙載《藝概・詩概》云：

代匹夫匹婦語最難，蓋飢寒勞困之苦，雖告人人且不知，知之必物我無間者也。杜少陵、元次山、白香山不但如身入閭閻，目擊其事，直與疾病之在身者無異。⑩

綜上所述，觀堂之意，可謂闡釋無遺矣。

【附　註】

① 據馮友蘭《新理學·藝術章》，臺北某書局翻印本。
② 司馬遷《史記》，臺北鼎文書局，《廿五史》點校本。
③ 胡震亨《唐音癸籤》卷廿五，詩文評類，頁六—三八三。（臺灣商務印書館，《文淵閣四庫全書》影印本。）
④ 謝榛《四溟詩話》，據唐圭璋編《詞話叢編》本，臺北廣文書局。
⑤ 錢謙益《牧齋有學集》，《周元亮賴古堂合刻序》。
⑥ 黃宗羲《黃梨洲文集》，《黃孚先生詩序》。
⑦ 王夫之《夕堂永日緒論·內篇》。
⑧ 魏禧《魏叔子文集》外篇第八卷，《宗子發文集序》。
⑨ 沈德潛《說詩晬語》，臺靜農師編《百種詩話類編》本，臺灣藝文印書館。
⑩ 劉熙載《藝概·詩概》（同註④）。

六十二

「昔爲倡家女，今爲蕩子婦。蕩子行不歸，空牀難獨守。」「何不策高足，先據要路津？無爲久貧賤，轗軻長苦辛。」可謂淫鄙之尤，然無視爲淫詞、鄙詞者，以其眞也。五代北宋之大詞人亦然。非無淫詞，讀之者但覺其親切動人；非無鄙詞，但覺其精力彌滿。可知淫詞與鄙詞之病，非淫與鄙之病，而游詞之病也。「豈不爾思，室是遠而。」而子曰：「未之思也，夫何遠之有？」惡其游也。①

詳釋六十二

「昔爲倡家女，……空牀難獨守。」：爲《古詩十九首》第二首之句。全詩如下：

青青河畔草，鬱鬱園中柳。盈盈樓上女，皎皎當窗牖。娥娥紅粉妝，纖纖出素手。昔為倡家女，今為蕩子婦。蕩子行不歸，空牀難獨守。

「何不策高足，……轗軻長苦辛。」：「久貧」當作「守窮」。此爲《古詩十九首》第四首之句。全詩如下：

今日良宴會，歡樂難具陳。彈箏奮逸響，新聲妙入神。令德唱高言，識曲聽其眞。齊心所同願，合意俱未申。人生寄一世，奄忽若飆塵。何不策高足，先據要路津？無為守窮賤，轗軻長苦辛。③

淫鄙之尤：沈迷色情、滿肚色情之謂「淫」。沈迷勢利、滿眼勢利之謂「鄙」。「空牀難獨守」，最淫；故曰「淫之尤」。「無爲守窮賤」，最鄙；故曰「鄙之尤」。二者併言之，則曰「淫鄙之尤」。

無視爲淫詞、鄙詞：一般對《古詩十九首》之各種角度評價均甚高。故曰「無視爲淫詞、鄙詞」。

以其眞：積極言之，爲：所抒情感眞摯懇切。消極言之，爲：所措之詞非游詞。（游詞，下文卽有說明。）

非無淫詞、非無鄙詞：遍檢清朱孝臧所輯《彊村叢書》中之五代、北宋詞集，明毛晉所輯之《宋六十家詞》中之北宋詞集，四庫全書集部詞曲類詞集之屬中五代、北宋人詞集，以及《花間》《尊前》《花庵》《草堂》《花草粹編》《歷代詩餘》……諸種詞集中之五代、北宋詞，均無淫詞。鄙詞更無論矣。如「詳釋三十二」中所錄不雅之詞，亦僅艷詞。卽周邦彥之不雅之詞，亦仍係艷詞。均不得視爲淫詞。如韋莊之《喜遷鶯》，亦不得視爲鄙詞。

親切動人、精力彌滿：因無淫鄙之詞，故此二語無可詳釋。

游詞：金應珪《詞選後序》云：「規模物類，依託歌舞，哀樂不衷其性，慮歎無與乎情。連章累篇，義不出乎花鳥；感物指事，理不外乎應酬。雖旣雅而不艷，斯有句而無章。是謂游詞。」此一解釋，自無錯誤；然於此處游詞之義，尚不恰切。此處游詞，乃指：理由化之詞。亦卽強詞奪理列舉似是而非之理由以文過飾非之詞。如下文所引「豈不爾思，室是遠而。」以「室遠」之似是而非理由以文飾「不思」之過。此「室是遠而」，卽爲游詞。孔子惡之；故斥之曰：「未之思也！夫何遠之有？」④又：《論語》《季氏》，有「舍曰欲之而必爲之辭」之語，⑤亦可爲此處游詞之定義。卽：「舍曰欲之而必爲之辭」之詞，是謂游詞。

按觀堂「淫詞、鄙詞、游詞」之說，疑本金朗甫《詞選後序》之論，此從《人間詞話》原稿卷上第一三三則中，得知其中消息。其云：

> 金朗甫作《詞選後序》，分詞為「淫詞」「鄙詞」「遊詞」三種。詞之弊盡是矣。五代北宋之詞，其失也淫。辛、劉之詞，其失也鄙。姜、張之詞，其失也遊。⑥

金朗甫即金應珪，其所謂「淫詞」，係指「揣摩床第」，即描寫性生活，如後世小說《金瓶梅》《玉蒲團》等書是也，於詞亦然。觀堂僅泛稱五代北宋之詞之缺點有淫詞，而未指作者之名。金氏所謂「鄙詞」，係指如「俳優詼嘲，市儈叫嘯」，意謂如粉墨登場小丑之嘴臉，如巧詐謀利「牙儈」之叫賣，其面目可憎，語言無味，於詞亦然。觀堂僅舉辛棄疾、劉過之名，而未舉其作品，謂其詞之缺點爲鄙。金氏所謂「遊詞」，係指「哀樂乏性，慮嘆無情」，意謂喜怒哀樂非發自情性，如官場送往迎來之應酬，奉侫諂媚，卑躬屈膝，或高談濶論，游談無根，豈有眞性情存乎其間哉？於詞亦然。觀堂亦僅舉姜夔、張炎之名，而未舉其作品，謂其詞之缺點爲游。金氏所論，見於《詞選後序》，其原文如下：

> 近世為詞，厥有三蔽：義非宋玉而獨賦蓬發，諫謝淳於而唯陳履舃，揣摩床第，汙穢中冓，是謂「淫詞」，其蔽一也。猛起奮末，分言析字，詼嘲則俳優之末流，叫嘯則市儈之盛氣，此猶巴人振喉以和陽春，黽蜮怒嗌以調疏越，是謂「鄙詞」，其蔽二也。規模物類，依託歌舞，哀樂不衷其性，慮嘆無與乎情，連章累篇，義不出乎花鳥，感物指事，理不外乎酬應，雖旣雅而不艷，斯有句而無章，是謂「游詞」，其蔽三也。⑦

陳廷焯頗以爲然，其《白雨齋詞話》云：

金氏此論深中世病，學人必破此三蔽，而後可以為詞。⑧

金氏之理論雖是，惜嫌乏實際之詞例耳。觀望泛稱五代北宋之詞爲「淫」，南宋詞人辛棄疾、劉過之詞爲「鄙」，姜夔、張炎之詞爲「游」，有失治學之嚴謹，亦欠持平之論耳。蓋任何時代之作家，其作品中或許有其一之缺點，但不能以一概全，所謂「一竹竿打翻一條船」也。

【附 注】

① 「親切動人」，原稿本作「沉摯動人」。

② 蕭統編《文選》卷二十九，臺灣藝文印書館影印本。

③ 同上。

④ 《論語·子罕》，據宋朱熹《論語集註》，四書類，頁六一—六三。（臺灣商務印書館，《文淵閣四庫全書》影印本。）

⑤ 《論語·季氏》。（同上）

⑥ 滕咸惠校注《人間詞話新注》（修訂本），頁一二二。（濟南齊魯書社，一九八九年三版。）

⑦ 據《詞選》，臺北復興書局本。

⑧ 唐圭璋編《詞話叢編》，臺北廣文書局。

六十三

「枯藤、老樹、昏鴉，小橋、流水、平沙，古道、西風、瘦馬，夕陽西下，斷腸人在天涯。」此元人馬東籬《天淨沙》小令也。寥寥數語，深得唐人絕句妙境。有元一代詞家，皆不能辦此也。①

詳釋六十三

「平沙」，一般多作「人家」。

馬東籬，卽：馬致遠。馬致遠，字千里，號東籬。元大都（今北平）人。早年嘗任江浙省務提舉。晚年隱居田園，度其「酒中仙、塵外客、林間友」之生活。與關漢卿、白樸、鄭光祖，合稱元曲四大家。所作雜劇，今知有十五種。現存《漢宮秋》《薦福碑》《岳陽樓》……等七種。

唐人絕句妙境：請參閱「詳釋五十六」中之李白、孟浩然絕句及「詳釋五十九」中之金昌緒絕句。卽此可見一斑，不再另舉例。

「有元一代詞家，皆不能辦此。」：能不能辦此？僅能作仁智互見之答案，無可定論。故茲僅引錄關漢卿、白樸二大家之小令數首於後，以作比較，以供吾人作仁智互見之答案時之參考：

關漢卿之小令

四塊玉（閑適）

② 適意行，安心坐。渴時飲，飢時餐，醉時歌。困來時就向莎茵臥。日月長，天地闊，閑快活。

四塊玉（閑適）

舊酒投，新醅潑；老瓦盆邊笑呵呵。共山僧野叟閑吟和。他出一對鷄，我出一個鵝。閑快活。③

四塊玉（閑適）

意馬收，心猿鎖；跳出紅塵悪風波。槐陰午夢誰驚破？離了名利場，鑽入安居窩。閑快活。④

四塊玉（閑適）

南畝耕，東山臥。世態人情經歷多。閑將往事思量過。賢的是他，愚的是我。爭甚麼？⑤

白樸之小令

天淨沙（春）

春山、暖日，和風，闌干、樓閣，簾櫳，楊柳、秋千院中。啼鶯、舞燕，小橋、流水、飛紅。⑥

天淨沙（夏）

雲收雨過波添，樓高水冷瓜甜，綠樹陰垂畫檐。紗幮藤簟，玉人羅扇輕縑。⑦

天淨沙（秋）

孤村落日殘霞，輕煙、老樹、寒鴉，一點飛鴻影下。青山綠水，白草、紅葉、黃花。⑧

天淨沙（冬）

一聲畫角譙門，半亭新月黃昏，雪裏山前水濱。竹籬茅舍，淡煙衰草孤村。⑨

觀堂於東籬此曲，推崇備至，譽爲天才，後人莫及也。其《宋元戲曲考》云：

《天淨沙》小令，純是天籟，彷彿唐人絕句。馬東籬《秋思》一套，周德清評之，以為萬中無一；明王元美等亦推為套數第一，誠定論也。此二體雖與元雜劇無涉，可知元人之于曲，天實縱之，非後世之人所能望其項背也。⑩

馬致遠身遭亡國之痛，以「枯藤、老樹、昏鴉、小橋、流水、平沙、古道、西風、瘦馬、夕陽」等宇宙事物具體形相，刻畫「天涯淪落人」孤苦淒涼之情景，可謂淋漓盡致矣，確爲上乘之作也。

【附　注】

① 原稿本無此條，疑係觀堂於發表時所增。「平沙」，除《歷代詩餘》外，諸本均作「人家」。當以平沙爲勝，蓋平沙爲一望無際之沙漠，益增天涯淪落人之痛楚也。

② 沈辰垣等撰《歷代詩餘》，詞曲類，頁六—三九一。（臺灣商務印書館，《文淵閣四庫全書》影印本。）

③ 同上。

④ 同上。

⑤ 同上。

⑥ 同上。
⑦ 同上。
⑧ 同上。
⑨ 同上。
⑩ 《觀堂曲學名著八種》，臺北盤庚出版社，民國六十七年《文史叢刊》本。

六十四

白仁甫《秋夜梧桐雨》劇，沉雄悲壯，爲元曲冠冕。然所作《天籟詞》，粗淺之甚，不足爲稼軒奴隸。豈創者易工而因者難巧歟？抑人各有能與不能也？讀者觀歐、秦之詩遠不如詞，足透此中消息。①

詳釋六十四

白仁甫：卽白樸。白樸，字太素，一字仁甫，號蘭谷。元隩州（今西山河曲）人。移居眞定（今河北正定）。其父白華，於金官樞密院判。蒙古軍侵金，陷開封，其母被虜。其父因事遠出，遂父子相失。因其父與元好問爲世交。白樸乃隨元好問流寓山東。賴元好問教養，學問日進。入元，終身不仕。晚年徙家金陵（今南京），放情山水，以詩酒自誤。暮年北返。其雜劇成就極高；與關漢卿、馬致遠、鄭光祖，並稱元曲四大家。所作雜劇，今知有十六種。今存《牆頭馬上》《秋雨梧桐雨》《東牆記》三種。詞則有《天籟集》。

沉雄悲壯：《秋夜梧桐雨》，劇文甚長，此處無法錄出以證此「沉雄悲壯」之語。玆特錄第二折、第三折中之曲數首，以見沈雄悲壯之一斑：

第二折中之曲：

〔中呂粉蝶兒〕天淡雲閑，列長空數行征雁。御園中，夏景初殘。柳添黃，荷減翠，秋蓮脫瓣。坐近幽闌，噴清香玉簪花綻。

〔叫聲〕共妃子，喜開顏。等閑等閑。御園中列有饌。酒注嫩鵝黃，茶點鷓鴣斑

〔醉春風〕酒光泛金紫鍾，茶香浮碧玉盞。沉香亭畔夜涼多，把一搭兒親自揀揀。粉黛濃妝，

管弦齊列，綺羅相間。

〔迎仙客〕香噴噴，味正甘；嬌滴滴，色初綻。只疑是九重天謫來人世間。取時難，得後慳。可惜不近長安。因此上教驛使把紅塵踐。②

第三折中之曲：

〔慶東原〕前軍疾行動，因甚不進發？一行人覷了皆驚怕。嗔忿忿停鞭立馬，惡噷噷披袍貫甲，明颩颩掣劍離匣，齊臻臻雁行班排，密匝匝魚鱗似亞。

〔步步嬌〕寡人呵萬里煙塵，你也合嗟訝。就勢兒把吾當詭。國家又不曾虧你半招，因甚軍心有爭差？問卿咱，為甚不說半句兒知心話？

〔太清歌〕恨無情捲地狂風刮，可怎生偏吹落我御苑名花。想他魂斷天涯，作幾縷兒綵霞。天

那，一箇漢明妃遠把單于嫁，止不過泣西風淚濕胡笳。幾曾見六軍厮踐踏？將一箇尸首臥黃沙。

〔鴛鴦煞〕黃埃散漫悲風颯，碧雲黯淡斜陽下。一程程水綠山青，一步步劍嶺巴峽。唱道感嘆情多，恓惶淚灑。早得升遐。休休却是今生罷。這箇不得已的官家，哭上逍遙玉驄馬。③

爲元曲冠冕：雜劇均係長篇，無法引例比較。且即比較，亦難定論孰優孰劣。是則「冠冕」與否，實難確定。此處，視作王氏之主觀私見可也。惟《秋夜梧桐雨》極佳，則係公論。

觀堂於《宋元戲曲考》中，論元曲四大家「關白馬鄭」，亦譽爲第一流。其云：

關漢卿一空倚傍，自鑄偉詞，而其言曲盡人情，字字本色，故當為元人第一。白仁甫、馬東籬，高華雄渾，情深文明。鄭德輝清麗芊綿，自成馨逸，均不失為第一流。其餘曲家，均在四家範圍內。

《天籟詞》：指：《天籟集》。爲白樸之詞集。

粗淺之甚：此又難以定論。蓋盛讚《天籟集》中之詞者，雖不可謂爲「甚多」，然亦「不少」。玆錄數家於後：

《四庫提要》云：「……樸詞清雋婉逸，意愜韻諧，可與張炎《玉田詞》相匹。雖其學出於元好問，而詞則有出藍之目。足為倚聲正宗，惜以製曲掩其詞名，故選錄者多未之及。……其實在元初諸家中，洵可稱矯矯拔俗者也。」④

王博文《天籟集序》云：「……太素……長短句……辭語遒嚴，情寄高遠，音節協和，輕重穩愜。凡當對酒，感事興懷，皆自肺腑流出。予因以『天籟』名之。……」⑤

孫大雅《天籟集後序》云：「……先生詞章翰墨，揮灑奮迅，出於天才。……」⑥

朱彝尊《天籟集序》云：「……及纂唐宋元樂章為《詞綜》一編，憾未得仁甫之作。……」⑦

諸人所讚，卽謂「有過譽之嫌」，要亦不致「粗淺之甚」。故曰「難以定論」。

不足爲稼軒奴隸：因「粗淺之甚」無定論，此語亦無定論。何故而提及稼軒？則或爲下述二因：

其一，因白樸之學出元好問。而郝經認爲元好問之詞，「樂章之雅麗，情致之幽婉，足以追稼軒。」

其二，《天籟集》卷下《沁園春》有自注云：「……予暇日來遊，因演太白、荆公詩意。亦猶稼軒《水龍吟》用李延年、淳于髡語也。」

「創者易工，因者難巧。」：若頃所推二因不誤，則此「因」係指因襲稼軒。而「創易工，因難巧。」理所宜然。而王氏於此，有勸人「不可因襲」之意。

有能有不能：一般，係如此。惟不盡然。

歐：指：歐陽修。歐陽修，「詳釋二十一」中有說明。

秦：指：秦觀。秦觀，「詳釋二十二」中有說明。

歐、秦詩遠不如詞：此又難以定論。僅能各舉詩、詞以比較之，以供吾人作仁智互見之判定時之參考：

歐詩㈠ 初出眞州泛大江作

孤舟日日去無窮，行色蒼茫杳靄中。
山浦轉帆迷向背，夜江看斗辨西東。
滮田漸下雲間雁，霜日初丹水上楓。
蓴菜鱸魚方有味，遠來猶喜及秋風。⑧

歐詩㈡ 戲答元珍

春風疑不到天涯，二月山城未見花。
殘雪壓枝猶有橘，凍雷驚筍欲抽芽。
夜聞歸雁生鄉思，病入新年感物華。
曾是洛陽花下客，野芳雖晚不須嗟。⑨

歐詞㈠ 浣溪沙

堤上游人逐畫船，拍堤春水四垂天。綠楊樓外出鞦韆。
白髮戴花君莫笑，六么催拍琖頻傳。人生何處似尊前？⑩

歐詞㈡ 玉樓春

尊前擬把歸期說，未語春容先慘咽。人生自是有情癡，此恨不關風與月。

離歌且莫翻新闋，一曲能教腸寸結。直須看盡洛城花，始共春風容易別。⑪

秦詩(一) 遊鑑湖

畫舫珠簾出繚牆，天風吹到芰荷鄉。
水光入座杯盤瑩，花氣侵人笑語香。
翡翠側身窺淥酒，蜻蜓偷眼避紅粧。
葡萄力緩單衣怯，始信湖中五月涼。⑫

秦詩(二) 答龔深之

深巷茅簷日漸長，臥看花鳥競朝陽。
惜無好事攜罇酒，賴有鄰家振燭光。
尚友頗存書萬卷，封侯正闕木千章。
錯刀錦段相仍至，小子都忘進取狂。⑬

秦詞(一) 踏莎行

霧失樓臺，月迷津渡。桃源望斷無尋處。可堪孤館閉春寒，杜鵑聲裏斜陽暮。
驛寄梅花，魚傳尺素。砌成此恨無重數。郴江幸自遶郴山，為誰流下瀟湘去？⑭

秦詞(二) 浣溪沙

漠漠輕寒上小樓，曉陰無賴似窮秋。澹煙流水畫屏幽。

自在飛花輕似夢，無邊絲雨細如愁。寶簾閒掛小銀鈎。

足透此中消息；果係詩不如詞，則足透此中消息；否則，亦不必「足透」也。⑮

六十四條詳釋，結束於此。所釋當否？祈高明指正。

【附　註】

① 「沉雄悲壯」，原稿本作「奇思壯采」。「然所作《天籟詞》，……足透此種消息。」原稿本作「然其詞乾枯質實，但有稼軒之貌而神理索然。曲家不能爲詞，猶詞家不能爲詩，讀永叔、少游詩可悟。」

② 《全元雜劇》初二三外編，臺北世界書局影印本。

③ 同上。

④ 白樸《天籟集》，詞曲類，頁六—三九〇。（臺灣商務印書館，《文淵閣四庫全書》影印本。）

⑤ 同上。

⑥ 同上。

⑦ 同上。

⑧ 歐陽修《文忠集》附錄，別集二類，頁六—二七三。（同注④）

⑨ 同上。

⑩ 歐陽修《六一詞》，詞曲類，頁六—三八五。（同注④）

⑪ 同上。

⑫秦觀《淮海集・後集・長短句》，別集二類，頁六－二七六。（同注④）
⑬同上。
⑭秦觀《淮海詞》，詞曲類，頁六－三八五。（同注④）
⑮同上。

第一目　人間詞話綜合述評

第一款　境界

第一項　境界之涵義

境界一詞，衆說紛紜，大致而言，約分爲二：一爲人生修養之境界，此指德而言；一爲文藝造詣之境界，此指才而言。觀堂以境界論詞，亦不外此二途。溯其淵源，始於佛典，玆分別說明於後。

一、佛學所謂之境界

㈠能生智慧之境界——爾燄

境界一語，源出佛學爾燄，又作爾炎。梵語 Jñeya，譯曰所知、境界、智母、智境。謂五明等之法，爲能生智慧之境界者。《勝鬘寶窟》中末曰：

爾燄謂智母，以能生智故，又亦名為智境。則五明等法能生智解，故名智母，為智所照名智境也。

同中末曰：

生智境界為爾炎地。

《玄應音義》十二曰：

梵言爾炎，此譯云所知，亦云應知。

《翻譯名義集》曰：

爾燄，又云境界，由此能知之智，照開所知之境，是則名為過爾燄海。

按五明等之法，爲能生智慧之境界者。五明指聲明、工巧明、醫方明、因明、內明五種學習之智慧。此爲佛學中特殊術語。①

㈡自家勢力所及之境土——境界

一般所謂境界之梵語，則原爲 Visaya，意謂「自家勢力所及之境土。」此指吾人各種感受之「勢力」，由眼、耳、鼻、舌、身、意六根所具備之六識功能而感知之色、聲、香、味、觸、法等六種感受，稱爲「境界」。《俱舍論頌疏》云：

若於彼法，此有功能，卽說彼為此法「境界」。

又云：

彼法者，色等六境也。此有功能者，此六根、六識，於彼色等有見聞等功能也。

又云：

功能所託，名為「境界」，如眼能見色，識能了色，喚色為「境界」。

又我得之果報界域，謂之「境界」。《無量壽經》上曰：

比丘白佛，斯義宏深，非我境界。

《入楞伽經》九曰：

我棄內證智，妄覺非境界。②

二、段玉裁以「邊境四界」謂境界

清段玉裁氏以文字學，據《說文》字義釋境界。許慎《說文》云：「界，竟也。」段氏注云：「竟，俗本作「境」，今正。樂曲盡為「竟」，引申為凡邊竟之稱。「界」之言介也，介者，畫也；畫者，介也，象田四界。③

三、石濤以「畫面界域」謂境界

凡藝術家透過藝術作品所表達之理想界域，此之謂藝術境界。石濤《苦瓜和尚畫語錄·境界》章云：

分疆三疊兩段，似乎山水之失；然有不失之者，如自然疆者：「到江吳地盡，隔岸越山多」是也。每每寫山水，如開闢分破，毫無生活，見之即知。④

按石濤所謂之「三疊」，是指「一層地，二層樹，三層山。」「兩段」是指「景在下，山在上，俗以雲在中，分明隔做兩段。」若此千篇一律，如畫匠之畫，則失之矣。若能行萬里路，觀察自然，胸中自有丘壑，流於丹青，如畫家之畫，則不失矣。石濤論繪畫失與不失，猶觀堂論詞之隔與不隔也。

四、劉公勇以「抽象界域」謂境界

詩詞因體式相異，詞所能表現者，而詩以受形式上之局限，難以表達抽象之界域。劉公勇《七頌堂詞繹》云：

> 詞中境界，有非詩之所能至者，體限之也。⑤

五、袁子才以「興趣神韻」謂境界

滄浪興趣之說，阮亭神韻之論，皆詩之一種風格。袁枚《隨園詩話》云：

> 嚴滄浪借禪喻詩，所謂「羚羊掛角」、「香象渡河」，有神韻可味，無迹象可求。此說甚是，然不過詩中一格耳。阮亭奉為至論，馮鈍吟笑為謬談，皆非知詩者。詩不必首首如是，亦不可不知此種境界。⑥

六、江順詒以「表現情景」謂境界

凡詞中所表現之情感景物，構成一種喜怒哀樂，悲歡離合之情；或表達春夏秋冬，風花雪月之景者，皆謂之境界。江順詒《詞學集成》云：

> 《詞繹》云：詞有與古詩同義者，「瀟瀟雨歇」，易水之歌也。「自是天涯」，麥蔪之詩也。

「又是羊車過也」，團扇之辭也。「夜夜岳陽樓中」，日出當心之志也。「已失了春風一半」，覦居之諷也。「瓊樓玉宇」，天問之遺也。詞又與古詩同妙者，「問甚時同賦三十六陂秋火」，卽灞岸之興也。「關河冷落，殘照當樓」，卽勑勑之歌也。「危樓雲雨上，其下水扶天」，卽明月積雪之句也。「燕子樓空，佳人何在，空鎖樓中燕」，卽平生少年之篇也。詒案：專寫閨幃者，亦知此境界否？⑦

衡諸江氏案語之意，似乎言閨幃詩人，除寫閨中情怨外，不知他種境界。其實寫閨情之詩，何尚不含意深遠，表達各種境界？如白居易《琵琶行》所表達之棄婦吟，以男女喻君臣，流於翰墨。其自序曰：「予出官二年，恬然自安，感斯人言，是夕，始覺有遷謫意，因爲長句歌以贈之，凡六百一十六言，命曰琵琶行。」其詩曰：「……絃絃掩抑聲聲思，似訴生平不得志。低眉信手續續彈，說盡心中無限事。……弟走從軍阿姨死，暮去朝來顏色故；門前冷落車馬稀，老大嫁作商人婦。……我聞琵琶已嘆息，又聞此語重唧唧。同是天涯淪落人，相逢何必曾相識？……淒淒不似向前聲，滿座重聞皆掩泣。座中泣下誰最多，江州司馬青衫濕。」琵琶女年老色衰，商人重利棄婦之情，與夫白居易貶謫江左之境遇何異？同病相憐之悲痛，躍然紙上也。

七、梁啓超以「現實與理想」謂境界

夫人性不能滿足於現實之環境，蓋其有所局限也。故藝術家創造理想之世界，使人陶醉其中，心曠神怡也。梁氏《論小說與羣治之關係》云：

凡人之性，常非能以現境界為自滿足者也。而此蠢蠢軀殼，其所能觸能受之境界，又顽狹短局而至有限也。故常欲於其直接以觸以受之外，而間接有所觸有所受。所謂身外之身，世界外之世界也。……人之讀一小説也，不知不覺之間。而眼識為之迷漾，而腦筋為之搖颺，而神經為之營注。今日變一二焉，明日變一二焉，刹那刹那，相斷相續，久之而此小説之境界。遂入其靈臺而據之，成為一特別之原質之種子。⑧

八、葉鼎彝以「孔子無言」謂境界

夫老子主無爲而順乎自然，孔子主無言而順天應命，其理皆有相似之處，而爲人生修養道德之最高境界。葉鼎彝以之謂無言、神思、興趣、神韻，其本質皆相同也。葉氏《廣境界論》云：

子曰：「予欲無言！」子貢曰：「子如不言，則小子何述焉？」子曰：「天何言哉？四時行焉，百物生焉，天何言哉？」（按：《論語・陽貨》）這一段話，後來注疏家解釋紛紜，可是我以為總嫌着跡，倒不如拿上述諸家的「神思」、「興趣」、「神韻」、「境界」等理論，作為這段話的注脚，為更能得孔子的真意。孔子這寥寥數語，已將諸家的理論包括無遺，所以無論陸機、劉勰、鍾嶸、司空圖、嚴羽、王士禎、王國維諸氏，怎樣翻來覆去地闡明自己的理論，原則上都出不了孔子這「無言」的範圍。這樣說來，第一個倡言「境界」論的還要推孔子，從他的「無言」一直到王國維的「境界」，在本質上，所說的都是一件事，只不過有的標出名目，有的只說理論而已。⑨

九、蕭遙天以「文學造詣終極現象」謂境界

夫境界本有二義，一爲人生修養品德之爐火純青境地，一爲文學藝術造詣之巔峯世界，亦卽蕭遙天氏所謂之終極現象也。蕭氏《語文小論》云：

「境」的本字作「竟」，《說文》：「竟，樂曲盡爲竟，從音，從人，會意。」引申之，凡是終極的都可稱「竟」。……文學的造詣的「終極現象」便稱爲文境、詩境。……比如單說「境」，則這個終極現象是什麼呢？只是空空洞洞不可捉摸的。……《翻譯名義集》曰：「爾燄，又云境界，由能知之智，照開所知之境，是則名爲過爾燄海。……按「由能知之智」，是指內含的知慧，「照開所知之境」，是指外射的景象，「境界」的翻譯，只說明外射的景象，却把內含的知慧這一面忽略了。王氏襲用之，也同樣站不穩。⑩

又云：

「意境」、「意象」，都比「境界」完美得多。⑪

十、李長之以「作品中之世界」謂境界

凡作者皆有其理想與抱負，當其於現實之中而不能滿足之時，故於作品中創造其理想之世界，以哲學言，老子有小國寡民之理想；以文學言，陶淵明有桃花源之世界是也。李長之之說，言之成理。李氏《王國維文藝批評著作批判》云：

境界就是作品中之世界。⑪

十一、陳詠以「鮮明之藝術形象」謂境界

夫宇宙事物之形相，透過作家之意識，所構成之感人動情之畫面，表達鮮明之藝術作品。如元馬致遠《天淨沙》（秋思），其以枯籐、老樹、昏鴉、小橋、流水、平沙、古道、西風、瘦馬、夕陽等形象，而表達「斷腸人在天涯」之國破家亡悲痛之情是也。陳詠《略談境界》云：

「境界」就是鮮明的藝術形象，……「境界」這一概念，也包括着真切感情這個內容。……「境界」這一概念，不單有「形象」與「感情」的內容，而且也有「氣氛」這一意義。⑫

十二、勞榦以「物態與意境」謂境界

夫景物有各種形態，當作者捕捉其形象時，則有顯明或隱晦之別。意識有諸種境地，當作者刻畫其思想時，則有高雅或低俗之分。故勞氏謂物態有顯晦，意境有高低是也。勞榦《論神韵說與境界說》云：

靜安先生所舉的境界，至少包含着兩種性質。在他所稱以「隔」與「不隔」為標準的，不妨稱為「物態」；而更高一層的，包括他所說的「氣象」、「神」，則實在一般說詩的人所稱的「意境」。普通說詩時，物態確實是就顯晦而分的，而意境却是按照高低分的。意境的描述，不是沒有顯晦的區別，但高低却重於顯晦。⑬

十三、柯慶明以「完整自足之生活世界」謂境界

夫作品反映人生，刻畫現實生存之空間，亦表達作者情感所體悟之思想領域。故柯氏以洞察感悟

所統一之完整自足之生活世界，謂之境界。柯慶明《論王國維人間詞話中的境界》云：

我們可以簡單的詮釋境界為：存在於人們的認識之中，為某種洞察感悟所統一了的完整自足的生活世界；這種洞察感悟，則是因為有了某階段某方面生活的體驗而發生。而作品的能否雋永感人，是否有價值，則在於曾否完整地表現了這樣的一個生活世界出來。⑭

十四、姚一葦以「表現藝術」謂境界

夫藝術所表現之境界，確難一言以蔽之。姚氏欲使所界定之意義鮮明，而不願用一含混名詞，嘗試超越傳統，注入嶄新內含，其所謂之境界，約有五端。姚氏《藝術的奧秘》論境界云：

第一：藝術卽表現，藝術的表現，不是抽象的敍述，而是具現人類的行為，具現一種人類行為的模式，用我們的術語，卽具現了一個完整的動作。

第二：藝術卽表現，此一表現同時表露了藝術家的人格。

第三：藝術卽表現，表現了一個形式，同時表現了一個內容，構成了形式與內容間之和諧。

第四：境界一詞，在此係作為評價用語，有有境界、有無境界、有高境界、有低境界。故絕不同於風格。

第五：境界一詞，雖含有主觀的判斷，絕不同於風格。但在美學上，其自身又含有客觀的質與量的差別性。⑮

十五、劉永濟以「人情物象文詞」謂境界

夫神居胸臆之中，苟無外物以資之，則喜怒哀樂之情無由見焉；物在耳目之前，苟無神思以觀之，則聲音容色之美無由發焉；兩者皆備，苟無文詞以表之，則情景交融之境無由生焉。故劉永濟《詞論》云：

文藝之事，析之有三端焉：一者，人情；二者，物象；三者，文詞。文詞者，人情，物象所由之以見者也；人情，物象者，文詞所依之以成者也。三者之相資，若形、神焉，不可須臾離也。故偏舉之，則或稱意境，或稱詞境；統舉之，則渾曰境界而已。⑯

十六、陳茂村以「純粹意象世界」謂境界

夫境界者，必於自然人生，有所深觀洞察，必爲一純粹之意象形態，必是對宇宙人生，有某階段之感悟。故陳茂村《王國維人間詞話研究》云：

境界者，詩人靜觀宇宙人生，有某階段之洞燭感悟，呈乎其心而再現之於美術上之一純粹意象世界也。⑰

十七、許文雨以「眞實自然」謂境界

夫文學作品，貴眞實而賤虛僞，重自然而輕矯揉。故許文雨《人間詞話講疏》云：

妙手造文，能使其紛沓之情思，為極自然之表現，望之不啻為真實之暴露，是卽作者辛勤締造之境界。……故必真實，始得謂之境界，必運思循乎自然之法則，始能造此境界。⑱

十八、吳宏一以「傳達眞感情眞景物」謂境界

夫情感眞摯，則沁人心脾；景物眞切，則如在目前。吳宏一《王靜安境界說的分析》云：

> 王靜安的境界說，是重視自然的、真切的。據王靜安的說法，要是在表現技巧上，能合乎自然的法則，能夠不隔不游，將意（情趣）境（意象）——真感情真景物傳達給讀者，而引起讀者共鳴的，便是有「境界」。⑲

十九、葉嘉瑩以「鮮明眞切表現感受」謂境界

夫鮮明眞切之表現與感受者，謂作家對人生經歷之深刻體悟，以鮮明眞切之形象表現之，而引起讀者共鳴之謂也。葉嘉瑩《王國維的文學批評》云：

> 《人間詞話》中所標舉的「境界」，其含義應該乃是說凡作者能把自己所感知之「境界」，在作品中作鮮明真切的表現，使讀者也可得到同樣鮮明真切之感受者，如此才是「有境界」的作品。⑳

二十、黃志民以「人生映現」謂境界

夫文學反映人生，蓋人有生老病死，悲歡離合，物有成住壞空，月有陰晴圓缺，時有春夏秋冬，此乃千古以來反複循環之現象。文學家以仁愛之心，推己及人，關愛宇宙萬物，運用敏銳之頭腦，透過生花之妙筆，創造可歌可泣感人肺腑之不朽傑作。黃志民《人間詞話之境界說及其商榷》云：

> 文學就是人生境界的映現，而「一樣米飼百樣人」，人生的境界各有不同，映現在文學上的境界也就彩麗紛繁，眩人耳目。……「境界」應是透過文字所展現的作者對於現實的理解、關懷

的層次，這層次本身有高低廣狹的不同，而其基本區別就在於那愛心的程度之高低、範圍之廣狹。透過文字技巧所塑造的美的形式，並不是「境界」的真諦。㉑

黃氏所謂境界，雖與王國維所謂之境界不合，然其所標舉之文學精神言，確是切中肯綮之論。

廿一、司空圖以「眞實詩境」謂境界

此外，單論境者，以詩論言，首見於司空圖《二十四詩品》，其中《實境》一品，乃言眞實之詩境，如詩人隱居山林悠然自得之境界也。其論曰：

> 取語甚直，計思匪深。忽逢幽人，如見道心。清澗之曲，碧松之陰。一客荷樵，一客聽琴。情性所至，妙不同尋，遇之自天，泠然希音。㉒

廿二、劉熙載以「美妙超詣」謂境界

夫美學爲文學不可或缺之要素，兩者關係至爲密切，如飲食之乏鹽，則淡而寡味也。故司空圖論詩以美，嚴滄浪論詩以妙，而劉熙載則以此境論詞也。其《詞概》云：

> 司空表聖云：「梅止於酸，鹽止於鹹，而美在酸鹹之外。」嚴滄浪云：「妙處透澈玲瓏，不可湊泊；如水中之月，鏡中之象。」此皆論詩也，詞亦得以此境為超詣。㉓

廿三、沈德潛以「修養造詣」謂境界

文學作品，既可反映人生，知其造詣；亦可從中窺其品德，知其修養境界也。沈德潛《淸詩別裁集》論謝方山詩云：

集》淡然無味，自足品流，此境最是難得。㉔

廿四、鹿儉岳以「情意景物」謂境界

夫境有內外之別，內境卽心境，指情意而言；外境卽物境，指景物而言，作品中所表現者，不外情意與景物，所謂情景交融是也。鹿儉岳《儉持堂詩序》云：

神智才情，詩所探之內境也；山川草木，詩所借之外境也。㉕

廿五、江順詒以「詩詞曲意境」謂境界

此外，或有以意境言境界者，如江順詒《詞學集成》，其言詩詞曲三者之意境不同，若以末句論之，則失之矣。其論曰：

王阮亭云：或問詩詞分界。余曰：「無可奈何花落去，似曾相識燕歸來。」定非香奩詩。「良辰美景奈何天，賞心樂事誰家院。」定非草堂詞。詒案：《會真記》之「碧雲天，黃花地。」非卽范文正之「碧雲天，黃葉地」乎？詩詞曲三者之意境各不同，豈在字句之末？㉖

廿六、陳廷焯以「詞中意境」謂境界

陳氏論詞，往往以意境爲評，如言柳永詞，意境不高；言納蘭詞，意境不深厚。其《白雨齋詞話》云：

論柳永詞曰：「耆卿詞善於鋪叔，羈旅行役，尤屬善長，然意境不高。」㉗

論納蘭詞曰：「容若飲水詞在國初亦推作手，較東白堂詞似更閒雅，然意境不深厚，措辭亦淺

顯。」㉘

廿七、況周頤以「詞中名句」謂境界

況氏論詞，謂汲取名句，融會而貫通之也。其《詞學講義》云：

讀詞之法，取前人名句，意境絕佳者，將此意境締構於吾想望中。㉙

廿八、劉任萍以「意境」謂境界

劉氏以境界之義，謂合意與境二者而言也。其《境界論及其稱謂的來源》云：

「境界」之含義，實合「意」與「境」二者而成。

廿九、王夢鷗師亦主「意境」謂境界

王師之論境界，亦主意境，而引普門法師之《詩論》云：

詩家云：「鍊字莫如鍊句，鍊句莫如鍊格，格高本乎琢句，句高則格勝矣。天下之詩，莫出乎二句，一曰意句，一曰境句。境句易琢，意句難製；境句人皆得之，獨意句不得其妙者，蓋不知其旨也。」（《文藝美學》）故主張改「境界」為「意境」耳。㉚

三十、林琴南以「文章立意」謂境界

以上皆論詩詞，此外，以論文者，如林紓之以文章立意論境界者，其《畏廬文集》云：

文章唯能立意，方能造境；境者，意中之境也。㉛

意境者，文之母也，一切奇正之格，皆出於是間，不講意境，是自塞其途，終身無進道之日

矣。㉜

綜上諸說，凡言「境界」「境」「意境」者，無論其論詩、論詞、論文，皆傳統之文學評論，其義一也。至於王國維亦以「境界」論詞，除承襲傳統文學理論外，並吸收西方之文學思想，諸如康德哲學，叔本華之美學等，融合中西，賦予新義，而爲文學批評之尺度也。

「境界」之涵義，《人間詞話》中未嘗對之有明確之定義；吾人僅能綜合其所作零散詞論而作推論。其所作零散詞論，無一則不與「境界」之涵義有關；而最有直接關係者，則爲《人間詞話》中之第一、六、七、九之四條。爲免作推論時翻閱之勞，特將此四條錄之於後：

一

詞以境界爲上。有境界則自成高格，自有名句。五代、北宋之詞所以獨絕者在此。

六

境非獨謂景物也。喜怒哀樂，亦人心中之一境界。故能寫眞景物、眞感情者，謂之有境界，否則謂之無境界。

七

「紅杏枝頭春意鬧」，著一「鬧」字，而境界全出。「雲破月來花弄影」，著一「弄」字，而境界全出矣。

九

嚴滄浪詩話謂：「盛唐諸公，唯在興趣。羚羊掛角，無跡可求。故其妙處，透澈玲瓏，不可湊拍。如空中之音，相中之色，水中之影，鏡中之象，言有盡而意無窮。」余謂：北宋以前之詞，亦復如是。然滄浪所謂「興趣」，阮亭所謂「神韻」，猶不過道其面目；不若鄙人拈出「境界」二字，爲探其本也。

據此四條而作「境界」涵義之推論如下：

第一推論

作品有感情，謂之有境界；否則，謂之無境界。

草長鶯飛二月天，拂堤楊柳醉春煙。兒童散學歸來早，忙趁東風放紙鳶。（高鼎《村居》詩）

詩中有輕鬆、愉快、爽朗、生氣勃勃、……之類之感情；故此詩有境界。

茅檐低小，溪上青青草。醉裏吳音相媚好。白髮誰家翁媪？大兒鋤豆溪東，中兒正織鷄籠，最喜小兒無賴，溪頭臥剝蓮蓬。（辛棄疾《村居》詞）

詞中有幽靜宜人、和諧有趣、怡然自得、……之類之感情；故此詞有境界。

天子重英豪，文章敎爾曹。萬般皆下品，惟有讀書高。（《神童詩》）

詩中純以道學面孔說理，毫無感情可言；故此詞無境界。

人事幾時窮？我性偏宜靜。世上誰無富貴心？到了須由命。閒裏且偷安，醉後休教醒。醉裏高歌妙入神，妙處君須聽。（呂勝己《卜算子》詞）

詞中純以冷靜理智說理，毫無感情可言；故此詞無境界。

第二推論

作品中有眞感情，謂之有境界；否則，謂之無境界。

永日方慼慼，出門復悠悠。女子今有行，大江泝輕舟。爾輩況無恃，撫念益慈柔。幼為長所育，兩別泣不休。對此結中腸，義往復難留。自小闕內訓，事姑貽我憂。賴茲託令門，仁卹庶無尤。貧賤誠所尚，資從豈待周？孝恭遵婦道，容止順其猷。別離在今晨，見爾當何秋？居閒始自遣，臨感忽難收。歸來視幼女，零淚緣纓流。（韋應物《送楊氏女》詩）

詩中眞感情之濃厚，令人落淚無已；故此詩有境界。

十年生死兩茫茫，不思量，自難忘。千里孤墳，無處話淒涼。縱使相逢應不識，塵滿面，鬢如霜。夜來幽夢忽還鄉。小軒窗，正梳妝。相顧無言，惟有淚千行。料得年年腸斷處，明月夜，短松岡。（蘇軾《江城子〈乙卯正月二十日夜記夢〉》詞）

詞中眞感情之充沛，令人不勝歔欷；故此詞有境界。

彭薛裁知恥，貢公未遺榮。或可優貪競，宜足稱達生？伊余秉微尚，拙訥謝浮名。廬園當棲岩，卑位代躬耕。顧己雖自許，心跡猶未並。無庸方周任，有疾像長卿。畢娶類向子，薄遊似邴生。恭承古人意，促裝返柴荆。牽絲及元興，解龜在景平。負心二十載，於今廢將迎。理棹遄還期，遵渚騖脩坰。遡溪終水涉，高嶺始山行。野曠沙岸淨，天高秋月明。憩石挹飛泉，攀林搴落英。戰勝臞者肥，止監流歸停。卽是義唐化，獲我擊壤情。（謝靈運《初去郡》詩）

詩中謊言連天，感情極端虛假；故此詩無境界。

（假感情、無境界之詞之例，難以舉出；故從略。）

第三推論

作品中之眞感情，出於具體表現時，謂之有境界；出於抽象表現時，謂之無境界。

所謂「具體表現」，卽：一般所謂「情景（意境）交融」。亦卽：情必於景中表出，景全然爲情而設。如：表愁情。能無半個「憂」「愁」「煩」「悶」……之類抽象字眼而能以景寫之，以使讀者愁情萬縷，揮之不去。斯則爲寫愁情之最上乘、最具體表現。寫他情亦然。寫一切情皆然。

所謂「抽象表現」，卽：以說明、議論文字，抽象字眼，將情直接叫嚷而出。

朱雀橋邊野草花，烏衣巷口夕陽斜。
舊時王謝堂前燕，飛入尋常百姓家。（劉禹錫《烏衣巷》詩）

詩中無一字有「榮華富貴，轉眼成空；人生實應達觀。」之叫嚷；而令人讀之油然而生滄桑之感，達觀之情。故此詩爲有境界。

莫問逢春能幾回，能歌能笑是多才；露花猶有好枝開。
綠鬢舊人皆老大，紅梁新燕又歸來；儘須珍重掌中杯。（晏幾道《浣溪沙》詞）

（標準「具體表現」之詞之例，無法舉出；乃求其次而舉此例。）

此詞亦無一字有「人生應達觀」之叫嚷，而亦能令人讀之生達觀之情。故此詞亦爲有境界。

得失榮枯總由天，機關用盡枉徒然。人心不足蛇吞象，世事到頭螂捕蟬。
無藥可延卿相壽，有錢難買子孫賢。得過一日過一日，一日清閑一日仙。（羅洪先《勸世詩》）

此詩所表「人生應達觀」之感情，乃以說明、議論文字抽象表出；故此詩爲無境界。

老子齊頭六十，新年第一今朝。放開懷抱不須焦，萬事付之一笑。
煙柳放翠翠斂，露桃獻笑紅妖。已拌行樂到元宵，尚可追隨年少。（馮取洽《西江月》詞）

此詞所表「人生應達觀」之感情，亦係以說明、議論文字抽象表出；故此詞亦爲無境界。

綜上三推論，吾人可得「境界」之「一言以蔽之」之定義如下：

作品中，有「具體表現眞感情」之內容時，爲有境界；否則，爲無境界。

此乃謂全篇之境界。境界，除全篇之境界外，尚有篇中語句之境界。茲以「第四推論」說明之如下：

第四推論

作品語句中，用字恰到好處，則此語句爲有境界；否則，此語句，爲無境界。

京口瓜洲一水間，鍾山只隔數重山。
春風又綠江南岸，明月何時照我還？（王安石《泊船瓜洲》詩）

詩中「春風又綠江南岸」之句，著一「綠」字，則境界全出；倘換以「到」字、「過」字、「入」字或「滿」字，則境界全失矣。

檻菊愁煙蘭泣露，羅幙輕寒，燕子雙飛去。明月不諳離恨苦，斜光到曉穿朱戶。
昨夜西風凋碧樹，獨上高樓，望盡天涯路。欲寄彩牋兼尺素，山長水闊知何處？（晏殊《鵲踏枝》詞）

詞中「檻菊愁煙蘭泣露」之句，愁煙，愁於煙而又愁如煙。泣露，泣於露而又泣似露。著此二語，則此句之境界全出。又，「斜光到曉穿朱戶」之句，著一「穿」字，則此句之境界全出；若換以「照」字、「映」字或「入」字，則境界全失矣。

【附　注】

① 《佛學大辭典》第十五册，頁二四五八。一九二五年，上海醫學書局再版本。
② 同上，第十四册，頁二八四九。
③ 清段玉裁《說文解字注》卷十三下。臺灣商務印書館《萬有文庫》本，第十四册，頁八九。
④ 石濤《畫語錄》譯解，境界章第十，頁四二，一九六三年版。
⑤ 劉公勇《七頌堂詞繹》，唐圭璋《詞話叢編》第二册，頁六二七，一九六六年，廣文書局。

⑥ 袁枚《隨園詩話》，卷八，頁七，民國六十年，廣文書局。
⑦ 江順詒《詞學集成》，《詞話叢編》册九，頁三三五一。
⑧ 梁啓超《飲冰室全集》，頁二七一，民國六十三年，文化圖書公司。
⑨ 葉鼎彝《廣境界論》，何志韶編《〈人間詞話〉研究彙編》，頁六五—六六，民國六十年，巨浪出版社修正再版本。
⑩ 蕭遙天《語文小論》，頁四—五。
⑩ 同上，頁五〇。
⑪《文學季刊》創刊號，頁二四三，一九三四年，北平立達書局。
⑫《文學遺產》第一八八期。
⑬ 何志韶編《人間詞話研究彙編》，頁一七六—一七七。
⑭ 同上，頁二三四。
⑮ 姚一葦《藝術的奥秘》第十一章「論境界」，頁三二三—三二四，民國五十八年，開明書店再版本。
⑯ 劉永濟《詞論》，卷下，作法，頁七一—七二，民國七十一年。
⑰ 陳茂村《王國維人間詞話研究》，頁七九，民國六十四年，政大中文研究所。
⑱ 許文雨《文論講疏》（人間詞話），民國五十六年，正中書局臺一版。
⑲ 同注⑬，頁一八六。
⑳《王國維的文學批評》頁二二一。

㉑《中華學苑》第廿九期，頁八〇—九〇。
㉒司空圖《二十四詩品》，《詞話叢刊》上冊，頁三十五。民國六十年，弘道出版公司。
㉓劉熙載《詞概》，《詞話叢編》冊十一，頁三七八七。
㉔沈德潛《清詩別裁集》，頁一〇四。商務印書館《萬有文庫》本，一九五八年版。
㉕轉引自蕭遙天《語文小論》，頁一。
㉖同注⑦，頁三二六〇—三二六一。
㉗陳廷焯《白雨齋詞話》，《詞話叢編》冊十一，頁三八〇三。
㉘同注㉗，頁三八〇七。
㉙轉引自汪雨盦《清詞金荃》，頁一五六，學生書局。
㉚王夢鷗師《文藝美學》，新風出版社。
㉛周振甫《林畏廬的文章論》，國文月刊上卷，頁六十，民國六十年，泰順書局。
㉜同上。

第二項　境界說與興趣說、神韻說之比較

《人間詞話》第九條，有如下之語：

滄浪所謂「興趣」，阮亭所謂「神韻」，猶不過道其面目，不若鄙人拈出「境界」二字，為探其本也。

「詳釋九」，嘗承認其語之無誤。此乃立於另一立場而云然。確定王氏其語之誤否，可有二立場：一爲就「境界」「興趣」「神韻」三者之基本涵義而論。一爲就解釋此三者之涵義時措詞之不同而論。「詳釋九」之論定，係採後者之立場。此處重在三說之比較，乃採前者之立場而復作評述如下：

三說涵義之要點：

㈠境界說　涵義之要點爲「具體表現眞感情」。

㈡興趣說　興趣說爲嚴羽所倡。其說無系統理論。其所著《滄浪詩話》中，有如下之語，可視爲其說涵義之要點：

夫詩有別材，非關書也。詩有別越，非關理也。然非多讀書、多窮理，則不能極其至。所謂不涉理路、不落言詮者，上也。詩者，吟咏性情也。盛唐諸人，惟在「興趣」。羚羊掛角，無跡可求。故其妙處，透澈玲瓏，不可湊泊。如空中之音，相中之色，水中之月，鏡中之象；言有盡而意無窮。①

「言有盡而意無窮」，爲極簡賅之涵義要點。

㈢神韻說　神韻說爲王士禎所倡。其說亦未有系統理論。其要點，可於其所著之《唐賢三昧集序》及《漁洋詩話》中之若干語見出。《唐賢三昧集序》云：

嚴滄浪論詩云：「盛唐諸人，惟在興趣。羚羊掛角，無跡可求。透澈玲瓏，不可湊泊。如空中之音，相中之色，水中之月，鏡中之象。言有盡而意無窮。」司空表聖論詩亦云：「味在酸鹹之外。」康熙戊辰，自京師歸，居於宸翰堂。日取開元、天寶諸公之篇什讀之。於二家之言，別有心會。②

《漁洋詩話》云：

戴叔倫論詩云：「藍田日暖，良玉生煙。」司空表聖云：「不着一字，盡得風流。……神出古異，澹不可收。……采采流水，蓬蓬遠春。……明漪見底，奇花初胎。……晴雪滿休，隔溪漁舟。」劉蛻《文冢銘》云：「氣如蛟宮之水。」嚴羽云：「如鏡中之象，水中之月。……如羚羊掛角，無跡可求。」姚寬《西溪叢話》載《古琴銘》云：「山高溪深，萬籟蕭蕭。古無人蹤，惟石崔嶢。」東坡《羅漢贊》云：「空山無人，水流花開。」王少伯詩云：「空山多雨雪，獨立君始悟。」③

至「神韻」一辭之提出，始則王士禎早年有《神韻集》之輯，繼則王士禎晚年於其所著《池北偶談》中，嘗引孔文谷說，謂：論詩以淸遠爲尙，而其妙則在神韻。

其中「不着一字，盡得風流。」爲極簡賅之涵義要點。

上三說之涵義要點，雖措詞不同，而基本意義則無異。玆以「言有盡而意無窮」爲準而同之，則爲：「具體表現眞感情」，則必「言有盡而意無窮」。如：《烏衣巷》詩。乃「具體表現眞感情」之詩。其言僅有二十八，可謂「言有盡」；而其所暗示之「榮華富貴，轉眼成空。」之意，能使千千萬萬人興「達觀」之念，且必興至無窮之境。可謂「意無窮」。「不著一字，盡得風流。」亦必「言有盡而意無窮」。此亦可以《烏衣巷》詩爲例而釋之。

於此，吾人可得一結論：三說之基本涵義，皆爲「言有盡而意無窮」。故就此基本涵義言，則三說固未嘗有「孰爲『面目』？」「孰爲『探本』？」之別也。

王國維「境界說」，詳如前項「境界之涵義」，以及後款「境之種類」剖析，此不贅述。至於滄浪「興趣說」，漁洋「神韻說」，玆再闡述如次，以明其學說之梗概，而免致誤解也。

甲、滄浪「興趣說」

滄浪論詩之主旨，惟「禪悟」二字；故其《詩話》，一以「禪」喻詩，一以「悟」論詩。溯其淵源，擇要縷述於后。

宋王應麟《困學紀聞》載唐戴叔倫語云：

詩家之景，如藍田日暖，良玉生煙，可望不可卽。④

又《全唐詩》卷十載戴叔倫《送道虔上人遊方詩》云：

律儀通外學，詩思入禪關；煙景隨緣到，風姿與道閑。⑤

所謂「日暖生煙」「煙景隨緣」，十足禪味，可謂以禪喻詩之冠冕。

宋蘇軾題李之儀詩云：

暫借好詩消永夜，每逢佳處卽參禪。

又李之儀《姑溪居士後集》卷一《贈祥瑛上人》詩云：

得句如得仙，悟筆如悟禪。

又其《前集》卷廿九《與李去言書》云：

説禪作詩本無差別，但打得過者絶少。

又其《前集》卷五《次韻君俞》云：

文章老去豈能神。語解驚人固有神。

又其《後集》十二《學書十絶》之一云：

心非可見舌能陳，隨語成章自有神。⑥

李氏之説，雖有論書法之語，然皆言神化者也。

宋曾幾《讀呂居仁舊詩有懷》云：

學詩如參禪，愼勿參死句，縱横無不可，乃在歡喜處；又如學仙子，辛苦終不遇，忽然毛骨換，政用口訣故。

居仁説活法，大意欲人悟；常言古作者，一一從此路。

豈惟如是説，實亦造佳處；其圓如金彈，所向若脫兎；風脫春空雲，頃刻多態度；鏘然奏琴筑，間以八珍具。人誰無口耳，寧不起欣慕！

其以禪喩詩，流於翰墨矣！

葛天民《寄楊誠齋詩》云：

參禪學詩無兩法，死蛇解弄活鱍鱍；氣正心空眼自高，吹毛不動全生殺。生機熟語却不俳，近代唯有楊誠齋；才名萬古付公論，風月四時輸好懷。知公別具頂門竅，參得徹兮吟得到；趙州禪在口頭邊，淵明詩寫胸中妙。

又其《訪紫芝回與子舒集詩》云：

君參唐句法，親得浪仙衣。

其參禪學詩，躍然紙上矣！

宋楊萬里贈趙著詩云：

西昌主簿如禪僧，日餐秋菊嚼春冰。

趙蕃嘗檃括呂氏《與曾吉甫第二帖》中語爲詩云：

若欲波瀾闊，規模須放弘；端由吾養氣，匪自歷階升；勿漫工夫覓，況於治擇能！斯言誰語汝，呂昔告於曾。

又其《詩法》詩云：

問詩端合如何作，待欲學耶無用學。今一脫翁曾總角，學竟無方作無略。欲從鄙律恐坐縛，力若不足還病弱。眼前草樹聊渠若，子結成陰花自落。

又其《和吳可學詩》云：

學詩渾似學參禪，識取初年與暮年；巧匠曷能雕朽木，燎原寧復死灰燃。

學詩渾似學參禪，要保心傳與耳傳；秋菊春蘭寧易地，清風明月本同天。

學詩渾似學參禪，束縛寧能句與聯；四海九州何歷歷，千秋萬歲孰傳傳。

其言學詩如參禪，詩中反複致意，萬里喻以禪僧，可謂知人矣！

戴復古《論詩十絕》云：

欲參詩律似參禪，妙趣不由文字傳；箇裡稍關心有悟，發為言句自超然。

禪宗主頓悟，不立文字，戴氏論詩亦然。

楊夢信《題亞愚江浙紀行集句詩》云：

學詩元不離參禪，萬象森羅總現前；觸着見成佳句子，隨機飣餖便天然。

徐瑞《松巢漫稿·論詩》云：

大雅久寂寥，落落為誰語；我欲友古人，參到無言處。

又其《雪中夜坐雜詠》云：

文章有皮有骨髓，欲參此語如參禪；我從諸老得印可，妙處可悟不可傳。

所謂「學詩元不離參禪」「參到無言處」「妙處可悟不可傳」，皆禪宗心法也。

郭紹虞《宋詩話輯佚》錄范溫《潛溪詩眼》云：

學者先以識為主，禪家所謂正法眼，直須具此眼目，方可入道。

又云：

識文章者，當如禪家有悟門，夫法門百家差別，要須自一轉語悟入；如古人文章直須先悟得一處，乃可通其他妙處。

又云：

老杜櫻桃詩……如禪家所謂信手拈來頭頭是道者，直須目前所見，平易委曲，得人心所同然，但他人艱難不能發耳。

所謂「禪家法眼」「禪家悟門」「頭頭是道」，簡直如禪僧悟道矣。

楊萬里《誠齋集》卷四十一《進退格寄張功甫姜堯章詩》云：

尤蕭范陸四詩翁，此後誰當第一功，新拜南湖為上將，更差白石作先鋒。⑦

按張功甫即張鎡之字，一字時可，號約齋，其《南湖集》卷五《詩本》詩云：

詩本無心作，君看蝕木蟲；旁人無鼻孔，我輩豈神通！風雅難齊駕，心胸未發蒙；吾雖知此理，恐墮見聞中。

又其《題尚友軒》云：

作者無如八老詩，古今模軌更求誰！淵明次及寒山子，太白還同杜拾遺；白傳東坡俱可法，涪翁無己總堪師；胸中活底仍須悟，若泥陳言却是癡。

又其《南湖集》卷七《攜楊秘監詩一編登舟因成二絕》云：

造化精神無盡期，跳騰踔厲即時追；目前言句知多少，罕有先生活法詩。

又其《南湖集》卷九《覓句》云：

覓句先須莫苦心，從來瓦注勝如金；見成若不拈來使，箭已離絃作麼尋！⑧

其所謂「詩本無心作」「胸中活底仍須悟」「造化精神無盡期」「覓句先須莫苦心」，皆論詩之禪悟也。

張煒《芝田小詩》《學吟》云：

池塘春草英靈處，水月梅花穎悟時。我亦學吟功未進，每將此理叩心師。

鄧允端《題社友詩稿》云：

詩裏玄機海樣深，散於章句領於心。會時要似庖丁刄，妙處應同靖節琴。

葉茵《順適堂吟稿》《二子讀詩戲成》云：

翁琢五七字，兒親三百篇；要知皆學力，未可以言傳。得處有深淺，覺來無後先；殊途歸一轍，飛躍自魚鳶。

綜上所述，可知以禪悟論詩，不始於滄浪；易言之，滄浪論禪悟，不過集前人成說，非其創見也。

至於滄浪論禪，所謂「羚羊掛角，香象渡河」者，袁枚《隨園詩話》云：

孔子與子夏論詩曰：「窺其門未入其室，安見其奧藏之所在乎？前高岸，後深谷，冷冷然不見其裏，所謂深微者也。⑨

所謂「安見奧藏」「不見其裏」，豈非滄浪此語之先聲乎。

又所謂「不涉理路，不落言筌」者，傅占衡《釋竺裔詩序》云：

昔嚴儀卿以禪論詩，余嘗申其說焉：教外有禪，始悟律苦；詩中有律，未覺詩亡，兩者先後，略相同異。然大要縛律迷真，無論詩之與禪，均是病痛耳。

又云：

傯然繩墨之中，卽禪而不禪也，不律而律也；飄然蹊逕之外，卽律而不律也，不禪而禪也。

若「縛律迷眞」「傯然繩墨」，不僅涉及理路，而且落入言筌矣。反之，「飄然蹊逕」之外，則如滄浪斯言矣。

郭紹虞以爲「不涉理路不落言筌」「羚羊掛角無迹可求」，同於一般詩禪說。「以禪喩詩」，則爲滄浪之特見。其《中國詩的神韻格調及性靈說》云：

我覺得滄浪之詩禪說，可以分別二義：他所謂「不涉理路，不落言筌」與「羚羊掛角，無迹可求」云云，這是以禪論詩，其說與以前一般的詩禪說同。至他所謂「學者須從最上乘，具正法眼，悟第一義，」與「入門須正，立志須高」云云，乃是本於《潛溪詩眼》之說，而加以闡發，這是以禪喩詩，這纔是滄浪的特見。⑩

其又自注云：

實則滄浪以前，也有言此意者，張鎡《南湖集》三《次韻曾侍郎》云：「了知着脚最高處，不局晚唐脂粉路。」此卽滄浪取法乎上之意，或為滄浪之所本。[11]

至於滄浪論悟，亦有二義，一爲「透徹之悟」，一爲「第一義之悟」。郭紹虞《中國詩的神韻格調及性靈說》云：

我們須知滄浪之所謂悟，與其論禪一樣，也應分別二義：一是所謂透澈之悟，一是所謂第一義之悟。透澈之悟，由於以禪論詩，只是指出禪道與詩道有相通之處，所以與禪無關；第一義之悟，由於以禪喻詩，乃是以學禪的方法去學詩，所以與禪有關。[12]

滄浪論透澈之悟，其說如下：

悟有深淺，有分限；有透澈之悟，有但得一知半解之悟。漢魏尚矣，不假悟也，謝靈運至盛唐諸公，透澈之悟也；他雖有悟者，皆非第一義也。[13]

夫詩有別材，……言有盡而意無窮。（本段見前所錄不贅）

滄浪之論第一義之悟，其說如下：

禪家者流，乘有小大，宗有南北，道有邪正，學者須從最上乘，具正法眼，悟第一義；若小乘禪聲聞辟支果，皆非正也。論詩如論禪：漢魏晉與盛唐之詩，則第一義也；大曆以還之詩，則小乘禪也，已落第二義矣；晚唐之詩，則聲聞辟支果也。學漢魏晉與盛唐詩者，臨濟下也；學大曆以還之詩者，曹洞下也。……吾評之非僭也，辯之非妄也。天下有可廢之人，無可廢之言：詩道如是也！若以為不然，則是見詩之不廣，參詩之不熟耳。試取漢魏之詩而熟參之，次取晉宋之詩而熟參之，次取南北朝之詩而熟參之，次取沈宋王楊盧駱陳拾遺之詩而熟參之，次取開元天寶諸家之詩而熟參之，次獨取李杜二公之詩而熟參之，又盡取晚唐諸家之詩而熟參之，又取本朝蘇黃以下諸家之詩而熟參之，其真是非自有不能隱者。倘猶於此而無見焉，則是野狐外道，蒙蔽其真識，不可救藥，終不悟也。⑭

夫學詩者以識為主：入門須正，立志須高；以漢魏晉盛唐為師，不作開元天寶以下人物。若自退屈，卽有下劣詩魔入其肺腑之間，由立志之不高也；行有未至，可加工力，路頭一差，愈騖愈遠，由入門之不正也。故曰學其上僅得其中，學其中斯為下矣；又曰，見過於師，僅堪傳授，見與師齊，減師半德也。工夫須從上做下，不可從下做上。先須熟讀《楚辭》朝夕諷詠，以為之本；及讀古詩十九首，樂府四篇，李陵蘇武漢魏五言，皆須熟讀，卽以李杜二集枕籍觀之，如今人之治經，然後博取盛唐名家醞釀胸中，久之自然悟入；雖學之不至，亦不失正路，此乃是從頂顊上做來，謂之向上一路，謂之直截根源，謂之頓門，謂之單刀直入也。⑮

滄浪宗李杜，主盛唐之說，葉燮指其謬戾矛盾。其《原詩》云：

羽之言曰：「學詩者以識為主，入門須正，立意須高，以漢魏晉盛唐為師，不作開元天寶以下人物；若自退居，卽有下劣詩魔入其肺腑。」夫羽言學詩須識，是矣。旣有識，則當以漢魏六朝全唐及宋之詩悉陳於前，彼必自能知所決擇，知所依歸，所謂信手拈來，無不是道；若云漢魏盛唐，則五尺童子，三家村塾師之學詩者，亦熟於聽聞，得於授受久矣。如康莊之路，衆所羣趨，卽瞽者亦能相隨而行，何待有識而方知乎？吾以為若無識，則一一步趨漢魏盛唐而無處不是詩魔；苟有識卽不步趨漢魏盛唐而詩魔悉是智慧，仍不害漢魏盛唐也。羽之言何其謬戾而意且矛盾也！⑯

滄浪不以實證實悟之「方法」教人，而竟以實證實悟之「成果」示人，故遭葉氏所譏也。

錢牧齋《唐詩英華序》云：

學者沿途覓跡，搖手側目，吹求形影，摘抉字句，曰，此第一第二義也；曰，此大乘小乘也；曰，是將夷而為中為晚。盛唐之牛跡兔徑，詭乎其唯恐其折而入也。目翳者別見空華，熱腸者旁指鬼物。嚴氏之論詩，亦其翳熱之病耳；而其疾傳染於後世，舉目皆嚴氏之青也，發言皆嚴氏之譫也；而互標表期，以槩天下之詩病，豈不慎哉！⑰

難怪郭紹虞更慨乎言之曰：「他本要去掉下劣詩魔，而不知下劣詩魔卻搖身一變，卽潛藏在其詩論中間。這豈是滄料所及料」！

袁枚《隨園詩話》卷八云：

嚴滄浪借禪喻詩，所謂羚羊掛角，香象渡河，有神韻可味，無迹象可尋，此說甚是，然不過詩中一格耳。阮亭奉為至論，馮鈍吟笑為謬談，皆非知詩者。詩不必首首如是，亦不可不知此種境界。如作近體短章不是半吞半吐，超超元箸，斷不能得絃外之音，甘餘之味；滄浪之言如何可詆！若作七古長篇五言百韻卽以禪喻，自當天魔獻舞，花雨彌空，雖造八萬四千寶塔不為多也，又何能一羊一象，顯渡河掛角之小神通哉！總在相題行事，能放能收，方稱作手。⑱

隨園之說，雖與滄浪不盡相同，然亦可謂持平之論。

乙、漁洋「神韵說」

漁洋論詩之主旨，惟「義理」二字；故其《詩話》，一以禪「義」言詩，一以禪「理」論詩。以禪義言詩者，則詩卽禪而禪卽詩，神韵天然，不可湊拍。其《蠶尾續文》二，《畫溪西堂詩序》云：

> 嚴滄浪以禪喻詩，余深契其說，而五言尤為近之。如王維《輞川絶句》，字字入禪；他如「雨中山果落，燈下草蟲鳴」，「明月松間照，清泉石上流」，以及太白「却下水精簾，玲瓏望秋月」，常建「松際露微月，清光猶為君」，浩然「樵子暗相失，草蟲寒不聞」，劉昚虛「時有落花至，遠隨流水香」，妙諦微言，與世尊拈花，迦葉微笑，等無差別，通其解者，可語上乘。⑲

又《居易錄》卷二十云：

> 象耳袁覺禪師嘗云：「東坡云：我持此石歸，袖中有東海。山谷云：惠崇煙雨蘆雁，坐我瀟湘洞庭，欲喚扁舟歸去，傍人云是丹青。此禪髓也。」予謂不惟坡谷，唐人如王摩詰、孟浩然、

劉昚虛、常建、王昌齡諸人之詩，皆可語禪。

又云：

白楊順禪師偈：「落林黃葉水流去，出谷白雲風捲回。」作文字觀，亦是妙句。⑳

所謂「拈花微笑」「禪髓禪語」，非神韻而何？此即以禪義言詩也。

至於以禪理論詩，則詩禪相通，而詩句不必入禪，不必含禪義。漁洋《居易錄》卷十二云：

陳后山云：韓文黃詩，有意故有工，若左杜無工矣，然擧左杜，先由韓黃，此語可為解人道。

又《居易錄》卷二十一云：

《僧寶傳》石門聰禪師謂達觀曇穎禪師曰：此事如人學書，點畫可效者工，否則拙。何以故？未忘法耳。如有法執，故自為斷續，當筆忘手，手忘心，乃可。此道人語，亦吾輩作詩文真訣。㉑

又《香祖筆記》卷八云：

捨筏登岸，禪家以為悟境，詩家以為化境，詩禪一致，等無差別。大復《與空同書》引此，正自言其所得耳。顧東橋以為英雄欺人，誤矣。豈東橋未能到此境地，故疑之耶？

又《香祖筆記》卷十二云：

《朱少章詩話》云：黃魯直獨用崑體工夫，而造老杜渾成之地，禪家所謂更高一著也。此語入微，可與知者道，難為俗人言。㉒

所謂「無工」「忘法」「化境」「渾成」等，非神韻而何？此即以禪理論詩也。

郭紹虞《中國詩的神韻格調及性靈說》云：

禪家行脚名山，徧訪大師，求善智識，也是從工夫上來；一旦頓悟，得到自己應付生死的智慧，便是捨筏登岸，而工夫便成為陳迹。悟境化境原無二致，所以可以相提並論。到此地步，無工可言，無法可言，渾成天然，色相俱空，纔是漁洋理想的詩境。㉓

郭氏之說，得其精髓，可謂漁洋之知音矣！

綜上所述，滄浪「興趣」說，主「禪悟」；漁洋「神韻」說，主「義理」；觀堂「境界」說，主「情景」；所謂「捨筏登岸」，則「筏」為「面目」，「岸」則「探本」也。由此可見，以上三說，殊途而同歸矣！

【附注】

① 嚴羽《滄浪詩話》頁四，詩文評類，頁六—三八二。（臺灣商務印書館，《文淵閣四庫全書》影印本。）又見臺北藝文印書館一九七一年三版《歷代詩話》，總頁數四四三。

② 王士禎《唐賢三昧集》，總集類，頁六—三七六。（同上）。

③ 王士禎《漁洋詩話》，詩文評類，頁六—三八四。（同上）。

④ 王應麟《困學紀聞》，雜家類，頁六—二一一。（同上）。

⑤ 清聖祖御定《全唐詩》，總集類，頁六—三七四。（同上）。
⑥ 李之儀《姑溪居士前集後集》，別集二類，頁六—二七七。（同上）。
⑦ 楊萬里《誠齋集》，別集三，頁六—二九五。（同上）。
⑧ 張鎡《南湖集》，別集三，頁六—二九五。（同上）。
⑨ 袁枚《隨園詩話》，廣文書局。
⑩ 郭紹虞《中國詩的神韻格調及性靈說》，頁一〇，民國六四年，華正書局。
⑪ 同上。
⑫ 同注⑩，頁一二。
⑬ 同上。
⑭ 同上，頁一四。
⑮ 同上，頁一四—一五。
⑯ 同上，頁一五。
⑰ 同上，頁一六。
⑱ 同上，頁一七—一八。又袁枚《隨園詩話》卷八，民國六〇年，廣文書局。
⑲ 同注⑩，頁五八—五九。
⑳ 同上，頁五九。
㉑ 王士禎《居易錄》，雜家類，頁六—二三一。

㉒ 王士禎《香祖筆記》，同上。（同注①）

㉓ 同注⑩，頁六二—六三。

第二款 境之種類

第一項 有我之境與無我之境

王國維對「有我之境」「無我之境」辨識之見解，朱光潛、李辰冬均對之有所異議。故此處說明此二境，仍照前述境界定義說明之。

無論「有我之境」「無我之境」，皆以「已有境界」爲先決條件；倘作品無有境界，則無由而別此二境。

有境界時之此二境，皆爲「具體表現眞感情」時之境。此時，凡「主觀具體表現眞感情」之境，爲「有我之境」；「客觀具體表現眞感情」之境，爲「無我之境」。言辭之說明，較不易明；玆舉例以明之：

月落烏啼霜滿天，江楓漁火對愁眠。

姑蘇城外寒山寺，夜半鐘聲到客船。（張繼《楓橋夜泊》詩）

全詩爲具體表現眞感情。第一、三、四句，爲客觀具體表現眞感情，爲無我之境。蓋於此中未能見到作者之出現。第二句中之「對愁眠」，則爲主觀具體表現眞感情，爲有我之境。蓋於此中已見到作者出而憑主觀判定此睡眠之人爲愁眠。

再另舉出一詩、一曲（詞之例，不易舉。）於後：（惟僅指出有「有我之境」之處，餘均不作說明。）

遠上寒山石徑斜，白雲深處有人家。

停車坐愛楓林晚，霜葉紅於二月花。（杜牧《山行》詩）

其中，第一句中之「遠上」，第三句中之「愛」，皆爲有我之境。

枯藤老樹昏鴉，小橋流水人家，古道西風瘦馬，夕陽西下，斷腸人在天涯。

其中，末句中之「斷腸人」爲有我之境。

全詩爲無我之境之例，爲劉禹錫之《烏衣巷》。（本目第一款第一項中已錄出。）全詞爲無我之境及全詩、全詞爲有我之境之例，則難以舉出。

有我之境，爲主觀者，如人有悲歡離合之情，則物有成住壞空之象，月有陰晴圓缺之景；而無我之景，爲客觀者，則情景交融，物我一體，故不知何者爲我，何者爲物，如莊周夢蝶，不知周之夢爲蝴蝶歟？抑蝴蝶之夢爲周歟？《詞話》卷上三則云：

有有我之境，有無我之境。「淚眼問花花不語，亂紅飛過秋千去。」「可堪孤館閉春寒，杜鵑聲裏斜陽暮。」有我之境也。「採菊東籬下，悠然見南山。」「寒波澹澹起，白鳥悠悠下。」無我之境也。有我之境，以我觀物，故物皆著我之色彩；無我之境，以物觀物，故不知何者為我，何者為物。古人為詞，寫有我之境者為多，然未始不能寫無我之境，此在豪傑之士能自樹立耳。

又《詞話》卷上四則云：

無我之境，人惟於靜中得之；有我之境，於由動之靜時得之；故一優美一宏壯也。

觀堂斯論，深受康德、叔本華哲學之影響。王國維《叔本華之哲學及其教育學說》云：

唯美之為物，不與吾人之利害相關係，而吾人觀物時，亦不知有一己之利害。何則？美之對象，非特別之物，而此物之種類之形式，又觀之之我，非特別之我，而純粹無欲之我也。……而美之中，又有優美與壯美之別：今有一物，令人忘利害之關係而玩之而不厭者，謂之曰優美之感情。若其物直接不利於吾人之意志，而意志為之破裂，唯由知識冥想其理念者，謂之曰壯美之感情。①

由此可見，王氏所謂無我之境，即無欲之境，而生優美之情；反之，有我之境，即有欲之境，而生壯美之情也。又王氏《紅樓夢評論》云：

而美之為物有二種：一曰優美，一曰壯美。苟一物焉，與吾人無利害之關係，而吾人之觀之也，不觀其關係，而但觀其物，或吾人之心中，無絲毫生活之欲存，而其觀物也，不視為與我有關係之物，而但視為外物，則今之所觀者，非昔之所觀者也，此時吾心寧靜之狀態，名之曰優美之情，而謂此物曰優美。若此物大不利於吾人，而吾人生活之意志為之破裂，因之意志遁去，而知力得為獨立之作用，以深觀其物，吾人謂此物曰壯美，而謂其感情曰壯美之情。②

王氏復自創「古雅」之說，謂古雅與優美宏壯之共同性，皆不可利用，超出利害；唯其位置爲介於二者之間，且兼二者之性質，而其價值，在美學言，則不及也；在敎育言，則範圍成效較爲廣著也。王氏《古雅之在美學上之位置》云：

> 然則古雅之價值，遂遠出優美及宏壯下乎？曰：不然。可愛玩而不可利用者，一切美術品之公性也。優美與宏壯然，古雅亦然。……故古雅之位置，可謂在優美與宏壯之間，而兼有此二者之性質也。……故古雅之價值，自美學上觀之，誠不能及優美與宏壯，然自其教育衆庶之效言之，則雖謂其範圍較大，成效較著可也。③

夫宇宙事物，往往非二分法所能道盡者也。觀堂有鑒於此，故論有我無我，宏壯優美，相對立論，而採康德、叔本華之學說外，復自創古雅之說，謂介於優美宏壯之間，此中庸之道，承襲傳統學說，融會中西思想者也。姚一葦氏則以爲「無我有我」之境頗類尼采之藝術思想，其《藝術的奧秘》論境界云：

> 由於「無我之境」是冷靜的，故頗類尼采（Nietzsche）所謂的阿波羅（Apoilo）的藝術，自阿波羅（日神）的額紋中所產生的恬靜和幽美。而「有我之境」所顯露的熱情洋溢，則頗似尼采所謂的戴盎里薩斯（Dionysus）的藝術，自戴盎里薩斯（酒神）的酒的陶醉中，所產生的波濤澎湃的生命力。④

姚氏善於西洋藝術理論，其說言之成理。蓋王國維嘗稱讚叔本華與尼采爲哲學家之二大偉人，且言尼采之學說全本於叔本華。其《叔本華與尼采》云：

十九世紀中，德意志之哲學界，有二大偉人焉：曰叔本華（Schopenhauer），曰尼采（Nietzsche）……。尼采之學說，全本於叔氏。其第一期之說，卽美術時代之說，其全負於叔氏，固可勿論。第二期之說，亦不過發揮叔氏之直觀主義。其末期之說，雖若與叔氏相反對，然要之，不外以叔氏之美學上之天才論，應用於倫理學而已。⑤

此外，各家之說，闡述有我與無我之境者，玆擇要言之。如朱光潛以有無移情作用，說明有我之境爲超物之境，無我之境爲同物之境。朱氏《詩論》云：

從近代美學觀點看，王氏所用名詞似待商酌。他所謂「以我觀物，故物皆著我之色彩」，就是「移情作用」，……「淚眼問花花不語」一例可證。移情作用是凝神注視，物我兩忘的結果，叔本華所謂「消失自我」。所以王氏所謂「有我之境」，其實是「無我之境」（卽忘我之境）。他的「無我之境」……沒有經過移情作用，所以實是「有我之境」。與其說「有我之境」與「無我之境」，似不如說「超物之境」和「同物之境」，因為嚴格地說，詩在任何境界中都必須有我，都必須為我性格情趣和經驗的反造。⑥

朱氏「移情作用」之說，潘琦君、方祖燊合註王國維《詞之境界》文中，採用其說。（見《古今文選》新第八十期）饒宗頤以「現我」與「忘我」論之，其《人間詞話平議》云：

尋王氏所謂無我者，殆之我相之冲淡，而非我相之絕滅。以我觀物，則物皆著我相，以物觀我，則渾我相於物之中。實則一現而一渾。現者，假物以現我；渾者，借物以忘我。王氏所謂「無我」，亦猶莊周之物化，特以遣我於物之中，何曾真能無我耶？惟此乃哲學形上學之態度，而非文學之態度。邵康節曾論聖人反觀之道，謂：「反觀者，不以我觀物，而以物觀物。」(《皇極經世・觀世篇》)王氏之說，乃由此出。(王氏摭康節語以論詞，人多不知其所本。)惟「以物觀物，性之事也；以我觀物，情之事也。」(略用《觀物外篇》語)⑦

饒氏謂「無我」猶莊周之物化，卽莊周之夢蝶，頗獲我心，已於篇端言之矣。並謂王氏摭康節語以論詞，李炳南言黃錦鋐嘗謂「以我觀物」「以物觀物」，實出於邵康節所言。(《王國維境界說之研究》頁五二)其本於饒說乎？抑兩者不謀而合耶？至於所謂無我者，借物以忘我，蕭遙天亦有是說，並以有我爲主觀，無我爲客觀。其《語文小論》云：

王氏的有我，以我觀物，似乎是主觀的；無我，以物觀物，似乎是客觀的。⑧

王氏把無我之境，排為文章的最高境界。⑨

他一面揚無我(客觀)抑有我(主觀)，一面又揚主觀(有我)抑客觀(無我)，恰好是以子之矛攻子之盾。⑩

「我」絕對不會無，王氏所提的無我境界……「無」字定得他武斷，我以為應作「忘我」。⑪

蕭氏以有我爲主觀，無我爲客觀，而陳紹鵬以有我之境是主觀之詩，無我之境是客觀之詩。兩氏之說，頗爲相似。陳氏《詩的創造》云：

筆者在《文星雜誌》八卷二期《詩人的意匠》一文裏，曾經引用伊利莎白・朱（Elizabath Drew）的說法，將華兹華斯的「水仙」(Wordsworth: Dafodils) 代表直接的說法；又將奥登的「現在樹葉正迅速的凋落」(Arden: Now the leaves Are Falling Fast) 代表轉彎抹角的手法。華兹華斯所寫的是有我之境；奥登所寫的是無我之境。因此，也可以說前者是主觀的詩；後者是客觀的詩。[12]

鄭因百師以溫庭筠詞爲造境，是無我之境，是客觀描摹；韋莊詞爲寫境，是有我之境，是主觀抒寫，見後「造境與寫境」所述不贅。柯慶明謂有我之境爲悲劇經驗境界，無我之境爲美感經驗境界。其《論王國維人間詞話中的境界》云：

「有我」「無我」與「主觀」「客觀」，顯然是兩回事：「主觀」與「客觀」界定的是表現時所取的立場，創作時處理的態度，及其所因以決定的作品形式；而「有我」與「無我」所界定的却是作品內容：……有我之境，我們可以說，是那種包涵着一股生活意志，提供一種悲劇經驗的境界。而無我之境，則是那種提供克魯齊派所謂美感經驗，不含生活意志的境界。[13]

李炳南據叔本華之哲學思想，以爲「我」卽「意志」，《王國維境界說之研究》云：

原夫先生「有我」、「無我」之「我」，並非「我相」之謂也，「我」之意蘊，宜以叔本華之定義觀之。叔氏以為「我」卽「意志」之本身，實「利害」之所生，「痛苦」之所由。則「有

> 我」，卽「有意志」、「有利害」之謂也。「無我」，卽「無意志」、「無利害」之謂也。此可由「有我之境」與「無我之境」美之屬性以證之。……觀乎此，則「優美」與「壯美」之區分，可以一言以蔽之曰：一乃景物與吾人無利害之關係，一乃景物與吾人有利害之關係而已矣。「有我之境」旣屬「宏壯」，「無我之境」旣屬「優美」，則「有我」、「無我」宜以「有利害」、「無利害」視之可證矣。⑭

金鍾賢似本李炳南之說，而略加闡述，謂「有我」「無我」之「我」，卽有「意志」有「生活之欲」之「我」。其《王國維詞學研究》云：

> 王國維所揭示的「有我」、「無我」之「我」，就是有「意志」的——有「生活之欲」的——「我」。因此，「我」與外物，有時持有某種相對立之利害關係，而有時却沒有。以此種觀念，再來看王國維所說的「有我之境」與「無我之境」，我們就會了解他的說法。王國維所說的「有我之境」，是以「有意志之我」看外物，此時，「物」與「我」之間有對立的衝突。此衝突使詩人之意志破裂而得到冷靜的觀照，所以說：「於由動之靜時得之」。又因在「有我之境」中，有物我利害之衝突，所以其美感乃多屬於「宏壯」一類；但在「無我之境」中，根本沒有物我對立之衝突，所以其美感乃多屬於「優美」一類。所謂「動」，乃是指着意志之動，「靜」乃是指着意志之靜。⑮

按金氏「我卽意志」之說，復與葉嘉瑩「有我意志」與「無我意志」之論雷同。葉氏《王國維及其文學批評》云：

> 「有我之境」，原來那是指當吾人存有「我」之意志，因而與外物有某種相對立之利害關係時之境界。而「無我之境」，則是指當吾人已泯滅了自我之意志，因而與外物並無利害關係相對立時的境界。⑯

以意志釋我，所說雖是，惟左右意志者，當爲慾念。如淡泊名利者，當不受名韁利鎖之束縛，視富貴如浮雲矣。否則，爭名逐利之徒，患得患失，則苦不堪言也。觀堂深受叔本華學說之影響，其所謂無我，卽叔氏所謂「純粹無欲之我」，亦卽物我兩忘，情景交融，卽莊周之夢蝶，所謂物化是也。

【附注】

① 《王國維先生全集》初編㈤，頁一六九三—一六九四。民國六十五年，臺灣大通書局。
② 同上，頁一七二二—一七二三。
③ 同上，頁一九一〇—一九一一。
④ 姚一葦《藝術的奧秘》，頁三一八—三一九。民國五十八年，開明書店再版本。
⑤ 同注①，頁一七五九—一七六〇。
⑥ 朱光潛《詩論》，頁五六，開明書店。
⑦ 何志韶編《人間詞話研究彙編》，頁九六—九七。民國六十四，巨浪出版社再版本。

⑧ 蕭遙天《語文小論》，頁七〇。
⑨ 同上，頁六七。
⑩ 同上，頁七七。
⑪ 同上，頁七三。
⑫ 同注⑦，頁二〇七。
⑬ 同上，頁二二四—二三八。
⑭ 李炳南《王國維境界說之研究》，頁五二，師大國文研究所。
⑮ 金鍾賢《王國維詞學研究》，頁六〇。民國七十四年，臺大中文研究所。
⑯ 葉嘉瑩《王國維及其文學批評》，頁二三〇。民國七十一年，源流出版社。

第二項　造境與寫境

由於王國維對「造境」「寫境」未下明確定義；且《人間詞話》第二條所言，似前後矛盾；致引起讀者若干誤會。此處，吾人不擬討論「誤會」；僅提出認定「造境」「寫境」涵義之二種認定法，以供吾人作仁智互見之爭辯時之參考。

第一種認定法

造境，爲吾人運用想像所得之境。如《桃花源記》中所寫之境；是。

寫境，爲吾人就實際事物從實描寫所得之境。如：《岳陽樓記》《醉翁亭記》中所記之情景；

是。

第二種認定法

造境，爲文藝創作上理想主義派寫作所得之境。如：莫里哀之《心病》所寫。

寫境，爲文藝創作上寫實主義派寫作所得之境。如：莫里兹之《親戚》所寫。

關於造境與寫境，闡述如次：

所謂造境，卽虛構之境，亦卽理想之境，西方稱爲理想主義（idealism）。所謂寫境，卽現實之境，亦卽寫實之境，西方稱爲寫實主義（realism）。《詞話》卷上二則云：

> 有造境，有寫境，此理想與寫實二派之所由分。然二者頗難分別。因大詩人所造之境，必合乎自然；所寫之境，亦必鄰於理想故也。

王氏之文學批評，除承襲傳統之詩話、詞話理論外，亦受西方文學理論之影響。《詞話》卷上五則云：

> 自然中之物，互相關係，互相限制。然其寫之於文學及美術中也，必遺其關係、限制之處。故雖寫實家，亦理想家也。又雖如何虛構之境，其材料必求之於自然，而其構造，亦必從自然之法則。故雖理想家，亦寫實家也。

此卽亞里多德士所謂「藝術模擬自然」（Art imitates nature）也。惟王國維受直接影響者，當然是叔本華。王氏《紅樓夢評論》於餘論中引叔本華之語云：

> 或有以美術家為模倣自然者，然苟無美之預想存於經驗之前，則安從取自然中完全之物而模仿之，又以之與不完全者相區別哉？……此美之預想乃自先天中所知者，卽理想的也。比其現於美術也，則為實際的。何則？此與後天中所與之自然物相合故也。①

蔣英豪《王國維文學及文學批評》引叔本華論文學之形式云：

> 無中不能生有，乃藝術之金科玉律。卓越之畫家於描繪一幅歷史畫時，需活生生之模特兒，並加以理想化。小說家亦然，於刻畫小說人物之性格時，亦以相識之人為輪廓，復加以理想化，以合己需。②

上引叔氏兩則之論，說明模仿自然，必須與理想相合，與王氏所謂「雖寫實家，亦理想家」之意相同也。故姚一葦《藝術的奧秘・論模擬》云：

> 藝術家對客觀世界的模擬的活動，是在藝術家主觀的觀照下的活動；這便是主觀的想像與客觀的具體事物之間的關聯；這便是一個藝術家所依存的世界與自我世界的不可分；在藝術品中，這兩個世界已渾然一體。③

所謂「渾然一體」，卽王氏所謂「雖寫實家，亦理想家。」亦卽叔氏所謂「理想與自然相合」也。姚氏又《論境界》云：

> 王氏在此採取了西洋的觀點，蓋西洋藝術傳統上有兩種對立的主張，卽理想主義與寫實主義，前者强調理想或意念，亦卽個人的想像，後者强調對外界的真實的模擬，亦卽個人的經驗；故

前者是主觀的，後者是客觀的。這一種劃分是相對的，而非絕對的。④

上引姚氏論模擬與論境界一則，所謂主觀與客觀，理想與寫實，正與王氏與叔氏之說完全符合。李炳南《王國維境界說研究》評其不當⑤，顯係誤解，蓋未覩全書，見木而不見林也。

此外，闡述王氏之說者，玆擇要縷陳於后。

造境是無我，寫景是有我；造境是客觀，寫景是主觀。鄭因百師《溫庭筠韋莊與詞的創始》云：

溫詞所寫是人類對於宇宙人生所同具的感覺與印象，韋詞所寫則是他個人的離合悲歡。用《人間詞話》的說法來講：溫詞是造境，韋詞是寫境；溫詞是無我之境，韋詞是有我之境。用普通話來解釋：溫詞是客觀的描摹，韋詞是主觀的抒寫。⑥

寫景如寫生畫，造境如文人畫。饒宗頤《人間詞話評議》云：

王氏論境，有造境及寫境，即理想與寫實二派之別，其說頗韙。試以畫喻，寫景如寫生畫，造境如文人畫。夫心固有藉於外境，境隨心生，同一之外境，各人之心不同，所得之境亦因之有異；又諸心生之境，已非曩境，且超實境，故山川萬物，薦靈於我，而操在我心，一若山川萬物使我代其言也。我脫胎於山川萬物，又不糟粕山川萬物，以我有我之靈感存也。必也，如石濤之言畫，搜盡造化打我草稿，不如是不能深入，不能出奇。故造境寫境之外，又貴能創境；創境者，謂空所倚旁，別開生面。⑦

寫景是客觀，造境是主觀。蕭遙天《語文小論》云：

客觀描寫與主觀描寫，這是放在平行的標準下的兩種描寫手法，寫境與造境是這兩種手法的分途發展。⑧

又云：

屬於寫境的作品，應該是指客觀地描寫外界現象與內心現象；屬於造境的作品，應該是指主觀地描寫外界現象與心理現象。⑨

造境是理想，近於有我；寫景是寫實，近於無我。吳宏一《王靜安的境界說》云：

造境是理想的，是屬於情感的；寫景是寫實的，是屬於景物的。⑩

又吳氏《王靜安境界說的分析》云：

寫境以物觀物……故近於無我之境；……造境以我觀物……所以比較近於有我之境。⑪

造境與寫境，是取材不同，爲理想與現實二派分歧之起點，兩者難以截然區分。葉嘉瑩《王國維的文學批評》云：

首先，「造境」與「寫境」，乃是因作品中取材之不同，而提出的兩種區別，決不可將之與「有我」「無我」或「主觀」「客觀」等區別混為一談。

再則，他又提出「造境」與「寫境」，乃是「理想與現實二派之所由分」，說明了這不過只是一個分歧的起點，我們也決不可將之與西方思想理論中的各種「理想」與「寫實」之派別主義混為一談。

三則，他又提出「二者頗難分別」的原故，仍歸結於「造境」與「寫境」之取材，原來就有着難以作截然區分的現象，而以第五則論寫實之境之亦「必遺其關係限制之處」，虛構之境之亦必「求之於自然」，且必「從自然之法則」，作為二者難以區分的說明。⑫

【附　注】

① 《王國維先生全集》初編㈤，頁一七五五—一七五七。民國六十五年，臺灣大通書局。
② 蔣英豪《王國維文學及文學批評》，頁一〇九，香港崇基學院。
③ 姚一葦《藝術的奧秘》，頁九六。民國五十八年，開明書店再版本。
④ 同上，頁三一八。
⑤ 李炳南《王國維境界說之研究》，頁四八，師大國文研究所。
⑥ 《景午叢編》上編，頁一〇七，臺灣中華書局。
⑦ 何志韶編《人間詞話研究彙編》，頁九五—九六。民國六十四年，巨浪出版社再版本。
⑧ 蕭遙天《語文小論》，頁三十五。
⑨ 同上。
⑩ 同注⑦，頁一九四。
⑪ 《現代文學》季刊第三十三期，頁一二一。
⑫ 葉嘉瑩《王國維及其文學批評》，頁二四三。民國七十一年，源流出版社。

第三項　大境與小境

由《人間詞話》第八條所舉之例，可知境之大小，就取材範圍論，取有關個人或家庭日常生活之材料所成之境，爲小境。取關乎廣大社會人羣之生活之材料所成之境，爲大境。就內容風格氣勢論，表現雄偉氣勢之境，爲大境。表現幽雅氣韻之境，爲小境。一般，以「氣勢」大小爲主，「取材」大小爲輔。如：「取材」小境而兼「氣勢」大境，則爲大境。惟絕大多數場合，「主」「輔」情形甚少。即：「取材」境大者，其「氣勢」境亦大；「取材」境小者，其「氣勢」境亦小。逆論之，亦然。

大境詞例：

念奴嬌（赤壁懷古）　蘇　軾

大江東去，浪淘盡千古風流人物。故壘西邊，人道是三國周郎赤壁。亂石崩雲，驚濤掠岸，捲起千堆雪。江山如畫，一時多少豪傑。

遙想公瑾當年，小喬初嫁了，雄姿英發。羽扇綸巾談笑間，檣艣灰飛烟滅。故國神遊，多情應笑我，早生華髮。人間如夢，一尊還酹江月。

小境詞例：

雨霖鈴　柳　永

寒蟬淒切，對長亭晚，驟雨初歇。都門帳飲無緒，留戀處，蘭舟催發。執手相看淚眼，竟無語凝噎。念去去、千里煙波，暮靄沈沈楚天闊。

> 多情自古傷離別。更那堪、冷落清秋節？今宵酒醒何處？楊柳岸，曉風殘月。此去經年，應是良辰好景虛設。便縱有千種風情，更與何人說？

王氏謂：境之大小，不以之分優劣。其言甚是。此由前二例可證。俞文豹《吹劍錄》云：「東坡在堂日，有幕士善歌。因問：「我詞何如耆卿？」對曰：「郎中詞，只好十七八女子，執紅牙板，歌『楊柳岸，曉風殘月。』學士詞，須關西大漢，綽鐵板，唱『大江東去』。」壯美、幽美，各有擅長也。然近人有認爲「有分優劣」者。謂：作者人生修養之高低，影響作者精神境界之大小；而精神境界之大小，又決定作品取境之大小。境之大小，何得不分優劣？此種說法，僅偶有事實而已。

夫境界之優劣，不以大小而定；意謂各有千秋，不分軒輊也。《詞話》卷上八則云：

> 境界有大小，不以是而分優劣。「細雨魚兒出，微風燕子斜」，何遽不若「落日照大旗，馬鳴風蕭蕭」？「寶簾閒掛小銀鉤」，何遽不若「霧失樓臺，月迷津渡也」？

觀堂所謂大小，亦即姚鼐所謂陽剛陰柔是也。姚氏《復魯絜非書》云：

> 自諸子而降，其為文無弗有偏者。其得於陽與剛之美者，則其文如霆，如電，如長風之出谷，如崇山峻崖，如決大川，如奔騏驥。其光也，如杲日，如火，如金鏐鐵。其於人也，如憑高視遠，如君而朝萬衆，如鼓萬勇士而戰之。其得於陰與柔之美者，則其文如升初日，如清風，如雲，如霞，如烟，如幽林曲澗，如淪，如漾，如珠玉之輝，如鴻鵠之鳴而入寥廓。其於人也，漻乎其如歎，邈乎其如有思，暝乎其如喜，愀乎其如悲。觀其文，諷其音，則為文者之性情形

> 狀，舉以殊焉。①

陽剛之美者，如唱東坡「大江東去」；陰柔之美者，如唱柳永「楊柳岸曉風殘月」。如俞文豹《吹劍錄》之說是也。

由此可見，柳詞境界爲小，乃陰柔之美；蘇詞境界爲大，乃陽剛之美。以西洋文學言，大境界爲崇高，小境界爲秀美。姚一葦《藝術的奧秘》論境界云：

> 大的境界，予人以偉大、壯濶、雄渾的感覺，在西洋美學上稱為崇高(Sublime)；小的境界，予人以細緻、幽美、柔和的感覺，稱之為秀美(Grace)。屬於美的範疇的一個基本問題。美雖有不同的範疇，具現為不同的性質，但不含任何價值判斷；吾人不可以認為崇高優於秀美，或陽剛優於陰柔。②

姚氏以偉大、壯濶、雄渾、崇高，謂之大境界。以細緻、幽美、柔和、秀美，謂之小境界。其說大境界頗似司空圖《二十四詩品》中，所謂雄渾、勁健、豪放之境界；其說小境界，則似纖麗、清奇、委曲之境界也。按觀堂所謂境界之大小，實指取景之大小而言也。其與王夫之大景小景之說，意頗類似也。王氏《薑齋詩話》云：

> 有大景，有小景，有大景中小景。「柳葉開時任好風，花覆千官淑景移」及「風正一帆懸，青靄入看無」，皆以小景傳大景之神。若「江流天地外，山色有無中」，「江山如有待，花柳更無私」，張皇失大，反令落拓不親。宋人所喜，偏在此而不在彼，近唯文徵仲齋宿等詩，能解

此妙。③

此外，劉任萍在其《境界論及其稱謂的來源》一文中，於論及人間詞話境界說之體系時，便曾將「大境界」與「有我之境」及「造境」列爲一系統，而將「小境界」與「無我之境」及「寫境」列爲一系統。④吳宏一似據此說及叔本華之思想而闡述之。其《王靜安境界說的分析》云：

據王靜安的看法，境界又有大小之分，但我們細繹詳讀全書，可以發現這和他所說的造境、寫境與有我之境、無我之境相關連。

又云：

有我之境因只存於我們的思想之中，不見於實際自然界，因此達於無窮。所以無我之境者境界較小，有我之境者境界較大。境界小者多近於寫境，因為寫境以物觀物，此時心境寧靜，所觀之物，但視為外物，表現了一種幽雅優美的情感，故近於無我之境；境界大者多近於造境，因為造境以我觀物，而「我」者，人也，生活於生老病死，無窮之欲望亦卽無窮之痛苦之中，此時觀物也，「意志為之破裂」，就好像看到「地獄變相之圖，決鬪垂死之像」，就好像讀到「盧江小吏之詩，雁門尚書之曲」，表現了一種悲涼宏壯的情感，所以比較近於有我之境。⑤

葉嘉瑩以爲境界小者，未必皆是寫境，近於無我之境；境界大者，未必皆是造境，近於有我之境。故對吳氏之說，不表贊同。其《王國維的文學批評》云：

關於造境、寫境與有我、無我之不同，我們在前面已曾對之作過明白的分析，指出二者之決不可混為一談。因為有我、無我乃是就物與我之間有無對立之關係而言的，造境、寫境乃是就作品取材之或出於虛構或出於自然而言的。至於此處所提出的境界之大小，則就其所舉之例證來看，實在應當乃是就作品中取景之巨細及視野之廣狹而言的。其與有我、無我及造境、寫境二者之區別，實在有着顯明的不同。⑥

葉氏所謂境之大小，就作品中取景之巨細及視野之廣狹而言，蓋本王夫之之說而闡述之也。惟觀堂所謂境之大小，亦偶有含高低之義。玆說明如次：

夫人修養高者，所謂爐火純青之境界；反之，修養低者，語言無味，面目可憎，此以論人也。至於論文學，尼采所謂以血書者，此乃高雅之境界也。反之，無病呻吟，堆砌雕繪，如庸脂俗粉，珠光寶氣，亦令人生厭，此乃低俗之境界也。《詞話》卷上十八則云：

> 尼采謂：「一切文學，余愛以血書者。」後主之詞，真所謂以血書者也。宋道君皇帝《燕山亭》詞亦略似之。然道君不過自道身世之戚，後主則儼有釋迦、基督擔荷人類罪惡之意，其大小固不同矣。

觀堂此則所謂大小，實指高低而言，蓋境界之大小，各有千秋，不分軒輊，無優劣之可論。至於境界之高低，則有優劣之評價作用，即高境界優於低境界。姚一葦《藝術的奧秘》論境界云：

> 王氏所謂的高境界有二重的含義：第一重為寫真景物真感情者，越率真越不隔者越高；反之，則相對的降低。第二重為所描寫的真景物真感情其共相或一般性越大者越高，反之，則相對的

降低。是以有如釋迦、基督擔荷人類罪惡之心情與抱負，則超乎一己的感情之外，其共相或一般性必最大，境界亦最高。⑦

又云：

故藝術性的價值高低的基準為創造性、真誠性、普遍性與豐富性四種因素，即：凡創造性越高，真誠性亦高者，與凡普遍性越大，豐富性亦大者，其境界越高，價值越大。故凡只表現一己的情感，私人的際遇，無論其表現方式如何巧妙，均不能謂為偉大，誠如王國維所云：「道君不過自道身世之戚，後主則儼有釋迦、基督擔荷人類罪惡之意，其大小固不同矣。」是故一個偉大的藝術家必具備豐富的創造力，敢於突破前人的樊籬，同時必具偉大的人格，懷有悲天憫人的抱負，而且對於他所處的世界與人生有他自己的信守與哲學，方能創造藝術中的偉大境界，證諸中外古今的偉大藝術家莫不如是，捨此別無任何他途可循。⑧

姚氏以藝術性價值之高低，闡述王氏此則詞話所謂之大小，確具卓見。黃志民引此則詞話，則以感情之大小深淺而論作品之優劣。其《人間詞話之境界說及其商榷》云：

若就詞話所舉例句來看，則其中不僅取景有巨細，即此景後所蘊含的情——作者對於自然及人生之事實之精神的態度，也有著大小之分，從人間詞話其他各則，可找到些足資印證的材料，……此二則詞話顯示王靜安有以作者感情之大小深淺，為其作品優劣之分的傾向。⑨

金鍾賢不同意黃氏此說，其《王國維詞學研究》云：

> 詞話第十八則説明作者真感情之大小深淺為作品之優劣，與以取景之大小、視野之廣狹而分的大境、小境沒有直接的關係。因此，此則詞話不足以做為推翻「境界之大小，不以是而分優劣」一句的印證資料。⑩

按「境界之大小，不以是而分優劣。」其中「大小」係指本義「廣狹」而言，故無優劣之分；而「其大小固不同矣」，其中「大小」係指引申義當作「高低」而言，則有優劣之分。故後主之文學造詣，高於道君皇帝也。若易此則詞話中之「大小」爲「高低」，則較爲明確，不易令人費解矣。然文學作品之價値，在於有無境界而定，有眞情景，則以爲高，無眞情景，則以爲低，而非以大小爲準繩也。《詞話》卷上一則云：

> 詞以境界為最上。有境界則自成高格，自有名句。五代北宋之詞所以獨絶者在此。

易言之，無境界則自成低格，自無名句。故詞格之高低，槪以境界之有無而定之矣。又《詞話》卷上六則云：

> 境非獨謂景物也。喜怒哀樂，亦人心中之一境界。故能寫真景物、真感情者，謂之有境界。否則，謂之無境界。

釋言之，此論境界之有無，而係以情景之眞僞而定之也。若無病呻吟、矯揉造作之虛僞作品，則毫無價値之可言。必須具有情景眞切之傑作，方可稱爲上乘也。《詞話》卷上十七則云：

> 客觀之詩人，不可不多閱世。閱世愈深，則材料愈豐富，愈變化，水滸傳、紅樓夢之作者是

也。主觀之詩人，不必多閱世。閱世愈淺，則性情愈真，李後主是也。

蓋小說之作，偏於理性剖析，歷世愈久，生活體驗愈深刻，則有助於寫作也。而詩詞則不然，其偏於眞情流露，歷世愈短，情感愈眞，不失赤子之心，則有益於詩歌之創作也。《詞話》卷上十六則云：

> 詞人者，不失其赤子之心者也。故生於深宮之中，長於婦人之手，是後主為人君所短處，亦卽為詞人所長處。

姚一葦氏以藝術與非藝術，眞誠與非眞誠，闡釋有境界與無境界，確具卓見。姚氏《藝術的奧秘》云：

> 凡缺少創造性的，諸如臨摹、抄襲，均不是藝術，因為藝術家的工作、甚至生命，卽有賴於此一創造性，使藝術家別於工匠的工作者在此。從而吾人可以肯定：凡藝術品，均係創造品。故吾人將有創造性者，稱之為「有境界」；反之，為「無境界」。如何忠實於自己、忠實於自己的藝術工作，實為藝術家的生命所寄。我們可以肯定：凡真正的藝術家，都是特立獨行之士，有其自身的抱負與信守。故凡真誠嚴肅的作品為「有境界」；反之，為「無境界」。王國維氏所謂寫真景物真感情，所謂赤子之心，卽以其為真誠之作家故。⑪

【附　注】

① 姚一葦《藝術的奧秘》，頁三一九。民國五十八年，開明書店再版本。
② 同上。
③ 王夫之《薑齋詩話》，頁五七。
④ 劉任萍《境界論及其稱謂的來源》，見《人間世》半月刊第十七期，頁二十一。
⑤ 《現代文學》季刊，第三三期，頁一二〇—一二一。
⑥ 葉嘉瑩《王國維及其文學批評》，頁二四五，民國七十一年，源流出版社。
⑦ 同注①，頁三二一。
⑧ 同上，頁三三四—三三五。
⑨ 《中華學苑》第廿九期，頁六九—七〇。民國七十三年，政大中文研究所。
⑩ 金鍾賢《王國維詞學研究》，頁七十一。民國七十四年，臺大中文研究所。
⑪ 同注①，頁三二八。

第三款　隔與不隔

何謂「隔」？何謂「不隔」？王國維氏未對之下明確之定義；僅於《人間詞話》第三十六、三十九、四十、四十一等四條中，有含糊說明。其易滋聚訟，姑不論。此處僅依上文所述境界定義「具體表現眞感情」一語提出看法。卽：有「具體表現眞感情」之內容者，則不隔，否則隔。如：《烏衣巷》。全篇具體表現眞感情，則全篇不隔。如：「池塘生春草」、「空梁落燕泥」，其句具體表現眞感情，則其句不隔。篇反是，則篇隔；句反是，則句隔。

如此定「隔」與「不隔」之意，與王氏之意，全相契合。王氏於前舉四條中，雖未有明朗之言；然有三語，殆近明確。卽：「有隔霧看花之恨」「霧裏看花，終隔一層。」（二語，謂「隔」。）「語語都在目前，便是不隔。」（此語，謂「不隔」。）而此三語，實僅一語。卽：語語都在目前。須如何始能使「語語都在目前」？其唯一答案，爲：「須有『具體表現眞感情』之篇之句」也。

按所謂隔與不隔，闡述如次：

夫所謂「隔」者，寫景如「霧裏看花」，雖有朦朧之美，然嫌乏清晰；所謂「不隔」者，言情「沁人心脾」，寫景「豁人耳目」，語語如在目前也。《詞話》卷上四十則云：

> 問隔與不隔之別，曰：陶謝之詩不隔，延年則稍隔矣；東坡之詩不隔，山谷則稍隔矣。「池塘生春草」、「空梁落燕泥」等二句，妙處唯在不隔。詞亦如是。如歐陽公《少年遊》詠春草上半闋云：「闌干十二獨凭春，晴碧遠連雲。千里萬里，二月三月，行色苦愁人。」語語都在目前，便是不隔。至云：「謝家池上，江淹浦畔。」則隔矣。白石《翠樓吟》：「此地，宜有詞仙，擁素雲黃鶴，與君遊戲。玉梯凝望久，歎芳草萋萋千里。」便是不隔。至「酒祓清愁，花消英氣。」則隔矣。然南宋詞雖不隔處，比之前人，自有淺深厚薄之別。

此則說明「不隔」之定義謂「語語都在目前」，而一闋詞中，有隔與不隔。至於「隔」，則舉例而已。又《詞話》卷上四十一則云：

「生年不滿百，常懷千歲憂，晝短苦夜長，何不秉燭遊？」「服食求神仙，多為藥所誤。不如飲美酒，被服紈與素。」寫情如此，方為不隔。「采菊東籬下，悠然見南山。山氣日夕佳，飛鳥相與還。」「天似穹廬，籠蓋四野。天蒼蒼，野茫茫。風吹草低見牛羊。」寫景如此，方為不隔。

此則說明寫情或寫景，皆有隔與不隔，唯僅不隔之例，而未舉隔之例也。又《詞話》卷上三六則云：

美成《青玉案》（當作《蘇幕遮》）詞：「葉上初陽乾宿雨。水面清圓，一一風荷舉。」此真能得荷之神理者。覺白石《念奴嬌》《惜紅衣》二詞，猶有隔霧看花之恨。

此則雖未直接說明隔與不隔，其實所謂「得荷神理」即不隔；「隔霧看花」即隔也。又如《詞話》卷上三九則云：

白石寫景之作，如「二十四橋仍在，波心蕩，冷月無聲。」「數峯清苦，商略黃昏雨。」「高樹晚蟬，說西風消息。」雖格韻高絕，然如霧裏看花，終隔一層。梅溪、夢窗諸家寫景之病，皆在一「隔」字。北宋風流，渡江遂絕。抑真有運會存乎其間耶？

此則說明「隔」之定義，謂如「霧裏看花」。又《詞話》卷上三八則云：

詠物之詞，自以東坡《水龍吟》為最工，邦卿《雙雙燕》次之。白石《暗香》《疏影》，格調雖高，然無一語道着，視古人「江邊一樹垂垂發」等句何如耶？

此則雖未直接指出隔與不隔，其實所謂「最工」即不隔，「無一語道着」即隔也。

由上可知，觀堂所謂「隔」者，卽寫景如「霧裏看花」；所謂「不隔」者，卽「語語都在目前」。

惟朱孟實評王氏偏重顯，嫌不妥當，以「隱」與「顯」論「隔」與「不隔」，謂寫景之詩要顯，言情之詩要隱。其《詩的隱與顯》云：

隔與不隔的分別，就從情趣和意象的關係中見出。詩和其他藝術一樣，須寓新穎的情趣於具體的意象。情趣與意象恰相熨貼，使人見到意象便感到情趣，便是不隔。意象含糊或空洞，情趣淺薄，不能在讀者心中產生明瞭深刻的印象便是隔。……王先生論隔與不隔的分別，說隔「如霧裏看花」，不隔為「語語都在目前」，也嫌不很妥當，因為詩原來有「顯」和「隱」的分別，王先生的話太偏重「顯」了。「顯」與「隱」的功用不同，我們不能要一切詩都「顯」。說賅括一點，寫景的詩要「顯」，言情的詩却要「隱」。①

饒宗頤似本朱說而闡述之，謂詞者意內而言外，以隱勝，不以顯勝，妙處在隔，隔非病也。評王氏殊傷質直，有乖意內言外之旨。其《人間詞話平議》云：

詞者意內而言外，以隱勝，不以顯勝。寓意于景，而非見意于景；蓋詞義有雙重：有表義，有蘊義。表義卽字面之所指，蘊義卽寄託之所在，所謂重旨複意者是也。「高樹晚蟬」，說西風消息。」「波心盪，冷月無聲。」言外別有許多意思，讀者不徒體味其淒苦之詞境，尤當默會其所以構此淒苦之境之詞心；此其妙處，正在於隔。彥和曰：「情立詞外曰隱，狀溢目前曰秀。」王氏論詞，有見於秀，而無見於隱，故反以隔為病，非篤論也。詞之性質，「深文隱蔚，秘響傍通，」故以曲為妙，以複見長，不能單憑直覺，以景證境；故吾謂王氏之說，殊傷質直，有乖意內言外之旨。②

饒氏妙處在隔，隔非病也，其說似據王鎮坤之論。王氏謂隔與不隔，何足以定詞境之優劣。其《評人間詞話》云：

> 蓋眼前景色，與心中情意，各有其隱顯之時，亦各有其優美之處。隱顯之分，卽隔與不隔之別。就山水之美而言，千巖競秀，萬壑爭流，此不隔之境也；雲海晨看，煙村晚泊，此隔之境也。就人物之美而言，明眸轉睞，皓齒發歌，此不隔之境也；繡幄香風，紗窗煙雨，此隔之境也。金剛怒目，不隔之境也；菩薩低眉，此隔之境也。畫家分南北二宗，北宗鉤勒金碧寫景色，南宗渲染水墨寫雲煙，兩家各有千古，若以隔與不隔之律繩之，則必厚北而薄南矣。總之：隔與不隔，二者雖境界不同，而其美則一。倚聲與繪畫，同屬藝事，固皆以求美為要義，則隔與不隔，何足以定詞境之優劣耶？③

王氏所謂隱顯之分，卽隔與不隔之別，亦據朱光潛之論而闡述也。至於蕭遙天氏則以「分想」與「聯想」論之，謂憑分想，思路十分狹窄，憑聯想，則境界寬濶，馳騁自如，而評觀堂抑高揚低，寸長尺短之立論，亟應矯正。其《語文小論》云：

我們把不隔與直尋，當做創作時內蘊的原動力看，它屬於創造的想像中的分想作用。……所謂不隔與直尋，就是專擅分想作用的創造成就。……鍾氏直尋的示例，「思君如流水」，「高臺多悲風」……等等，王氏不隔的示例，「采菊東籬下，悠然見南山」，「風吹草低見牛羊」……，也和以上同屬一個範疇，是沿分想作用而裁取出來的。

又云：

託物以言志的作品，如屈原寄孤憤於香草，莊周託玄想於大鵬，乃是憑聯想為基礎而創造想像的，而王氏所舉的不隔的示例，則是沿分想作用而裁取出來的。④

丁雨不同意蕭氏分想與聯想作用之說，而以爲「隔」與「不隔」，是指「不眞切」與「眞切」而言。其《論詩詞中的隔與不隔》云：

王國維的所謂隔，主要地是就文藝作品在意象上所表現出的不真切立論的。這個不真切，是當作者們在創造意象時，不能恰如其份地表達出物我的真際，而致落於不合情理，空泛與描象等而造成的。……如果詩詞的深淺，一定是要根據創造想像中的聯想作用與分想作用來分的話，那末，所謂真中的、或不隔中的深，應該是指作品中所表現出的具體意象的多層性與不盡性而言的。像放電影一般，儘管它們的景象，是一幕替代一幕，一幕接連一幕的，但每一幕所顯現出的景象，仍然是顯明而具體的，並不為後一幕的景象所遮隔。我們根據個人經驗，藉着聯想作用以追尋作品中的深的意象時，它們的情形恰好和它相類。所以，不管它們是怎樣的深隱與曲複，却仍不失它們的真切性。蕭饒二氏誤以隔為深，因而强調着：「隔不是毛病」，「此其妙處，正在於隔。」顯然是不對的。⑤

葉嘉瑩似亦同意丁氏之說，以「眞切感受」與「不眞切感受」，說明「不隔」與「隔」。其《王國維及其文學批評》云：

> 《人間詞話》境界說之基礎原是專以「感受經驗」之特質為主的，因此要想求得一篇作品能够達到「有境界」的標準，就不得不具備兩個條件：其一是作者對其所寫之景物及情意須具有真切之感受，其二是對於此種感受又須具有能予以真切表出之能力。……如果在一篇作品中，作者果然有真切之感受，且能做真切之表達，使讀者亦可獲致同樣真切之感受，如此便是「不隔」。反之，如果作者根本沒有真切之感受，或者雖有真切之感受但不能予以真切之表達，而只是因襲陳言或雕飾造作，使讀者不能獲致真切之感受，如此便是「隔」。⑥

吳宏一謂靜安之境界是重視自然眞切，「隔與不隔」是指表現技巧而言，此與葉嘉瑩之說，頗爲類似。其《王靜安的境界說》云：

> 王靜安的境界說是重視自然的、真切的。他所說的自然，亦卽純真。要是在表現技巧上，能够合乎自然的法則，能够「不隔」不游，經過移情作用，將意（情趣）境（意象）—真感情真景物傳達給讀者，而引起讀者共鳴的，便是有「境界」。⑦

又云：

《人間詞話》中所論及的「隔」與「不隔」，也是就表現的技巧而言的。……王靜安的意思是表現的技巧，能夠合乎自然的法則，能夠表現得恰到好處的話，才是「不隔」，也不是游詞，否則就是隔了。⑧

明允中亦以隔與不隔謂就表現技巧而言，此說與葉氏所論相同。其《論詞之形式與內容》云：

王氏論詞之隔與不隔，攄詞甚簡，頗為近人聚訟。實則王氏所論，蓋就已有境界之詞，進就討論其表現技巧而言。

勞榦以「敍述清楚」爲「不隔」，反之爲「隔」，評王氏不應以文詞上之技巧當作文學上之到達。其《論神韻說與境界說》云：

照王氏的意思，境界並不單純的指外界的刺激，而內部的反應也包括進去，也就是境界實卽是詩人行為的敍述。敍述的清楚就是「不隔」，敍述的不清楚就是「隔」。其中並無價值的因素在內。……若照「隔」與「不隔」的標準來看，「池塘生春草」，「空梁落燕泥」是不隔，但史思明的「青梅一籃子，一半青，一半黃。」又何嘗隔？兒歌：「張打鐵李打鐵，打把剪刀送姐姐。」又何嘗隔？以至於小調、秧歌、鼓兒詞，歌仔戲、流行歌曲也都是不隔的，因為「隔」就不會流行了。誠然，「不隔」就是顯豁，顯豁是修辭中一個重要條件，卻未必便可成為文學批評上的最高標準。因為他把「不隔」當作批評標準，就不免把文詞上的技巧當作文學上的到達。所以他批評南唐中主警拔的「細雨夢回鷄塞遠，小樓吹徹玉笙寒。」認為不如平庸的「菡萏香銷翠葉殘，西風愁起綠波間」，這就會使人無法了解他的批評標準是否正確了。⑨

徐復觀以「直接照面」爲不隔，反之爲隔。徐氏《詩詞的創造過程及其表現效果》云：

> 詩詞的隔與不隔，先粗淺而概略的說，作者所寫的景，所言的情，能與讀者直接照面，那便是不隔。若不能與讀者直接照面，不僅須讀者從文字上轉彎抹角的去摸索，並且摸索以後還得不到什麼，那便是隔。若就作者的創作過程說，作者把他所要寫的景，所要言的情，抓住觀照，感動的一剎那，而當下表現出其原有之姿，不使它無關涉的東西，滲雜到裏面去，這便是不隔。若當下不能表現其原有之姿，而須經過技巧的經營，假借典故，及含有典故性的詞彙，才能表達出來；此時在情與景的原有之姿的表層，蒙上了假借物的或深或淺的雲霧，這便是隔。劉勰《文心雕龍·明詩篇》所說的「直而不野」的直，鍾嶸《詩品序》所說的「皆因直尋」的直尋，李太白古風所說的「垂衣貴清真」的真，都指的是不隔。不隔的表現得完全；隔的表現得不完全。不隔的作品，可以把讀者引到作者創作時同等的境界，與作者同其感動，與作者同其觀照，這是文學對人生的最大效果。隨其隔的程度而此種效果也與之成比例的減低。⑩

勞榦所謂「敍述清楚」爲不隔，「敍述不清楚」爲隔；徐復觀所謂「直接照面」爲不隔，「不直接照面」爲隔；兩者意義相同。亦卽觀堂所謂「語語都在目前」爲不隔，「霧裏看花」爲隔矣。「語語都在目前」者，眞切自然是也。《詞話》卷上五十六則云：

大家之作，其言情也必沁人心脾，其寫景也必豁人耳目，其辭脫口而出，無矯揉裝束之態。以其所見者真，所知者深也。

「言情沁人心脾」，「寫景豁人耳目」，非眞切而何？「其辭脫口而出」，「無矯揉之態」，非自然而何？至於「霧裏看花」，亦卽陸機所謂「意不稱物，文不逮意」是也。陸氏《文賦》云：

> 每自屬文，尤見其情，恆患意不稱物，文不逮意，蓋非知之難，能之難也。

陸氏之說，亦卽劉彥和所謂「暨乎篇成，半折心始」是也。劉勰《文心雕龍·神思》篇云：

> 方其搦翰，氣倍辭前，暨乎篇成，半折心始。何則？意翻空而易奇，言徵實而難巧。⑪

觀堂隔與不隔之論，或許受叔本華之影響亦未可知。叔氏《論風格》云：

> 凡具明確思想或認識之人，均以直接方式表達之，故其所寫，乃明確清晰之觀念，其作品不冗長之味，不含混模糊。尋常作家，只是一知半解，徒然拼湊陳腔濫調而已矣。⑫

所謂「觀念明確清晰，不冗長之味，不含混模糊。」非不隔而何？反之則隔矣。又叔氏《論作家》云：

> 作家有二：一乃為表達一己之思想而創作，其寫作之先，心中先存某種觀念或體驗，以為堪值表達，方才下筆。一乃為金錢寫作，其觀念思想含混不清，游移未定，其所表現均非經驗之物，故作品朦朧不明確。⑬

所謂「心中先存某種觀念或體驗」，蓋所見者眞，所知者深，方能下筆如有神，描寫得淋漓盡緻，此非不隔而何？所謂「觀念思想含混不清，作品朦朧不明」，如霧裏看花，非隔而何？

【附　注】

① 何志韶編《人間詞話研究彙編》，頁四。民國六十四年，巨浪出版社再版本。
② 同上，頁八八—八九。
③ 同上，頁七七—七八。
④ 《語文小論》頁八三—八四。
⑤ 同注①，頁一一一及一二六。
⑥ 葉嘉瑩《王國維及其文學批評》，頁二五一。民國七十一年，源流出版社。
⑦ 同注①，頁一八六。
⑧ 同上，頁一八九—一九〇。
⑨ 同上，頁一七四—一七五。
⑩ 同上，頁一三四—一三五。
⑪ 范文瀾《文心雕龍注》，《神思》篇，臺灣開明書店。
⑫ 劉大悲譯《叔本華選集》，頁一七二，志文出版社。
⑬ 同上，頁一六六。

第四款 代字、隸事與游詞

代字者，於詩詞中，使用代替粉飾之字，則謂之代字，周美成《解語花》之「桂華流瓦」，境界極妙，惜以「桂華」代替「月亮」。夢窗以下，用代字更多，其所以然者，非意不足則語不妙。蓋意足則不暇代，語妙則不必代。沈伯時《樂府指迷》，惟恐人不用代字，謂說桃須用紅雨、劉郎等字，詠柳須用章臺、灞岸等字。果以是爲工，則古今類書俱在，又安用詩詞乎？如不用代字，則情景表現得更眞切，字字如在目前。果如是則臻於自然神妙之化境矣！

惟詩詞於不得已之情況下，亦不妨使用代字，可避則避之。如爲調協平仄以及對偶韻脚之關係，故不得不使用代字。謝崧《詩詞指要》云：

東坡的「玉樓」與「銀海」一聯，就無關於平仄與對偶，實在可不用這兩個字來代替的。因為「兩肩」與「雙目」的平仄，無異於「玉樓」與「銀海」的平仄，並且對稱得更工整。這不是絕對可以避免用代字嗎？但東坡偏偏要用道家的習語來對，只可說他是要炫耀其廣博而已。不過他在另一首《初入贛過惶恐灘》的「七千里外二毛人，十八灘頭一葉身」一聯，就因為對偶的關係，而以「二毛」二字代替「老」字。又如「滄海沉珠垂玉筋，歌筵背客抱銅琶」一聯，也是為了對偶的關係而以「玉筋」代替「淚」了。又如白樂天《琵琶行》的「夢啼紅妝淚闌干」一句，却為了韻脚的關係，因其上二韻是「寒」韻的緣故。因此就用「闌干」來代替「眼眶」。至於《長恨歌》的「玉容寂寞淚闌干」一句，就無關韻脚，此句不押韻，本可避免用來代替眼眶的。①

又如有時暗指事物，亦不得不用代字。謝崧《詩詞指要》云：

東坡另一首《詠雪》的「但覺衾裯如潑水，不知庭院已堆鹽」一聯，便用「鹽」來代雪。雖「鹽」字是韻脚，但這兩首詩都不明指雪的。（古人有「詩中要避免出現題目中的字」的說法）②

又如有時已明指事物，爲避免重複，再提時亦不得不用代字。謝崧《詩詞指要》云：

「香盤膩髮春雲濕，酒入寒肌夜玉妍」（王次回），這是先已提了「髮」與「肌」，故再提時不得不用「雲」與「玉」來代。又如：「才揃羅帕相思淚，又見紅冰迸襟來」（舊作撼庭竹），上句已提「淚」，下句不得不用「紅冰」來代「淚」了。③

關于使用代字，此在王國維亦不能免，爲求典雅而避免俗字，亦不得不用也。如其《苕華詞》《浣溪沙》（六郡良家最少年）「誰家紅袖不相憐」？以「紅袖」代替「女子」，若作「誰家女子不相憐」？豈非庸脂俗粉令人厭矣！是故，代字非不可用，要在得當耳！蓋運用之妙，存乎一心也。

至於隸事者，於詩詞中，使用典故，則謂之隸事，或稱使事，亦稱用事。王國維以《長恨歌》之壯采，而所隸之事，只「小玉雙成」四字，才有餘也。而譏梅村歌行，則非隸事不辦。評白吳優劣，即於此見。其實不得不使用隸事，亦不妨用之也。謝崧《詩詞指要》云：

就以《長恨歌》此處的描述來說，則決定白樂天亦非隸事不可的。因此處是描寫上界，就不能不用兩個仙女的名字，這是一切文藝上所謂「內容決定形式」的問題。寫上界而用仙女之名，也和寫月宮而用嫦娥之名一樣是不可避免。如果寫上界而偏偏要用下界慣用的「小婢」「丫鬟」，就大煞風景了。④

若可避免使事而偏用使事，則有太濫之譏。謝崧《詩詞指要》云：

吳梅村的《圓圓曲》，一開首就用了一句「鼎湖當日棄人間」的使事，用黃帝在鼎湖昇仙的故實來暗指崇禎之死，這本來可避免的，而他則否。「這就難免使事太濫之譏。……至於「浣紗女伴憶同行」一句，因為要與上句「教曲妓師」對偶，就不能避免使事而用西施的故實來指陳圓圓了。⑤

若有難言之隱時，亦不妨借事見意而使用故實。謝崧《詩詞指要》云：

李義山有怨於令狐綯不肯引見當時的唐皇帝，甚或皇上問及他而令狐只支吾以對的事。但又不能明言，只得用了「劉郎已恨蓬山遠，更隔蓬山一萬重」的使事來表達他的隱衷。那些因畏懼文字獄而使用故實，就不在話下了。⑥

至於《人間詞話》第三四、三五、五七、五八條中，王氏僅嘗言「何以有隸事現象之出現？」而未嘗言「何以不可有隸事現象之出現？」而後一問題，較之前一問題，重要多多。故於此宜作解答。而作解答，甚爲易易。即：隸事有礙境界。亦即：隸事之於「直接表現眞感情」，有所妨礙。此盡人皆知，毋庸詳辨。

雖然，倘隸事於境界而無礙，則可隸事。隸事，有時甚且不惟無礙於境界，且有助於境界。此非奇論，引如下一則記事可爲證：

吳景旭《歷代詩話》引《類苑》云：「魯直善用事。若填塞故實，舊謂之『點鬼簿』。今謂之『堆垛死屍』。如詠『猩猩』『毛筆』詩：『平生幾兩屐？身後五車書。』又云：『管城子無食肉相，孔方兄有絕交書。』精妙隱密，不可加矣。當以此語反三隅也。」又云：「吳旦生曰：『《唐文粹》《猩猩說》云：「阮研使封溪，見邑人言：猩猩喜著屐。人設酒及屐，乃為所禽。剌其血。」又，晉阮孚云：「未知一生能著幾兩屐？」又，五車書。莊子言惠施事。蓋魯直上句，借孚語以用研事；下句，借施事以言作筆鈔書耳。極刻露處，能餘其隱；故不嫌其太作意也。』」隸事而能至於「極刻露處，能餘其隱；」則儘可隸事而無礙也。

是故，若能「化腐朽爲神奇」，則可使用隸事。葉嘉瑩《王國維及其文學批評》云：

我們可以知道其所提出的「代字」「隸事」之說，乃是專就作品表現時所使用之文字辭彙而言的。至於「游詞」之說，則是兼指作品之詞句口吻所表現之寫作態度而言的。前二者謂作者寫作時或假借前人之辭彙，或引用前人之故實，而不能經由自己之感受使用自己之語言。後者則謂作者在寫作時，對其所寫之對象在態度上先已有了不盡忠實之意，故爾表現於辭句口吻之中遂亦不免有虛浮矯飾之感。凡此種種，如果以《人間詞話》境界說之「能寫真景物真感情者謂之有境界」的標準來衡量，自然便會使人感覺到其在感受及表達兩方面都有着不盡「真切」之感了。這應該乃是靜安先生反對「代詞」「隸事」及「游詞」的主要原因。……所以在詞中用典隸事，應該也並不是必不可以的，只要作者之情意深摯感受真切能夠自有境界，而且學養豐厚才氣博大可以融會古人為我所用，足以化腐朽為神奇，給一切已經死去的辭彙和事典都注入自己的感受和生命，如此則用典隸事便不僅不會妨礙「境界」之表達，而且反會經由所用之事典而引發讀者更多之聯想，因而使所表達之境界也更增廣增強。在這種情形下，用典和隸事當然乃是無須加以反對的。然而如果作者自己的情意才氣有所不足，不能自有境界，而只是在辭窮意盡之際，臨時拼湊，想借用古人之事典來彌補和堆砌，在這種情形下，當然就不免會妨礙境界之表達而造成「隔」的現象了。靜安先生所反對的用典隸事應該就是屬於後者的情形。⑦

葉氏之說，所見甚是，可謂切中肯綮之論矣。

至於「游詞」，則「詳釋六十二」中，言之綦詳。《詞話》刪稿第四十四則云：

詞人之忠實，不獨對人事宜然。卽對一草一木，亦須有忠實之意，否則所謂游詞也。

衡諸觀堂之意，所謂游詞者，卽浮游不實，亦卽不忠實之意也。易言之，雕章琢句，堆砌故實，寫情則不能沁人心脾，寫景則如霧裏看花，未能眞切表達之謂也。

【附　注】

① 謝崧《詩詞指要》附錄一，頁六〇—六一，民國六十八年。

② 同上，頁六十二。
③ 同上。
④ 同上。
⑤ 同上，頁六三。
⑥ 同上，頁六四。
⑦ 葉嘉瑩《王國維及其文學批評》，頁二五九，二六二。民國七十一年，源流出版社。

第五款　文學之演進

文學演進之情形，非三言兩語所能盡。王氏於《人間詞話》中，僅一條（第五十四條）又《詞話·刪稿》一條（第四條），論及此事，自未免難以言之妥帖。如言：某敝而有某，某敝而有某，……不惟未必盡然，且幾乎盡未必然。楚辭之興，由四言敝乎？五言之生，由楚辭敝乎？……至民國尚有人撰寫四言，撰寫楚辭，……即如駢四儷六之最受攻擊，最易敝罷，時至今日，臺灣尚有樂此不疲而爲之者。可證：新文體之興，另有他因，非待舊文體之敝而興也。故「詳釋五十四」中，吾人僅言新起文體之起始年代，而不言其所謂「敝」之年代也。蓋是否已敝，尙未知也。

至於同一文體之後不如前，王氏以爲「此說固無以易」。然仍屬未必盡然。「詳釋五十四」之舉例，姑言之耳。如：杜甫之《春望》，謂其「固不如沈佺期之《雜詩》」，則未必也。

蓋文體之演變，由於「推陳出新」，而非由於「始盛終衰」。葉燮《原詩·內篇》上云：

> 《三百篇》一變而為蘇、李，再變而為建安、黃初。建安、黃初之詩，大約敦厚而渾樸，中正而達情。一變而為晉，如陸機之纏綿鋪麗，左思之卓犖磅礴，各不同也。其間屢變而為鮑照之俊逸，謝靈運之警秀，陶潛之澹遠。又如顏延之之藻績，謝朓之高華，江淹之韶嫵，庾信之清新。此數子者，各不相師，咸矯然自成一家。不肯沿襲前人以為依傍，蓋自六朝而已然矣。其間健者如何遜，如陰鏗，如沈炯，如薛道衡，差能自立。此外繁辭縟節，隨波日下，歷梁、陳、隋以迄唐之垂拱踵其習而益甚，勢不能不變。小變於沈、宋、雲、龍之間，而大變於開元、天寶、高、岑、王、孟、李。此數人者，雖各有所因，而實一一能為創。而集大成如杜甫，傑出如韓愈，專家如柳宗元，如劉禹錫，如李賀，如李商隱，如杜牧，如陸龜蒙諸子，一一皆特立興起。其他弱者，則因循世運，隨乎波流，不能振拔，所謂唐人本色也。宋初，詩襲唐人之舊，如徐鉉、王禹偁輩，純是唐音。蘇舜卿、梅堯臣出，始一大變；歐陽修亟稱二人不置。自後諸大家迭興，所造各有至極。今人一概稱為「宋詩」者也。自是南宋、金、元，作者不一。大家如陸游、范成大、元好問為最，各能自見其才。①

此雖論詩，其實一切文體皆然也。夫文學之演進，由簡而繁，由樸實而華美，乾坤一日不息，人類智慧一日不竭，則文學之創作日新月異，豈有衰敝之理乎？饒宗頤《人間詞話平議》云：

觀堂論詞，頗伸北宋而詘南宋。夫五代北宋詞，多本自然，時有真趣，南宋詞則間出鏤刻，具見精思；即北宋末葉，過於求工者，已多斧鑿痕跡，漸開南宋之先路。一切文學之進化，先真樸而後趨工巧，觀漢魏詩之高諢，下逮宋齊，則以雕鏤為美，斯其比也。故南北宋詞，初無畛域之限，其由自然而臻於巧練，由清泚而入於濃摯，乃文學演化必然之勢，無庸强為軒輊。論詩而伸唐絀宋，清葉燮已深加非議，持以質王氏，寧不啞然失笑？周止庵於兩宋詞頗有優劣之論，語尚宏通，王氏殆受其暗示，而變本加厲，益為偏激矣。②

饒氏之言，可謂持平之論。王鎮坤謂觀堂之所以嚴屏南宋，乃對症發藥之論。其《評人間詞話》云：

夷考先生之嚴屏南宋者，實有其苦心在。詞自明代中衰，以至清而復興。清初朱（竹垞）、厲（樊榭）倡浙派，重清虛騷雅而崇姜、張。嘉慶時，張皐文立常州派，以有寄託尊詞體而崇碧山。晚清王半塘、朱古微諸老，則又倡學夢窗，推為極則。有清一代詞風，蓋為南宋所籠罩。卒之，學姜、張者，流於浮滑；學夢窗者，流於晦澀。晚近風氣，注重聲律，反以意境為次要，往往堆垜故實，裝點字面，幾如銅牆鐵壁，密不通風。故曰：「梅溪、夢窗、西麓之詞膚淺，近人棄周鼎而寶康匏，實難索解。」先生目擊其弊，於是倡境界之說以廓清之，《人間詞話》乃對症發藥之論也。③

王氏說明觀堂之所以崇北宋，蓋反清代詞風之崇南宋，浮滑晦澀，堆垜故實，故創意境說而救其弊也。所謂「堆垛故實」，亦卽觀堂所謂「羔雁之具」，其《詞話刪稿》第四則云：「詩之中唐以後，殆爲羔雁之具矣，故五代北宋之詩佳者絕少，而詞則爲極盛時代。……至南宋以後，詞亦爲羔雁之具，而詞亦替矣。此亦文學升降之一關鍵也。」穀永更譽爲千古卓識。其《王靜安先生之文學批評》云：

凡一種文學其發展之歷程必有三時期：㈠為原始的時期，㈡為黃金的時期，㈢為衰敗的時期，此準諸世界而同者。原始的時期真而率，黃金的時期真而工，衰敗的時期工而不真，故以工論文學，未有不推崇第二期及第三期者；以真論文學，未有不推崇第一期及第二期者。先生奪第三期之文學的價值而予之第一期，此千古之卓識也。④

穀氏之說，大致尙是，唯爲「衰敗」則未必然，當爲「蛻變」時期，如蛹化蝶，「蛹」爲「眞樸」，「蝶」則「華麗」矣。蓋文體之演變，由樸實而華美，此爲文學發展自然之趨勢，蕭統《文選序》已言之矣。葉嘉瑩以文學演進之歷史觀言之，謂古今中外一切文學體式終久必趨於變。其《王國維及其文學批評》云：

靜安先生乃是有着極明白的文學演進之歷史觀的。他不僅有見於每一時代有每一時代新興之文學，而且更指出了文學演進的主要原因，乃是由於任何一種文體，在通行既久之後，經過多人之嘗試和試用，自然便不免會逐漸趨於定型，成為一種習套。於是當一切可行之途徑嘗試俱窮之後，後之作者一則既更無發展開拓之餘地，再則又現有許多既成的習套擺在眼前，於是才氣不足的作者自然便不免養成一種因襲模仿之風，而喪失了一切文學作品原來所最需要的創造的精神和能力，所以豪傑之士遂不免遁而作他體。這種論見實在道出了古今中外一切文學體式終久必趨於變的根本原因之所在。⑤

葉氏爲詩詞專家，於王國維之文學頗有研究，其不言「敝」，不言「衰」，而言「變」，頗具卓見。章太炎《國故論衡》云：

> 魏文侯聽今樂則不知倦，古樂則臥。故知數極而遷，雖才士弗能以為美。

章氏雖言樂，其於文學亦然，所謂「遷」即「變」也，如言「敝」，如言「衰」，則一字之差，而失之千里矣。總之，本款謂文學之演進，而非謂文學之衰退，其演進之歷史觀，如「蠶蛹化蝶」，破繭而出，化爲美麗之蝴蝶，翱翔於錦繡燦爛之文學天地。

【附注】

①《文學理論資料彙編》頁九四四，民國七十四年，華諾文化公司。

②何志韶編《人間詞話研究彙編》頁九八—九九，民國六十年，巨浪出版社再版本。

③同上，頁八二—八三。

④《學衡》第六四期，頁一三，上海一九二八年。

⑤葉嘉瑩《王國維及其文學批評》，頁二六三—二六四。民國七十一年，源流出版社。

第六款　創作者之修餐

創作者之修養，固可指一般之道德修養；但此處，以指寫作上之修養爲宜。寫作上之修養，固亦包括品德修養，然有倚重倚輕之不同。寫作修養問題固未有文學演進問題之複雜，然仍非三言兩語所能盡。故此處僅討論少數特定情形。而王國維氏於《人間詞話》亦僅提有二條。（第六十及六十一條。）

王氏於二條中所指出之詩人四點修養，——㈠能入，㈡能出，㈢以奴僕命風月，㈣與花鳥共憂樂。觀點極爲正確。惟以所言過於簡略，嘗滋聚訟。「詳釋六十」及「詳釋六十一」中，吾人嘗分別外於聚訟而提出解答。是否有當？則俟高明。

此外，《文學小言》四則云：

文學中有二原質焉：曰景，曰情。前者以描寫自然及人生之事實為主，後者則吾人對此種事實之精神的態度也；故前者客觀的，後者主觀的也；前者知識的，後者感情的也。自一方面言之，則必吾人之胸中洞然無物，而後其觀物也深而其體物也切，即客觀的知識實與主觀的感情為反比例；自他方面言之，則激烈之感情亦得為直觀之對象、文學之材料，而觀物與其描寫之也亦有無限之快樂伴之。要之，文學者不外知識與感情交代之結果而已，苟無敏銳之知識與深邃之感情者不足與於文學之事，此其所以但為天才遊戲之事業而不能以他道勸者也。①

所謂「胸中無物而體觀外物之深切」即「出乎其外故能觀之」；「激烈感情得爲直觀對象」，亦卽「能入」之情，與「能出」之知，故文學家必須具有「敏銳知識」與「深邃感情」之修養也。葉嘉瑩《王國維及其文學批評》云：

> 惟其有「輕視外物」之態度，所以才能使外物皆被我所驅使而不被外物所拘限，因此才能有「出乎其外」的客觀觀照；又惟其能有「重視外物」之態度，所以才能與一切所寫之對象取得生命的共感，因此才能有「入乎其內」的深刻感受。而對於一位真正偉大的作者而言，實在應當同時兼具這二種態度和修養，方可達到既「能觀」又「能寫」的最高的藝術成就。②

易言之，作者之修養，必須具有「豐富之學識」與「眞摯之感情」。又《文學小言》五則云：

> 古今之成大事業大學問者，不可不歷三種之階級：「昨夜西風凋碧樹，獨上高樓望盡天涯路。」此第一階級也。「衣帶漸寬終不悔，為伊消得人憔悴。」此第二階級也。「衆裏尋他千百度，回頭驀見，那人正在燈火闌珊處。」此第三階級也。未有不閱第一、第二階級而能遽躋第三階級者。文學亦然。此有文學上之天才者，所以又需莫大之修養也。③

所謂第一階級，卽「理想」也，頗有「欲窮千里目，更上一層樓」之胸襟。第二階級，卽「毅力」也，頗有「貧賤不能移」之志節。第三階級，卽「頓悟」也，頗有「踏破鐵鞋無覓處，得來全不費功夫」之樂趣。故能有文學上之天才，亦須極大之修養也。又《文學小言》七則云：

> 天才者，或數十年而一出，或數百年而一出，而又須濟之以學問，帥之以德性，始能產真正之

大文學。此屈子、淵明、子美、子瞻等，所以曠世而不一遇也。④

此言作者雖有天才，亦須「學問」與「德性」之修養。所謂「學問」，當指文學造詣；「德性」，當指悲天憫人之胸襟，如釋迦、基督擔荷人類罪惡之抱負也。

【附　注】

① 《王國維先生全集》初編㈤，頁一九一四。民國六十五年，臺灣大通書局。
② 葉嘉瑩《王國維及其文學批評》，頁二七二。民國七十一年，源流出版社。
③ 同注①，頁一九一四—一九一五。
④ 同注①，頁一九一五。

第七款　品評之方式與術語

第一項　品評之方式

一、直感式之批評

直感式者，直覺之感受是也。觀堂於欣賞詩詞時，所產生之理念而評論之。玆舉例如下：

㈠**最工**：《滄浪》《鳳兮》二歌，已開楚辭體格。然楚辭之最工者，推屈原、宋玉，而後此王褒、劉向之詞不與焉。五古之最工者，實推阮嗣宗、左太沖、郭景純、陶淵明，而前此曹、劉，後此陳子昂、李太白不與焉。詞之最工者，實推後主、正中、永叔、少游、美成，而前此溫、韋，後此姜、吳，皆不與焉。①又詠物之詞，自以東坡《水龍吟》詠楊花爲最工，邦卿《雙雙燕》次之，白石《暗香》、《疏影》格調雖高，然無一語道着，視古人「江邊一樹垂垂發」等句何如耶。②

(二)**霧裏看花**：白石寫景之作，如「二十四橋仍在，波心蕩、冷月無聲。」「數峯淸苦，商略黃昏雨。」「高樹晚蟬，說西風消息。」雖格韻高絕，然如霧裏看花，終隔一層。又作隔霧看花：覺白石《念奴嬌》《惜紅衣》二詞，猶有隔霧看花之恨。③

(三)**情景不隔**：「生年不滿百，常懷千歲憂。晝短若夜長，何不秉燭遊？」「服食求神仙，多爲藥所誤。不如飮美酒，被服紈與素。」寫情如此，方爲不隔。「採菊東籬下，悠然見南山。山氣日夕佳，飛鳥相與還。」「天似穹廬，籠蓋四野。天蒼蒼，野茫茫，風吹草低見牛羊。」寫景如此，方爲不隔。④

二、印象式之批評

印象式者，直覺之印象是也。觀堂於欣賞詩詞時，所感受之印象而評論之。玆舉例如下：

(一)**氣象**：太白純以氣象勝。「西風殘照，漢家陵闕。」寥寥八字，遂關千古登臨之口。後世唯范文正之《漁家傲》，夏英公之《喜遷鶯》，差足繼武，然氣象已不逮矣。⑤又詞至李後主而眼界始大，感慨遂深，……「自是人生長恨水長東。」「流水落花春去也，天上人間。」《金荃》《浣花》，能有此氣象耶？⑥又「風雨如晦，鷄鳴不已。」「山峻高以蔽日兮，下幽晦以多雨。霰雪紛其無垠兮，雲霏霏而承宇。」「樹樹皆秋色，山山唯落暉。」「可堪孤館閉春寒，杜鵑聲裏斜陽暮。」氣象皆相似。⑦又昭明太子稱：「陶淵明詩『跌宕昭彰，獨超衆類。抑揚爽朗，莫之與京。』」王無功稱：薛收賦「韻趣高奇，詞義晦遠。嵯峨蕭瑟，眞不可言。」詞中惜少此二種氣象，前者惟東坡，後者唯白石，略得一二耳。⑧又幼安之佳處，在有性情，有境界。即以氣象論，亦有「橫素波、干青雲」之概，寧後世齷齪小生所可擬耶？

㈡**格調**：古今詞人格調之高無如白石，惜不於意境上用力，故覺無言外之味弦外之響，終不能與於第一流之作者也。⑨

㈢秀：溫飛卿之詞，句秀也；韋端己之詞，骨秀也；李重光之詞，神秀也。⑩

三、傳統式之批評

傳統式者，中國文學傳統之批評方式是也。即好以具體之意象，描述抽象之風格之批評方式，如潘詩「爛若舒錦」，陸詩「披沙簡金」，謝詩「出水芙蓉」，顏詩「錯采鏤金」等語是也。

1. 以作者人格性情品評作品風格

㈠**李後主不失赤子之心**：詞人者不失其赤子之心者也，故生於深宮之中，長於婦人之手，是後主爲人君所短處，亦即爲詞人所長處。⑪

㈡**東坡曠稼軒豪**：東坡之詞曠，稼軒之詞豪。無二人之胸襟而學其詞，猶東施之效捧心也。⑫

㈢**史梅溪品格偷貪**：周介存謂「梅溪詞中喜用偸字，足以定其品格」，劉融齋謂「周旨蕩而史意貪」，此語令人解頤。⑬

㈣龔定庵涼薄無行：龔定庵詩云：「偶賦凌雲偶倦飛，偶然閒慕遂初衣，偶逢錦瑟佳人問，便說尋春爲汝歸。」⑭其人之涼薄無行躍然紙墨間。

(1)優點

此種批評方式，其優點可直探詩歌中感性之生命之源流與命脈之所在。葉嘉瑩《王國維及其文學批評》云：

《人間詞話》評李後主詞稱其「不失赤子之心」是「為人君所短處，亦卽為詞人所長處」，又稱「東坡之詞曠，稼軒之詞豪」，以為與二人之「胸襟」有關。像這些品評就並不是盲目地以人格之價值與作品之價值混為一談，而只是就作者人格性情之某些特質與其風格之某些特質間的關係來立論的。卽以後主之詞論，其風格之自然真率的一面，與其為人之純真便確實有着相通之處。而東坡為人之超曠與稼軒之豪健，與他們詞中所表現的「曠」與「豪」的風格，當然也有着相當密切的關係。像這種批評如果用之得當，則往往可以自「詩」與「人」的渾然合一中，直探詩歌中感性之生命的源流與命脈之所在，這乃是中國文學批評中極可重視的一種寶貴的傳統。⑮

文如其人，人如其文，人文渾然合一，其理誠然。蓋作品與人品，確實有密切之關係。有文天祥、岳飛之忠君愛國，方有《正氣歌》與《滿江紅》之作品，如秦檜之流，豈能夢見乎？李長之《王國維文藝批評著作批評》云：

「同樣是一樣的情境，然而終有分別的，卽在作者個性……我以為這是中國印象批評的極致，確乎是中國所特有，而作了幾千百年的傳統了的。這種方法是由作品中得到作者的個性，由作者的個性以了解作品，所得的遂是不分作品不分作者的一種混同的印象。」⑯

⑵缺點

宇宙萬物事理，優劣並存，文學批評亦然，既有優點，亦必有缺點，故常有以人廢言，顚倒本末，不就作品價值立論，而以作者人品評述。葉嘉瑩《王國維及其文學批評》云：

「這種批評方式最大的一個缺點，乃在於評詩人往往把作者人格的價值與作品本身之價值混為一談，在評說時，不從作品本身之藝術成就立論而却津津於作者為人行事之評述，這當然是本末顚倒的一種價值的誤植。」⑰

此種批評方式之通病，好以人論詩或因詩論人之價值誤植。吳文祺《近百年來的文藝思潮》云：

「因了詞中用字或意境，而牽連到作者的人格，這是一種道學家的批評方法。王通《中說·事君篇》云：『予謂文士之行可見，謝靈運小人哉，其文傲，君子則謹。沈休文小人哉，其文冶，君子則典。』因了文章的冶或傲而斷定作者為小人，這種深文周納的辦法，是迂腐而荒唐的。」⑱

又云：

周劉二人的謬語，王氏不但不知糾正，反為之推波助瀾，如他評龔定庵的詩斥之曰「游」，就詩論詩當然是對的，但忽然由此聯想到龔氏的「涼薄無行」，那就不免與王通一鼻孔出氣了。⑲

因人廢言，猶如因噎廢食，其不可行也明矣！於文學批評亦然。

2. 以具體意象喻示作品風格

㈠溫庭筠詞似畫屏金鷓鴣：「畫屏金鷓鴣」，飛卿語也，其詞品似之。⑳

㈡韋莊詞似絃上黃鶯語：「絃上黃鶯語」，端己語也，其詞品似之。㉑

㈢馮延巳詞似和淚試嚴妝：正中詞品若欲於其詞句中求之，則「和淚試嚴妝」殆近之歟？㉒

㈣吳文英詞似映夢窗凌亂碧：夢窗之詞，吾得取其詞中之一語以評之，曰：「映夢窗凌亂碧」。㉓

㈤張炎詞似玉老田荒：玉田之詞，余得取其詞中之一語以評之，曰：「玉老田荒」。㉔

(1)優點

畫屏金鷓鴣，雖然華麗，嫌乏生動；絃上黃鶯語，雖然琴音酷似，終非枝上鶯啼眞切；和淚試嚴妝，如貴婦有嚴妝之艷麗，而又有紅顏薄命之悲苦。至於映夢窗凌亂碧、玉老田荒，似嫌抽象而乏具體，非貼切之評矣。葉嘉瑩《王國維及其文學批評》云：

這種批評方式也確有其長處所在，那就是意象式的喻示也就最能以保持以感性為主的詩歌的特質。這種方式如果運用得宜，也就說評詩人對於所評的作品既然能有真切深入的體認，而且也能提出適當的意象來作為喻示，則這種批評方式實在應該是保持詩歌之本質，使其以感性為主之生命可以透過另一意象的傳達，而得到生生不已之感動效果的一個最好的方法。㉕

又云：

我們先看他所提出的有關溫、韋、馮三家詞風格的評語和喻示。他以溫詞中「畫屏金鷓鴣」一句來擬喻其風格，而溫詞風格之特色確實乃在於華美濃麗而缺少鮮明生動的個性，恰似畫屏上閃爍着光彩的一隻描金的鷓鴣。又以韋詞「絃上黃鶯語」一句來擬喻其風格，而韋詞風格之特色確實乃在於誠摯真率，出語自然，恰似絃上琴音之如枝上鶯啼的自然真切。又以馮詞之「和淚試嚴妝」一句來擬喻其風格，而馮詞風格之特色確實乃在於善以穠摯之筆表現悲苦執着之情，一如女子有和淚之悲而又有嚴妝之麗。像這些例證，便都是非常貼切的成功的喻示。㉖

其所論至爲明確，惟「絃上黃鶯語」，拙見以爲琴音雖酷似鶯語，終非林間鶯啼眞切自然，其間確有差別，此句係以聽覺言之也。故上句「畫屏金鷓鴣」以視覺言之，畫屏鷓鴣，猶如標本鷓鴣，縱使栩栩如生，嫌乏生動活潑之神韻，乃係「死鳥」也。上下二語對照觀之，衡諸觀堂之意，似乎應作如是解較爲妥貼。

⑵缺點

至於其缺點，嫌太主觀，而乏客觀理論，難以令人信服。又間有抽象籠統之語，惜乏具體鮮明之形象，難免使讀者有如「霧裏看花，終隔一層」之感。葉嘉瑩《王國維及其文學批評》云：

這種方式也有着不少缺點，那就是過於籠統，過於主觀，既全無理論之根據，也全無客觀之標準。在這種情形之下，說詩人有時既不免會提出一些並不切當的意象以為喻示，而讀詩人對於這些莫測高深的意象，當然就更如墜入五里霧中，不知其喻示之究竟何指，而追究起來則又全無客觀理論可為爭辯解說之依據。像這些缺點，自是這種批評方式的無可諱言的通病。㉗

又云：

但是如果我們再看《人間詞話》所提出的另外兩則擬喻，就會發現靜安先生所摘取來做為喻示的意象，有時也不是完全成功的。即如其以夢窗詞中之「映夢窗凌亂碧」一句來比擬夢窗的風格，又以玉田詞中之「玉老田荒」一句來喻示玉田詞之風格，這些例證就使人有不盡貼切適當之感。因為一則這兩句詞本身原來就不能提供給讀者明確的意象，再則這二句詞中的「凌亂」、「老」、「荒」等字，所給予讀者的也依然是抽象的說明而並非具體的感受。何況夢窗詞及玉田詞中之風格也決非「凌亂」一詞及「老」「荒」二字之所能盡。三則這二句詞中恰好包含有兩個作者的別號「夢」「窗」「玉田」，因此就不免會使人覺得靜安先生之所以擇取了這二句詞，來喻示夢窗及玉田二家詞，並不是因為意象的貼切，而只是因其恰好鑲嵌有二人名字之巧合而已。像這種模糊影響的喻示，就充分顯現出了這種評說方式的缺點所在。㉘

葉氏之說，確爲持平之論。

3. 以欣賞者聯想闡述作品新義

㈠美人遲暮：南唐中主「菡萏香銷翠葉殘，西風愁起綠波間」，大有衆芳蕪穢，美人遲暮之感。㉙

㈡大小不同：尼采謂一切文學余愛以血書者，後主之詞眞所謂以血書者也，宋道君皇帝《燕山亭》詞亦略似之。然道君不過自道身世之戚，後主則儼有釋迦基督擔荷人類罪惡之意，其大小固不同矣。㉚

㈢憂生憂世「我瞻四方，蹙蹙靡所騁」，詩人之憂生也，「昨夜西風凋碧樹，獨上高樓，望盡天涯路」似之；「終日馳車走，不見所問津」，詩人之憂世也，「百草千花寒食路，香車繫在誰家樹」似之。㉛

㈣三種境界　古今之成大事大學問者必經過三種境界：「昨夜西風凋碧樹，獨上高樓，望盡天涯路」，此第一境也；「衣帶漸寬終不悔，爲伊消得人憔悴」，此第二境也；「衆裏尋他千百度，回頭暮見，那人正在燈火闌珊處」，此第三境也。此等語皆非大詞人不能道，然遽以此意解釋諸詞，恐晏歐諸公所不許也。㉜

由「香銷葉殘」，聯想「美人遲暮」，確有「人老花黃」之悲；由道君詞，聯想「自道身世」；由後主詞，聯想「釋迦基督」；前者爲己，後者爲人，胸襟確有高低之別。由「我瞻四方」「望盡天涯」，聯想「詩人憂生」；由「不見問津」「車繫誰家」，聯想「詩人憂世」，何其悲也！第一境爲立定理想，確有「古來聖賢皆寂寞」之感。蓋曲高和寡，燕雀焉知鴻鵠之志？觀堂亦有此感乎？第二境爲實踐理想，懷有「餓死事小，失節事大」之胸襟，頗有貧賤不能移之毅力。第三境爲完成理想，如禪僧之頓悟，頗有踏破鐵鞋無覓處，得來全不費功夫之喜悅。觀堂深受叔本華學說之影響，故其所產生之聯想而多悲觀色彩也。觀堂亦有自知之明，故謂遽以此意解釋諸詞，恐晏歐諸公所不許也。一聯想僅供吾人欣賞詩詞之參考，千萬不可奉為金科玉律，否則，如刻舟求劍，膠柱鼓瑟，則愚不可及矣！唯聯想可引發聯想，產生聯鎖反應，創造新義，使詩歌獲得新生命，生生不息，永垂不朽。葉家瑩《王國維及其文學批評》云：

靜安先生說詞之最大特色，便也正在於其能以這「通古今而觀之」的透過人類共感所引發的聯想和感受，給予讀者一種啓示和觸發，把讀者也帶入了一個更深更廣的境界。雖然每個讀者之所得並不一定完全同，然而却都可以各就其不同的感受，而對原來之詩句有更為深廣的體驗。如此在作者與讀者之間，或說詩人與讀者之間，由聯想引發聯想，遂使詩歌之生命因而得到一種生生不已的感動和延續。如果一位說詩人真能自詩歌中掌握到詩歌之意境中所蘊含的一種生命的共感，由聯想的解說而使其他讀者透過其解說也能產生豐富的聯想，而對此一詩篇中之意境獲致一種綿延不斷的生命共感，這該是說詩人所可達致的極大的成就。這種成就，不僅是對中國以聯想說詩之傳統的一種開拓，即使對西方批評界的主張一詩多義及作者原意謬論的批評家而言，該也是極值得重視的一種參考。㉝

予舊詩賦以新義，確為開創文學新天地。

第二項　品評之術語

一、名詞性質

凡屬於名詞性質，而作爲批評之術語者，如「氣象」、「骨」、「神」、「格調」、「格」與「情」、「氣」與「韻」等。茲舉例如下：

㈠氣象：指作品之精神風貌而言。如「太白純以氣象勝……夏英公之《喜遷鶯》，差堪繼武，然氣象已不逮矣。」又如「《金荃》《浣花》能有此氣象耶？」又如「氣象皆相似。」又如「詞中惜少此二種氣象。」又如「卽以氣象論，亦有『橫素波、干青雲』之概。」故葉嘉瑩《王國維及其文學批評》云：「至於『氣』字與『象』字連言，……當是指作者之精神透過作品中之意象與規模所呈現出來的一個整體的精神風貌。而每一位作者之精神，既可以因其禀賦修養之異而有種種之不同，因之其表現於作品中之意象與規模，當然便也可以有種種不同之『氣象』。」㉞

㈡句秀：指作品之詞句秀美而言。如「溫飛卿之詞，句秀也。」又如「飛卿精艷絕人。」又如「畫屏金鷓鴣，飛卿語也，其詞品似之。」故葉嘉瑩云：「飛卿之所謂句秀，自當指其辭句之華美如畫屏金鷓鴣之精艷絕人。」㉟

㈢骨秀：指作品之內容秀美而言。如「韋端己之詞，骨秀也。」又如「端己詞情深語秀。」又如「絃上黃鶯語，端己語也，其詞品亦似之。」故葉嘉瑩云：「端己詞之所謂骨秀，則當是指其本質上的內容情意眞摯之美而言，至於詞藻一方面則端己詞但以本色自然爲美，決不同於飛卿詞之藻繪修飾，故稱之爲情深語秀，而以絃上黃鶯語擬之。」㊱

㈣**神秀**：指作品之精神秀美而言。如「李重光之詞，神秀也。」又如「詞至李後主而眼界始大，感慨遂深。」又如「後主則儼有釋迦、基督，擔荷人類罪惡之意。」故葉嘉瑩云：「所謂神秀，則當是指精神之生動飛揚，足以超越現實而涵蓋一切的一種美。」㊲

㈤**格調**：指作品風格情調高下而言。如「古今詞人格調之高無如白石，惜不於意境上用力。」又如「白石雖似蟬蛻塵埃，然終不免局促轅下。」又如「東坡之曠在神，白石之曠在貌，白石如王衍口不言阿堵物而暗中爲營三窟之計，此其所以可鄙也。」又如「『紛吾旣有此內美兮，又重之以修能』，文字之事於此二者不能缺一。然詞乃抒情之作，故尤重內美，無內美而但有修能則白石耳。」故葉嘉瑩云：「格調乃是指品格之高下而言的，但品格之高下又有兩種之不同，一種是本質的過人，在情意感受方面不同於流俗，這也就是《人間詞話》開端之所說的『有境界則自成高格』的表現；而另一種則是文字高雅不同於流俗，這也就是白石詞被稱爲格調高的緣故。」㊳

㈥**格與情**：格指格調，如前述不贅。情指情意而言。如「白石有格而無情。」與前引「古今詞人格調之高無如白石，惜不於意境上用力。」兩則詞話相同，亦不贅矣。

㈦**氣與韻**：氣指氣勢，韻指韻味而言，如「稼軒詞有氣而乏韻。」其作品雖有豪放之氣概，惜乏含蘊不盡之餘味。亦卽無絃外之音，言外之意，餘味無窮之意。故葉嘉瑩云：「其氣字之所指自當指作者雄慨超爽之精神在詞中所造成的一種豪放之氣勢。至於所謂韻，則據這則詞話來看，可見韻之爲物必當爲放翁之所短。關於此點，如果就放翁詞本身來看，則其所短正在於過分偏於豪放發揚，因而

乃缺乏了一種含蓄蘊藉之美。」㊴

凡屬於形容詞性質，而作為批評之術語者，如「灑落」與「悲壯」，「豪放」與「沈着」，「淒婉」與「淒厲」等。玆舉例如下：

㈠灑落與悲壯：灑落卽灑脫，亦卽瀟灑脫俗，態度自然，所謂落落大方是也。悲壯卽雄壯之悲情，如岳飛《滿江紅》之詞是也。《詞話》云：「《詩・蒹葭》一篇最得風人深致。晏同叔之『昨夜西風凋碧樹。獨上高樓，望盡天涯路』意頗近之。但一灑落，一悲壯耳。」葉嘉瑩云：「《人間詞話》曾提出過『有我』與『無我』的二種境界，又曾說有我之境所表現的多為『悲壯』之情，無我之境則多為『優美』之情。如以上引晏殊詞與《詩經・蒹葭》篇相較，便可發現晏殊所用的『凋』、『獨上』、『望盡』等字，都不僅雄壯有力，且這些動詞亦都隱含一種與外物對立的類似『有我之境』的意味。可是《蒹葭》一篇則所用的『蒼蒼』、『淒淒』、『采采』等對物的敍寫，與『遡迴』、『遡遊』等對人的敍寫，都較為平和從容，並無人與物對立的明顯迹象。其所表現的只是一種飄渺恍惚的追尋而已，而且在渺茫中還頗有一種瀟灑之致，這可能乃是其所以被靜安先生認為『灑落』，而不同於晏殊詞之『悲壯』的原故。」㊵

㈡豪放與沈着：豪放指豪放之氣慨而言，沈着指深沈之情感而言。所謂「於豪放之中有沈着之致」，蓋言外表雖有豪放之氣慨，而內心又有深摯之感情，兩者俱備，誠為難得，故謂尤高。《詞話》云：「永叔『人生自是有情癡，此恨不關風與月。』『直須看盡洛城花，始共春風容易別。』於豪放之中有沈着之致，所以尤高。」葉嘉瑩云：「如果從這幾句詞的聲情口吻來看，我們就會發現其所用的『自是』、『直須』等語，雖口吻上頗爲豪放，然而卻實在隱含有一種極爲深摯固執的感情在內，與一般狂放之辭之只有虛僞誇張而全無深摯之情者有所不同，所以歐陽修這幾句詞中所表現的感情，很可能乃是使其被認爲於豪放之中有沈着之致的主要原故。」㊶

㈢**淒婉與淒厲**　淒婉指淒涼溫婉，淒厲則更強厲淒苦。《詞話》云：「少游詞境最爲淒婉。至『可堪孤館閉春寒，杜鵑聲裏斜陽暮。』則變而爲淒厲矣。」葉嘉瑩云：「其所以被認爲『淒厲』，及其所以與少游詞通常所表現的『淒婉』不同，則可能是因爲『孤館』、『春寒』、『杜鵑』諸意象，原來便都已表現得極爲悲苦淒涼，而少游卻更於『孤館』與『春寒』之間加一『閉』字，又於『斜陽』下加一『暮』字，遂使原有的淒苦之感更爲加厲，幾全無蘇解喘息之餘地。這與少游一般詞作於淒涼中仍具含蓄溫婉之致的風格，自是有所不同，這大概便是這兩句詞被稱爲『淒厲』的主要原因了。』㊷

以上所述，僅就品評之方式與術語，分類歸納，並略舉而已。其餘意見，均已於《詞話》「逐條詳釋」中論述綦詳，敬請參閱，故此處從略不贅，謹此陳明。

【附　注】

① 王幼安校注《人間詞話》卷中删稿三十九則，頁二四〇。民國六十九年，河洛圖書出版社《河洛文庫》本。
② 王幼安校注《人間詞話》卷上三十八則，頁二〇九。（同上）
③ 同上，三十六則，頁二〇七。
④ 同上，四十一則，頁二一一。
⑤ 同上，十則，頁一九四。
⑥ 同上，十五則，頁一九七。
⑦ 同上，三十則，頁二〇四—二〇五。
⑧ 同上，三十一則，頁二〇五。
⑨ 同上，四十二則，頁二一二。
⑩ 同上，十四則，頁一九七。
⑪ 同上，十六則，頁一九七—一九八。
⑫ 同上，四十四則，頁二一三。
⑬ 同上，四十八則，頁二一四。
⑭ 同注①，四十三則，頁二四一。
⑮ 葉家瑩《王國維及其文學批評》頁二九八—二九九。民國七十一年，源流出版社。

⑯《文學季刊》創刊號，頁二四五。一九三四年，北平立達書局。
⑰同注⑮，頁二九六。
⑱《學林》第一輯，頁一六九，一九四〇年版。
⑲同上。
⑳同注②，十二則，頁一九五。
㉑同上。
㉒同上。
㉓同注②，五十則，頁二一五。
㉔同上。
㉕同注⑮，頁三〇〇—三〇二。
㉖同上。
㉗同上，頁二九九、三〇二。
㉘同上。
㉙同注②，十三則，頁一九六。
㉚同上，十八則，頁一九八。
㉛同上，廿五則，頁二〇二。
㉜同上，廿六則，頁二〇三。

㉝同注⑮，頁三一二。
㉞同上，頁二八三—二八四。
㉟同上，頁二八五。
㊱同上，頁二八五—二八六。
㊲同上，頁二八六。
㊳同上，頁二八七。
㊴同上，頁二八八。
㊵同上，頁二九一。
㊶同上，頁二九一—二九二。
㊷同上，頁二九三。

第三節　人間詞話之因襲部分

第一目　西方思想之影響

第一款　康德優美與壯美之美學

王國維受西方思想影響最大者，莫過於康德（Immanuel Kant, 1724-1804）叔本華（Schopenhauer, 1788—1860) 與尼采 (Nietzsche, 1840—1900) 三人。《人間詞話》承襲康德「優美」與「壯美」之美學觀者，如《詞話》四則云：

> 無我之境，人惟於靜中得之。有我之境，於由動之靜時得之。故一優美，一宏壯也。①

其《古雅之在美學上之位置》云：

> 美學上之區別也，大率分為二種，曰優美、曰宏壯，自巴克（Burke 英人）及汗德（卽康德 Kant）之書出，學者殆視此為精密之分類矣。至古今學者對優美及宏壯之解釋，各由其哲學系統之差別而各不同。要言之，則前者由一對象之形式，不關於吾人之利害，遂使吾人忘利害之念，而以精神之全力，沈浸於此對象之形式中，自然及藝術中普遍之美皆此類也。後者則由一對象之形式，超乎吾人知力所能馭之範圍，或其形式大不利於吾人，而又覺其非人力所能抗，於是吾人保存自己之本能，遂超乎利害之觀念外，而達觀其對象之形式，如自然中之高山、大川、烈風、雷雨，藝術中偉大之宮室、悲慘之雕刻像、歷史畫、戲曲、小說等皆是也。此二者其可愛玩而不可利用也同。②

又云：

> 優美之形式使人心和平，古雅之形式使人心休息，故亦可謂之低度之優美。宏壯之形式常以不可低抗之勢力喚起人欽仰之情，古雅之形式則以不習於世俗之耳目故，而喚起一種之驚訝，驚訝者欽仰之情之初步，故雖謂古雅為低度之優美宏壯亦無不可也。③

又《叔本華之哲學及其敎育學說》云：

美之中又有優美與壯美之別，今有一物令人忘利害之關係而玩之而不厭者，謂之曰優美之感情，若其物直接不利於吾人之意志，而意志為之破裂，唯由知識冥想其理念者謂之曰壯美之感情。④

由上舉證，可知叔本華深受康德之影響，則王國維之受康德、叔本華之影響也必矣。

至於優美與壯美之區別，葉嘉瑩《王國維及其文學批評》云：

優美之感情是起於對於一種可以使吾人「忘利害之關係」的對象之玩賞，卽如大自然中之鳥鳴花放雲行水流，或藝術作品中之美麗的圖畫音樂詩歌等，都可使吾人產生優美之感情。……康德曾提出壯美之情所以異於優美之情者，乃是因為壯美之情較之優美之情多具二種特質，此二特質一為數學的壯美，一為力學的壯美。簡言之，則數學之壯美產生於對於「量」之數學的估計的無限大之感覺，如吾人對大自然中之高山大川廣海遙空所感受之美屬之。力學之壯美則產生於對於「力」之極强大的不可抗的感覺，如吾人對大自然中迅雷烈風山崩海嘯所感受之美屬之。」⑤

其闡理至明，可為佐證也。

第二款　叔本華超然利害之直觀美學

康德美學所分之優美與壯美，在性質上雖有不同，然而就美感經驗而言，則產生超於利害之「直觀」相同，蓋叔本華之學說原曾受康德之影響。如《詞話》五則云：

> 自然中之物，互相關係，互相限制，故不能有完全之美。然其寫之於文學中也，必遺其關係、限制之處，故雖寫實家亦理想家也。又雖如何虛構之境，其材料必求之於自然，而其構造亦必從自然之法則，故雖理想家亦寫實家也。⑥

觀堂《叔本華之哲學及其教育學說》云：

> 唯美之為物，不與吾人之利害相關係，而吾人觀美時，亦不知有一己之利害。何則？美之對象，非特別之物，而此物之種類之形式，又觀之之我，非特別之我，而純粹無欲之我也。夫空間時間既為吾人直觀之形式，物之現於空間者皆並立，現於時間者皆相續，故現於空間時間者皆特別之物矣，則此物與我利害之關係不生於心不可得也，若不視此物為與我有利害之關係而但觀其物，則此物已非特別之物而代表其物之全體，叔氏謂之曰實念，故美之知識實念之知識也。⑦

又云：

> 美術上之所表現者，則非概念又非個象，而以個象代表其物之一種之全體，卽上所謂實念者是也。故在在得直觀之，如建築、雕刻、圖畫、音樂等，皆呈於吾人之耳目者，唯詩歌（並戲劇小說言之）一道，雖藉概念之助以喚起吾人之直觀，然其價值全存於其能直觀與否，詩之所以

多用比興者，其源全由於此也。……詩歌之所寫者，人生之實念，故吾人於詩歌中，可得人生完全之知識。⑧

又《叔本華與尼采》引叔本華《世界是意志和表象》（王氏譯爲《意志及觀念之世界》）云：

一切科學無不從充足理由原則之某形式者，科學之題目，但現象耳，現象之變化及關係耳。今有一物焉，超乎一切變化關係之外，而為現象之內容，無以名之，名之曰實念，問此實念之知識為何，曰，美術是已。夫美術者，實以靜觀中所得之實念，寓諸一物焉而再現之，由其所寓之物之區別，而或謂之雕刻，或謂之繪畫、或謂之詩歌音樂，然其唯一之淵源，則存於實念之知識。……拾其靜觀之對象而使之孤立於吾前，而此特別之對象，其在科學中也，則藐然全體之一部分耳，而在美術中則遽而代表其物之種族之全體，空間時間之形式對此而失其效，關係之法則至此而窮於用，故此時之對象非個物而但其實念也。⑨

又叔本華《世界是意志和表象》云：

實際的物象，幾乎總是它們所表現的理念之極不完全的摹仿，所以天才就需要想象力以洞察事物。那不是說大自然確已創造出來的事物，而是說大自然企圖去創造，但因為事物間自然形式的衝突而未能創造出來的東西。⑩

又云：

天才……不注意事物的聯繫的知識，他忽略了符合充足理由律的那種事物關係的知識，是為了要在事物中只看它們的理念。⑪

又云：

有人會說：藝術摹仿自然而創造了美的東西。……這是多麼固執而愚蠢的成見啊。……美的知識絕不可能純粹是後天的，它總是先天的，至少有一部分是先天的。……只有依賴這種預料，我們才能認識美。……這種預料就是理想。因為它得之於先驗，至少有一半是先驗的，所以它也是理念。而且它對於藝術具有實用意義，因為它符合並且補充我們通過自然後驗地獲得的東西。⑫

上引《詞話》五則，與叔本華之學說，相互對照觀之，足資證明觀堂承襲西方之思想也。又《詞話》一則云：

詞以境界為最上。有境界則自成高格，自有名句。五代北宋之詞所以獨絕者在此。⑬

又二則云：

有造境，有寫境。此理想與寫實二派之所由分。然二者頗難區別。因大詩人所造之境，必合乎自然，所寫之境，必鄰於理想故也。⑭

又三則云：

有有我之境，有無我之境。「淚眼問花花不語，亂紅飛過秋千去」，「可堪孤館閉春寒，杜鵑聲裏斜陽暮」，有我之境也。「采菊東籬下，悠然見南山」，「寒波澹澹起，白鳥悠悠下」，無我之境也。有我之境，物皆着我之色彩。無我之境，不知何者為我，何者為物。此卽主觀詩與客觀詩之所由分也。（此句原已刪去）古人為詞，寫有我之境者為多，然非不能寫無我之境，此在豪傑之士能自樹立耳。⑮

又四則云：

無我之境，人唯於靜中得之。有我之境，於由動之靜時得之。故一優美，一宏壯也。⑯

叔本華《世界是意志和表象》云：

拋開個人利害關係，拋開主觀成分，純粹客觀地觀察事物，並且全神貫注在事物上，……以前在意志之路上追求而往往失諸交臂的寧靜心情便立刻不促而至，那就對我們好極了。這是絕無痛苦的境界，伊壁鳩魯把它推崇為最高的善神的境界，……伊克西翁的飛輪屹然停止。⑰

又云：

天才的本質就在於從事這種靜觀的卓越能力。⑱

又云：

（天才）有充分的自覺，使人能以深思熟慮的技巧來再現所體會到的東西。把在心中浮動的飄忽的形象固定為經久的思想。⑲

又云：

在抒情詩和抒情的心境中，……主觀的心情，意志的影響，把它的色彩染上所見的環境。⑳

又云：

每當我們達到純粹客觀的靜觀心境，從而能夠喚起一種幻覺，彷彿只有物而沒有我存在的時候，……物與我就會全溶為一體。㉑

又云：

美是純粹客觀的靜觀心境。㉒

又云：

如果物象是與意志對抗，並以其不可抵抗的力量使得意志感到威脅，或者其不可測量的體積使得意志自慚形穢，但是如果欣賞者……默默靜觀那些威脅意志的物象，……他就充滿了崇高感。㉓

由以上所引一至四則相連之《詞話》，以及叔本華之說比較觀之，足資證明超然利害之直觀美學，對觀堂詞論所產生之影響，則其因襲也可知矣。

此外，滕咸惠校注本《詞話》二十八則云：

叔本華曰：「抒情詩，少年之作也。敘事詩及戲曲，壯年之作也。」余謂：抒情詩，國民幼稚時代之作，敘事詩，國民盛壯時代之作也。故曲則古不如今，（元曲誠多天籟，然其思想之陋劣，布置之粗笨，千篇一律令人噴飯。至本朝之《桃花扇》《長生殿》諸傳奇，則進矣。）詞則今不如古。蓋一則以布局為主，一則須佇興而成故也。㉔

叔本華《世界是意志和表象》云：

> 少年人僅僅只適於作抒情詩，並且要到成年人才適於寫戲劇。至於老年人，最多只能想象他們是史詩的作家。㉕

滕注本此則《詞話》，係據原稿本補，至爲可信。觀堂直接引叔本華之說，雖專論抒情詩與敍事詩，以及詞曲與傳奇諸作，可作爲觀堂承襲叔氏學說有力之證據。

第三款　尼采血書說

尼采所謂血書者，卽指有血有淚，情眞意深，感人肺腑，可歌可泣，感天地而驚鬼神之偉大傑作，而非眞指用血書寫也。亦卽觀堂所謂「寫景則如在目前，寫情則沁人心脾」，眞切自然之作品是也。

《詞話》十八則云：

> 尼采謂：「一切文學，余愛以血書者。」後主之詞，真所謂以血書者也。宋道君皇帝《燕山亭》詞，亦略似之。然道君不過自道身世之戚，後主則儼有釋迦、基督擔荷人類罪惡之意，其大小固不同矣。㉖

尼采《蘇魯支語錄》云：

> 凡一切已經寫下的，我只愛其人用血寫下的書。用血書寫，然後你將體會到，血便是精義。㉗

兩相對照比較，足資證明觀堂詞論之深受尼采之影響。此外，復有《叔本華與尼采》專文論著，相互參照，亦可作爲佐證也。

綜上所述，觀堂之受西方康德、叔本華、尼采三者學說之影響，可謂證據鑿鑿矣！

第二目　中國理論之影響

第一款　陰柔陽剛說

優美即陰柔，壯美即陽剛，此中西思想相通之處。亦即小境界爲陰柔之美，大境界爲陽剛之美。《詞話》八則云：

境界有大小，不以是而分優劣。「細雨魚兒出，微風燕子斜。」何遽不若「落日照大旗，馬鳴風蕭蕭。」「寶簾閒掛小銀鉤」，何遽不若「霧失樓臺，月迷津渡」也。㉘

姚鼐《復魯絜非書》云：

自諸子而降，其為文無有弗偏者。其得於陽與剛之美者，則其文如霆如電，如長風之出谷，如崇山峻崖，如決大川，如奔騏驥；其光也如杲日，如火，如金鏐鐵；其於人也，如憑高視遠，如君而朝萬衆，如鼓萬勇士而戰之。其得於陰與柔之美者，其為文如升初日，如清風，如雲，如霞，如烟，如幽林曲澗，如淪，如漾，如珠玉之輝，如鴻鵠之鳴而入寥廓；其於人也，漻乎其如歎，邈乎其如有思，㬉乎其如喜，愀乎其如悲。觀其文，諷其音，則為文者之性情形狀，

舉以殊焉。㉙

觀堂所謂「細雨魚兒出，微風燕子斜」「寶簾閑掛小銀鉤」之小境界，亦即姚鼐所謂「文如初日，人如愀悲」之陰柔之美；觀堂所謂「落日照大旗，馬鳴風蕭蕭。」「霧失樓臺，月迷津渡」之大境界，亦即姚鼐所謂「文如霆電，人如憑高視遠」之陽剛之美。葉嘉瑩《王國維及其文學批評》云：

在中國文學批評中，乃有所謂陽剛與陰柔之說。雖然中國傳統中對陰柔與陽剛二種不同性質之美的體認，與西方優美與壯美之區分原來並不盡同。不過如果只就中國傳統批評中於論及此二種美時所舉出的各種意象而言，則它們與康德論及優美與壯美時所舉出的例證卻實在有極為相近之處，即如司空圖《詩品》中對於「雄渾」「悲慨」「勁健」等屬於陽剛之美的各種品題，其所舉出的「荒荒油雲，寥寥長風」、「大風捲水，林木為摧」、「巫峽千尋，走雲連風」等意象，以及姚鼐在《復魯絜非書》中，論及陽剛之美時所舉出的「如霆、如電、如長風之出谷、如崇山峻嶺、如決大川、如奔騏驥」等意象，豈不就都與靜安先生《古雅》一文中論及康德之所謂壯美時所舉出的「如自然中之高山大川烈風雷電」等意象極為相近；而司空圖《詩品》中對於「典雅」「綺麗」「纖穠」等屬於陰柔之美的品題，其所舉出的「白雲初晴，幽鳥相逐」、「霧餘水畔，紅杏在林」、「柳陰路曲，流鶯比鄰」等意象，以及姚鼐在《復魯絜非書》中論及陰柔之美時，所舉出的「如初日、如清風、如雲如霞、如幽林曲澗等意象，豈不也與靜安先生在《古雅》一文及《叔本華之哲學及其教育學說》一文中，論及康德優美之說時，所提出的其「對象之形式不關乎吾人之利害」，「令人忘利害之關係而玩之而不厭者謂之曰優美之感情」的性質十分相近，所以靜安先生對於二種美之立論，雖然多取自康德之說，然其心目中對於優美與壯美之體認，則未始不也曾受過中國傳統文學批評中陰柔與陽剛說的影響。㉚

按宇宙萬物事理，咸具陰柔陽剛之現象，觸目皆是，於空間言，天爲陽剛，地爲陰柔；於時而言，秋冬爲陽剛，春夏爲陰柔；於人而言，男爲陽剛，女爲陰柔，於自然界言，河川爲陰柔；山嶽爲陽剛，花草爲陰柔，林木爲陽剛；牛羊爲陰柔，獅虎爲陽剛等，諸如此類，不勝枚舉。中國文學批評理論，得自然之啓發，觀堂生存於此環境之間，耳濡目染，又何嘗不深受此影響哉？

第二款　意內言外說

意內言外者，卽比興寄託之意。觀堂以聯想說詞之方式，顯係承受清代常州派「意內言外」，以比興寄託說詞之影響。《詞話》十二則云：

南唐中主詞：「菡萏香銷翠葉殘，西風愁起綠波間。」大有衆芳蕪穢，美人遲暮之感。㉛

又十八則云：

尼采謂：「一切文學，余愛以血書者。」後主之詞，真所謂以血書者也。宋道君皇帝《燕山亭》詞亦似之。然道君不過自道身世之戚，後主則儼有釋迦基督擔荷人類罪惡之意，其大小固不同矣。㉜

又廿五則云：

「我瞻四方，蹙蹙靡所騁。」詩人之憂生也。「昨夜西風凋碧樹。獨上高樓，望盡天涯路。」似之。「終日馳車走，不見所問津。」詩人之憂世也。「百草千花寒食路，香車繫在誰家樹。」似之。㉝

又廿六則云：

古今之成大事、大學問者，必經過三種之境界：「昨夜西風凋碧樹。獨上高樓，望盡天涯路。」此第一境也。「衣帶漸寬終不悔，為伊消得人憔悴。」此第二境也。「衆裏尋他千百度，驀然回首，那人却在燈火闌珊處。」此第三境也。此等語皆非大詞人不能道。然遽以此意解釋諸詞，恐為晏歐諸公所不許也。㉞

所謂「衆芳蕪穢，美人遲暮。」「自道身世」「釋迦基督擔荷人類罪惡」「憂生憂世」「第一境也」「第二境也」「第三境也」，此等語皆觀堂以聯想說詞，作者豈有此等意乎？而且「昨夜西風凋碧樹。獨上高樓，望盡天涯路。」前謂此與詩人之憂生也相似，而後卻謂此第一境也。同一詞語，而任意作不同之聯想，此與張惠言「意內言外」解詞何異？張氏《詞評》評馮延巳《鵲踏枝》詞云：

庭院深深，閨中既已邃遠也。樓高不見，哲王又不寤也。章臺游冶，小人之徑。雨橫風狂，政令暴急也。亂紅飛去，斥逐者非一人而已。殆為韓范作乎？

又評溫庭筠《菩薩蠻》詞云：

此感士不遇也。篇法彷彿《長門賦》。「照花」四句，《離騷》初服之意。

又評蘇軾《卜算子》詞云：

銅陽居士云：缺月，刺明微也。漏斷，暗時也。幽人，不得志也。獨往來，無助也。驚鴻，賢人不安也。回頭，愛君不忘也。無人省，君不察也。揀盡寒枝不肯棲，不偷安於高位也。寂寞沙洲冷，非所安也。此詞與《考槃》詩極相似。（銅陽居士語見《唐宋諸賢絕妙詞選》卷二）

張氏語語有含意，此即以「意內言外」解詞，原作者馮氏豈有此意乎？此與觀堂以聯想說詞無異也。

葉嘉瑩《王國維及其文學批評》云：

到了清代的常州詞派，這種以比興說詞的風氣可以說已經發展到了極致。張惠言的《詞選》就公然以「意內言外」當作詞的定義。於是以比興說詞，一心尋求言外的託意，遂成為晚清詞壇的一時風尚。靜安先生《人間詞話》之以聯想說詞的方式，則是既曾受有常州派之影響，復能打破常州派之藩籬的一種富於革命性的新嘗試。其與常州派說詞方式的最大不同之處，約有以下兩點：其一是常州派說詞必指作者為確有如此之用心，而靜安先生說詞則更承認其但為一己之聯想。他在《詞話》第廿六則所說「遽以此意解釋諸詞，恐晏歐諸公所不許也」，就明白承認了他的解說之不必盡為作者之用心。其二是常州派之說詞往往以猜謎式之推想強加比附，如張惠言之解說歐陽修的《蝶戀花》詞，以為「庭院深深，閨中既以邃遠也；樓高不見，哲王又不寤也。……」如此逐句猜測解說下去，而最後歸結說：「殆為韓（琦）范（仲淹）作乎？」

像這種把作品當作謎語來猜的辦法，便是這一類說詞方式的典型例證。而靜安先生之以聯想說詞，則是就詞中情境所給予讀者之整體性的感受來說的，既不是只從字面上去作牽强附會的逐句猜測，也不是對詞中所表現的情意去作任何本事的實指，如其說南唐中主詞「菡萏香銷」二句，以為「大有衆芳蕪穢美人遲暮之感。」㉟

又云：

在《人間詞話》中他雖然一再表示對常州派張惠言之以比興寄託來解釋歐陽修、蘇東坡諸人之小詞的不滿，譏之為「深文羅織」，可是他自己之以「詩人之憂生」、「詩人之憂世」及「古今成大事業大學問之三種境界」來引申說明馮延巳、晏殊、柳永、辛棄疾諸人的一些詞句，則實在也究然仍是舊傳統比興說詩之方式，雖然他在後面曾自己說明：「遽以此意解釋諸詞，恐晏歐諸公所不許也。」但這也正是常州派後期的批評家周濟、譚獻諸人的「作者之用心未必然，讀者之用心何必不然」的說法的引申運用，不過靜安先生多以人生哲理說詞，與常州派之以忠愛家國之感說詞微有不同而已。㊱」

葉氏剖析張惠言「意內言外」與王國維「聯想說詞」之不同，可謂發揮淋漓盡致矣。

第三款　文藝欣賞說

吾人於欣賞或於論述文藝時，常舉中國古人之藝術與文學作品爲例證，此爲我國傳統文人欣賞之態度，觀堂深受其影響。茲舉例如下：

《詞話》廿一則云：

歐九《浣溪沙》詞：「綠楊樓外出秋千。」晁補之謂：只一出字，便後人所不能道。余謂：此本於正中《上行杯》詞「柳外秋千出畫牆」，但歐語尤工耳。㊲

又廿二則云：

梅聖俞《蘇幕遮》詞：「落盡梨花春又了。滿地斜陽，翠色和煙老。」劉融齋謂：「少游一生似專學此種。」余謂：馮正中《玉樓春》詞：「芳菲次第長相續，自是情多無處足。尊前百計得春歸，莫為傷春眉黛促。」永叔一生似專學此種。㊳

又廿三則云：

人知和靖《點絳唇》、聖俞《蘇幕遮》、永叔《少年遊》三闋為詠春草絕調。不知先有正中「細雨溼流光」五字，皆能攝春草之魂者也。㊴

或舉篇名，或舉篇中一二句，或篇名篇句兩者並舉，或兩者單舉其一；或舉評論者之名及其意見，或泛稱人，其方式雖各異，然末加己見則相同也。葉嘉瑩《王國維及其文學批評》云：

他之在形式之美中特別標舉出古雅二字，以及他在敘述中多舉中國古人之藝術與文學之作品為例證，則我們自可從其中看出他實在乃是完全受了中國傳統上的文學藝術之欣賞態度的影響，而這種傳統的欣賞則與他性格中之保守的一面也有暗合之處。不過可注意的乃是他却為中國這種傳統的欣賞找出了西方思想的理論根據，全以康德的優美與壯美之特質來做為解說古雅之所以為美的依據。這一種論見在中國文學批評史上實在可以說嶄新的開創。㊵

葉氏謂與其性格保守暗合，余疑爲與家學淵源有關，觀堂幼年曾受其秀才之父教導也。

此外，《人間詞話》之因襲部分，確指甚難。一不小心，則成誤指、誣指。吾人於逐條詳釋時，用心較細，故於其時所發現之《人間詞話》因襲部分，殆較少誣指。玆指出數處，以見一斑：

第一處

《人間詞話》第七條云：「紅杏枝頭春意鬧」，著一「鬧」字，而境界全出。「雲破月來花弄影」，著一「弄」字，而境界全出矣。

此條或於下二處有關：

㈠劉熙載《藝概》云：「詞中句與字，有似觸著者；所謂『極鍊如不鍊』也。晏元獻『無可奈何花落去』二句，觸著之句也。宋景文『紅杏枝頭春意鬧』，『鬧』字，觸著之字也。」

㈡胡仔《苕溪漁隱叢話》引《遯齋閒覽》云：「張子野郎中，以樂章擅名一時。宋子京尚書奇其才，遣將命者謂曰：『尚書欲見「雲破月來花弄影」郎中。』子野屏後呼曰：『得非「紅杏枝頭春意鬧」尚書耶？』遂出置酒甚歡。蓋二人所舉，皆其警策也。」

第二處

《人間詞話》第十九條云：「馮正中詞雖不失五代風格，而堂廡特大，開北宋一代風氣。……」

此條或於下三處有關：

㈠《譚評詞辨》評馮延巳《浣溪沙》詞，云：「開北宋疏宕之派。」

㈡劉熙載《藝概》云：「馮正中詞，晏同叔得其俊，歐陽永叔得其深。」

㈢馮煦《唐五代詞選敍》云：「吾家正中翁，鼓吹南唐，上翼二主，下啓歐、晏。」

第三處

《人間詞話》第四十二條云：「古今詞人格調之高，無如白石。……」

又，第四十三條云：「南宋詞人，白石有格而無情。……」

此二條或於下二處有關：

㈠陳廷焯《白雨齋詞話》云：「白石詞，……格調最高。……」

㈡周濟《介存齋論詞雜著》云：「白石詞如明七子詩，看似高格響調，不耐人細思。」

第四處

《人間詞話》第四十三條云：「南宋詞人，……劍南有氣而無韻。……」

此條或於下二處有關：

㈠毛晉《放翁詞跋》云：「超爽處，……似稼軒。陳廷焯〈白雨齋詞話〉云：『辛稼軒，……氣魄極雄大。』」

㈡劉熙載《藝概》云：「放翁詞，……乏超然之致，天然之韻。」

【附　注】

①王幼安校注《人間詞話》卷上四則，頁一九二。民國六十九年，河洛圖書出版社《河洛文庫》本。
②《王國維先生全集》初編㈤，頁一九〇三—一九〇四。民國六十五年，臺灣大通書局。
③同上，頁一九一〇—一九一一。
④同上，頁一六〇六。
⑤葉嘉瑩《王國維及其文學批評》，頁一五六—一五七。民國七十一年，源流出版社。
⑥同注①，五則。
⑦同注②，頁一六九三—一六九四。
⑧同上，頁一七一二。
⑨同上，頁一七六一—一七六二。
⑩繆靈珠譯叔本華《世界是意志和表象》，未刊稿。轉錄自滕咸惠《人間詞話新注》本，頁三七。
⑪同上。
⑫同上。
⑬同注①，頁一九一。
⑭同上。
⑮同上。

⑯同上，頁一九二。
⑰同注⑩，頁三二。
⑱同上。
⑲同上。
⑳同上，頁三五。
㉑同上。
㉒同上，頁三六。
㉓同上，頁三七。
㉔滕咸惠校注《人間詞話新注》（修訂本），廿八則，頁廿九。一九八九年，濟南齊魯出版社修訂新三版。
㉕同注⑩，頁廿九。
㉖同注①，頁一九八。
㉗同注⑩，頁九四。
㉘同注①，八則，頁一九三。
㉙姚一葦《藝術的奧秘》，頁三一九。民國五十八年，開明書店三版本。
㉚同注⑤，頁一六八—一六九。
㉛同注①，十三則，頁一九六。
㉜同上，十八則，頁一九八。

㉝ 同上，廿五則，頁二〇二。
㉞ 同上，廿六則，頁二〇三。
㉟ 同注⑤，頁三〇七—三〇八。
㊱ 同上，頁一七一—一七二。
㊲ 同注①，廿一則，頁一九九—二〇〇。
㊳ 同上，廿二則，頁二〇〇。
㊴ 同上，廿三則，頁二〇一。
㊵ 同注⑤，頁一七二。

第四節　人間詞話之缺失

《人間詞話》，價値頗高。第五節中，將有說明。然猶之人無十全，要亦不無少數缺失，其缺失，有如下數點：

㈠**出語含混**　評詞、評詞人之時，均使用含混、模糊、印象式詞語，使人無從捉摸涵意。如：第十條之「差足繼武」「氣象不逮」。第二十條之「不能過」。第三十三條之「深遠不及歐、秦」。第六十條之「入內、出外」。此等之處不少。

㈡**出語武斷**　對難有定論之事實，恆作武斷之結論。如：第一條之「北宋、五代詞獨絕」。第三十九條之「北宋風流，渡江遂絕。」第五十二條之「北宋以來，一人而已。」第五十五條之「詩有題而詩亡，詞有題而詞亡。」第六十三條之「有元一代詞家，皆不能辦此。」第六十四條之「粗淺之甚」。類此各條，皆甚武斷。

㈢**有前後矛盾之處** 此等之處，有二種。一爲條際前後矛盾。第六十三條之「有元一代詞家，皆不能辦此。」之與第六十四條之「爲元曲冠冕」之互相矛盾是也。一爲條內前後矛盾。第一條，前之「理想」「寫實」，指創作派別上之「理想主義」「寫實主義」，而後之「自然」「理想」，則係指創作技巧上之「運用想象」「依據事實」。前後所指，不相一致。

㈣**有錯誤之處** 如：第十九條之「宜《花間集》中不登其隻字」。其「不登隻字」，非因風格之故，乃有他因。第六十三條之「《天淨沙》小令。……有元一代詞家，……」「《天淨沙》小令」，非指詞之小令，乃指曲之小令。

此外，尚有純係見仁見智而王氏乃不出以商榷語氣之處數處。如：第二十九條之「猶爲皮相」。第三十二條之「方之美成，便有淑女與倡伎之別。」等是。

至於各家指摘其缺失者，玆擇要縷述，歸納說明於后。

王鎭坤《評人間詞話》論其缺失，約有七點：

㈠一二名句不足以盡全詞之妙。推其原故，則有謀篇一道存焉。文章天成，妙手偶得，卽如《花間集》及二主之詞，吾人豈可割裂章句，以爲獨絕者在斯乎？①

㈡好小令而輕長調。小令與長調，各有其特長，吾人以歷史進化眼光觀之，決不敢謂小令優於長調也②

㈢論「小令易學而難工，長調難學而易工。」亦未盡當。李東琪曰：「小令敍事須簡淨，再著一二景物語，便覺筆有餘閒。中調須有骨肉停勻，語有盡而意無窮。長調切忌過於鋪敍，其對仗處須十分警策，方能動人；設色既窮，忽轉出別境，方不窘於邊幅。」誠可謂深知甘苦之言。③

㈣論沈昕伯《蝶戀花》詞不免阿其所好。先生之友沈昕伯有《蝶戀花》一詞，頗凡近，先生譽其「當在晏氏父子間，南宋人不能道」，亦不免阿其所好。④

㈤以境界爲主忽視情韻。古人所謂「纏綿悱惻」，有合乎「溫柔敦厚」之旨者，皆就情韻而言之；苟忽視情韻，其何以能令人百讀不厭耶？⑤

㈥以隔與不隔評章各家。二者雖境界不同，而其美則一。倚聲與繪事，同屬藝事，固皆以求美爲要義，則隔與不隔，何足以定詞境之優劣耶？⑥

㈦厚北宋而薄南宋。若就演變之歷史而以客觀立場分析之，則時代不同，環境不同，以致面目迥殊。二者各有獨特之處，不能強求其同，亦不可擅加厚薄也。⑦

王氏所論，確爲持平之言。觀堂以一二名句定全詞之妙，難免有「以一概全」之嫌。好小令而輕長調，或謂小令易學而難工，長調難學而易工，皆非也。蓋小令長調，各有優劣難易也。至於論友人詞，以私交情語而阿其所好，不從詞學理論，評其得失，非理性之語，難以令人信服。

重境界雖是而輕情韻則非也。蓋抒情之詩詞，所謂情韻綿邈，令人廻腸盪氣，低徊不已者，因有情韻在也。如東坡欣賞少游之《踏莎行》末兩句是也。隔與不隔，實不能定其優劣。如西施捧心，全村爲之傾絕；佳人一顧，舉國爲之傾倒。此皆所謂「含情脈脈」，含蓄之美也。厚北宋而薄南宋，或厚南宋而薄北宋，皆非也。蓋時有古今，地有南北，一代有一代之文學，一地有一地之作品。南宋偏安江左，時遭喪亂，國事日非，何得有北宋歐晏和平雅正之詞耶？

程大城《王國維與人間詞話》論其缺失，分爲四端，一爲境界說之瑕疵，二爲詩家修養說之謬誤，三爲詩文學演變說之大謬，四爲詩詞性能及價值說之矛盾。玆先論境界說：

一爲境界說之瑕疵，約有七點，略述如下：

㈠詞忌用替代字，語意含混，欠缺理論。程氏云：「美成用『桂華』代替『月亮』，使用了抽象涵義的語文，讀者的想像力就無由建立清晰的意象產生美感情緒，因此也就損失了詩文學的藝術性了。……應當批評美成不瞭解美學或文學理論，才是正確的批評。」⑧

㈡以隔或不隔之創作與欣賞爲不當。程氏云：「他不以語文訴於讀者或作者的想像力發生作爲以建立意象爲詩作原則，及作爲文學藝術的創作原理及批評標準，而主張「不隔」的原則，必然會發生問題，而無法成爲眞理性的文學欣賞及創作原理的。」⑨

㈢以意象相同於境界爲大謬。程氏云：「意象與境界，絕對有別。——從性質論，意象是精神性的事實，境界是物質性的現實；如從存在方面看，意象是主觀的，境界是客觀的；從訴於人類的感受方面論斷，讀者可以獲得同一的、清晰的、諧調的意象及充足的美感經驗。然而『境界』給人的是分歧的、零亂的、晦暗的、矛盾的、變幻的，且只能給人貧乏的美的經驗而已。」⑩

㈣以喜怒哀樂謂心中境界亦非。因爲主觀事實與客觀事實是絕對性的，決不能一個詞含有兩個有絕對不同性的義。……王氏竟將代表客觀景物的『境界』一詞的涵義，又認爲含有主觀的情緒。」⑪

㈤以「能寫眞景物眞感情者，謂之有境界。」亦誤。程氏云：「客觀現實是零亂的，分歧的，晦暗的，變幻的，沒有中心的，猶如碎金撒在破銅、爛鐵、瓦礫中間，要想使那閃閃有光的碎金表現出來，必須去除其蕪雜、零亂；由理解力建立一是非標準……大概是他受了『寫作注重生活體驗』的假知識之弊而才有如此不當的言論吧。」⑫

㈥以「寫眞感情」之論，益感滑稽。程氏云：「因爲人類情緒是基於生理或心理的自然法則產生的抽象事實，它毫無形式可以握持，又怎樣相同於『眞景物』那樣描寫呢？而且文學的工具語文的具象性涵義，又怎能把抽象性的情緒十足的表現出來呢？但如以語文的音來表現抽象性的情緒，也只能表現情緒，也只能表現情緒在生理方面的表現，而不能說是情感本身的表現。」⑬

㈦以「無我之境，人惟於靜中得之。有我之境，於由動之靜時得之。」可謂怪論。程氏云：「由於文學作品必須完全依靠心理的認識，如作者及讀者建立抽象概念及具象概念（意象）。所以就不能在『靜』中完成無我的境界的文學作品，更不能說在『動之靜時』完成文學的境界。」⑭

一爲詩家修養說之謬誤，約有三點，略述如下：

㈠生活體驗說之不妥。程氏云：「當然，有了實際的生活經驗再從事寫作，其作品有實際性，不會發生無病呻吟之弊。但是，就智慧優越的作家而言，他這種見解就失去了價值，尤其在今天社會生活複雜的時代裏，不要說一個作家無力從事種種生活經驗而後寫作，卽或是一個專業者——專門從事種種生活經驗的人來論，他終生也無法實際的經驗無限多的生活。」⑮

㈡寫作態度說之不當。程氏云：「我想一個作家，在寫作之前或寫作之中，都有『赤子之心』，自我是消失的。所以這種情緒之中完成的作品，才能使讀者的感情發生共鳴。否則，含有強烈自我意識的作品，別人便不會因無我的功利情況下發生感情的共鳴了。所以一個作家對於外物，也就不當強調『輕視外物以奴僕命風月』。同時也不當認爲『重視外物故能與花鳥共憂樂』。」⑯

㈢三種境界說於文學創作有損無益。程氏云：「一般人的作品，在第一階段是熱情的——這一階段中是文學家的詩歌世界。在第二階段裏，是功利的，智性的；是文學家的小說天地。第三階段中是聲聲的嘆息，及不能感人的眼淚；這是文學家自殺的地區——屈原、杜甫、李白、柳永、漢明威、佛克納，以及許許多多的普通人——政客、商人等都毀滅在這一時期!!!他對人生的心理分析是正確的，但對於文學創作沒有裨益。」⑰

三爲詩文學演變說之大謬，約有二點，略述如下：

㈠文體之遞變由於「亦難於其中自出新意」之非。程氏云：「文學是以現實爲素材形成意象，利用語文完成描寫、形容的藝術。客觀素材是用之不盡的，描寫及形容的理解力及想像力是耗之不竭的，當然就不會因某種文體限制作家的理解力及想像力而無法『自出新意』。自古迄今，就以蓮花、樹、月、星、風、葉的描寫及形容的文學不下千萬，且有千千萬萬的不同點，又怎能說『亦難於其中自出新意』？」⑱

㈡文體之盛衰由於「亦難於其中自出新意」亦非。程氏云：「文學是以生活的現實爲素材，但當人類的生活現實進步了、複雜了，行業種類增多了之後，文學家利用的素材當然也就跟着複雜了，繁夥了，而以語文爲工具完成現實表現的文體的規格，也就不能不進步改善。否則，便構妨害。……文學家要由簡單的形式構成的舊體詩將繁多的生活現實完成表現，當然就成了枷鎖一般：如字音的韻律發生問題，如字的涵義的具象表現發生問題。因此，就不得不創作另一種新文體。」⑲

四爲詩詞性能價值說之矛盾，約有二點，略述如下：

㈠詞「能言詩之所不能言，而不能盡詩之所能言」之矛盾。程氏云：「既然承認是較詩文學進步的一種文體，那麼，詞一定『能盡言詩之所能言』的。如以詞文學的語文的音樂性而論，也能『盡詩之所能言』的。且因詞的語文容易增加，表現作者的意象的能力定然也能增加其表現效力的，所以詞也『能盡言詩之所能言』的。」⑳

㈡「詩言濶，詞言長」之矛盾。程氏云：「『言濶』又能怎樣的濶呢？最多是人生吧，或宇宙嗎，而詞又何以不能有人生呀或宇宙呀的呢？假如說王氏說的『言濶』、『言長』，涵義是指語文的音的方面，那麼，詞的『小令』，『長調』的音樂性，又怎能說不具有詩作的語文的音形成的音樂

性呢？而且也就因爲律詩的音樂性發生了『敝』，才促進了詞的生命及成長的，何況他自己也說：『律絕敝，而有詞』呢？」㉑

按程氏所論觀堂境界說之瑕疵，其以現代文藝理論觀點批評，而非觀堂所謂境界之義，兩者辭義不同，形成各說各話，其相異也必矣。所論詩家修養說之謬誤，所謂入乎其內與出乎其外，以及三種境界，皆非觀堂之意，顯係曲解，乃程氏臆斷所致也。所論文學演變說之大謬，疑爲觀堂之疏漏，程氏之言是也。所論詩詞性能價値說之矛盾，亦係程氏之臆解。有關觀堂之本意，《人間詞話》逐條詳釋，論之綦詳，敬請參閱，恕不贅述。

饒宗頤《人間詞話平議》論其缺失，約有三點：

㈠自道境界二字由其拈出，恐未然耳。詞中提出境界者，似以劉公勇爲最先。七頌堂《詞繹》云：「詞中境界，有非詩之所能至者，體限之也。」又云：「文長論詩，如冷水澆背，陡然一驚，便是興觀羣怨，應是爲傭言借貌一流人說法。溫柔敦厚，詩敎也。陡然一驚，正是詞中妙境。」夫以文學度人，何異棒喝，離合悲歡，均可使人精神進另一境地，恍若有此警悟也。冷水澆背，自是妙喻，觀堂標境界之說以論詞，闡發精至；惟自道「境界」二字由其拈出，恐未然耳。㉒

㈡詞以「淚」而不以「血」。庚子山云：「不無危苦之詞，惟以悲哀爲主。」窮愁之語易工，古今詞人皆莫能外。王氏亦謂其平生最愛如尼采所言以血書者，舉後主之詞爲例。余意以血書者，結沉痛於中腸，哀極而至於傷矣。詞則貴輕婉，哀而不傷，其表現哀感頑豔，以「淚」而不以「血」；故

「淚」一字，最爲詞人所慣用。……「故國夢重歸，覺來雙淚垂。」此亡國之淚也。…詞中佳句，無不以淚書者，已足感人心脾，一唱三嘆；特不至於「淚盡而繼之以血」耳。㉓

㈢「隔」不足爲詞之病。王氏論詞，標隔與不隔，以定詞之優劣，屢譏白石之詞有「隔霧看花」之恨。又云：「梅溪夢窗諸家寫景之病，皆在一隔字。」予謂：「美人如花隔雲端」，不特未損其美，反益彰其美，故「隔」不足爲詞之病。……王氏論詞，有見於秀，而無見於隱，故反以隔爲病，非篤論也。詞之性質，「深文隱蔚，秘響傍通」，故以曲爲妙，以複見長，不能單憑直覺，以景證境；吾故謂王氏之說，殊傷質直，有乖意內言外之旨。若夫「晦塞爲深，雖奧非隱」，如斯方爲詞之疵累。質言之，詞之病，不在於隔而在於晦。㉔

饒氏所論觀堂自道境界，恐未然耳。蓋《詞話》爲早期之作，年輕自負，無可厚非也。其自詡「言氣質，言神韻，不如言境界。有境界，本也。氣質、神韻，末也。有境界而二者隨之矣。」倒是其病耳。所論詞以「淚」不以「血」，衡諸觀堂之意，其所最愛如尼采所言以血書者，蓋言情眞意深，沈痛之語，非眞謂以血書寫者，或滿紙「血字」也。故其謂後主之詞，眞所謂以血書者也。其字裏行間，豈眞有充滿血字乎？疑饒氏之曲解耳。至於所論「隔」不足爲詞之病，蓋觀堂所謂「隔」者，如「霧裏看花」，乃指未能眞切自然感受，非指隱晦而言，豈亦饒氏之臆解乎？詳如「隔與不隔」條所論，恕不贅言矣。

葉嘉瑩《王國維及其文學批評》論其缺失，約有二點：

㈠過於模糊籠統過於唯心主觀。葉氏云：「《人間詞話》所提出的境界說，雖然掌握到了中國詩論中重視感受作用這一項重要的質素，可是他所提出的各種說明及例證卻仍嫌過於模糊籠統，過於唯心主觀，既未能對於作者與作品之「能感之」「能寫之」的各種因素做精密的理論探討，也未能對於其「所感」「所寫」之內容的社會因素做客觀反映的說明。凡此種種，當然一方面由於靜安先生這位評詩人，也同樣受到了他自己所生之時代以及他自己之思想意識的局限。」㉕

㈡採取詞話體式不適宜精密廣論。葉氏云：「他所採取的詞話之體式，也原來就不適宜於做精密和廣泛的探討說明。而靜安先生之所以從他早期文學批評所採用的論文的形式，又回歸到了中國傳統的詞話的形式，當然也顯示了靜安先生在當日中國的新舊文化激變之時代中，因爲不能隨時代以俱進，遂終於自探索求新而又復歸於保守戀舊的一種認同混亂之矛盾心理。……而在文學批評方面，也成爲了限制他更向前求新求變的一個重大的阻礙。」㉖

葉氏所論，剖析入理，可謂持平之論。

吳宏一《王靜安的境界說》論其缺失，約有四點：

㈠體例未臻完善，編排次序也沒有系統。因而論點錯雜間出，沒有統一感，這恐怕與他採用劄記筆記方式的評論有關。

㈡有些理論說得不透澈，容易令人發生誤會。如隔與不隔，如眞與自然，如有我之境與無我之境等。

章。

㈢太過於自信主觀。譬如他太注重先天的才力而忽視了後天的人力，這是頗爲值得商榷的。

㈣論詞太偏重文章而忽略聲律。詞由樂府詩演化而來，原來是合律可歌的，張炎謂其先父瑞鶴仙詞的「粉蝶兒撲定花心不去，閑了尋香兩翅」，所以要將撲改爲守，惜花香詞的「瑣窗深」，所以要將深改爲幽又改爲明，就是爲了要合律的緣故。在講究聲律的詞人看來，詞的音樂效果是重於文字效果的，這點王靜安似乎沒有留意，因而不能從文章體裁來論詞。㉗

吳氏所論，誠屬平允。尤其第四點偏重文章而忽略聲律，道前人所未道，可謂卓見。《人間詞話》中論及音律者，僅見於附錄第十七則，謂「文字之外，須兼味其音律。」一則而已。其論聲韻者，亦僅見於刪稿中二、三兩則，論雙聲疊韻而已。僅此三條，可謂少矣。

【附　注】

① 王鎮坤《評人間詞話》，原載國文月刊第七九期，民國三十八年五月出版。轉錄自何志韶編《人間詞話研究彙編》，頁七〇—七一。民國六十四年，巨浪出版社再版本。

② 同上，頁七一—七二。

③ 同上，頁七二—七三。

④ 同上，頁七三—七四。

⑤ 同上，頁七四—七六。

⑥ 同上，頁七六—七八。

⑦ 同上，頁八〇—八一。

⑧ 程大城《王國維與人間詞話》，頁三二三—三二四。（同注①）

⑨ 同上，頁三二五—三二八。

⑩ 同上，頁三三五—三三六。

⑪ 同上，頁三三七—三三八。

⑫ 同上，頁三三八。

⑬ 同上，頁三三八—三三九。

⑭ 同上，頁三四〇—三四一。

⑮ 同上，頁三四三—三四五。

⑯ 同上，頁三四五—三四七。

⑰ 同上，頁三四九—三五〇。

⑱ 同上，頁三五一—三五二。

⑲ 同上。

⑳ 同上，頁三五三。

㉑ 同上，頁三五四。

㉒ 饒宗頤《人間詞話平議》，頁八六—八七。（同注①）

㉓ 同上，頁八七—八八。
㉔ 同上，頁八八—八九。
㉕ 葉嘉瑩《王國維及其文學批評》，頁三四二。民國七十一年，源流出版社。
㉖ 同上。
㉗ 吳宏一《王靜安的境界說》，頁一九九—二〇〇。（同注①）

第五節　人間詞話之價值

《人間詞話》之價值，可自二方面言之：

㈠**就形式方面言**　《人間詞話》外型雖仍如傳統舊詞話，然其編排次序，實暗示其頗有新觀念。即：前部分爲一般理論之敍述，後部分爲以此一般理論爲尺度而衡量詞人、詞作。此種編排，甚合科學。

㈡**就內容方面言**　就內容方面言，則《人間詞話》之新觀念尤大。是卽「境界」一概念之提出與乎「境界說」解說之清晰完整。較之傳統舊說「興趣」「神韻」等說在解說上之清晰完整程度，實高出多多，不可同日而語。傳統「興趣」「神韻」等說之與「境界」說，雖其基本涵義無有差別，然解釋當與不當，淸晰完整與否，關乎其說之流傳及流傳後對實踐創作者之影響，至爲巨大。而境界說之解釋，則淸晰完整，甚爲得當。此解釋，卽爲「具體表現眞感情」七字。此七字，雖係吾人推想而得，然實王氏之言，僅王氏未嘗明言耳。而「興趣」「神韻」等說，卽推想，亦無由得此七字也。

此七字價値之高超，爲其係創作上之金科玉律。尊此金科玉律，則創作者所創作之作品，卽爲文學作品。不惟係文學作品，且係良好文學作品。不惟係良好文學作品，且係極良好文學作品。反之，不惟非良好文學作品，且倂文學作品亦非也。

舉例以明之：

於舉例之前，一言此七字之結構，以便所舉之例，易於了解。

此七字，由二部分構成：其一爲內容部分，卽「眞感情」三字。其一爲形式部分，卽「具體表現」四字。「眞感情」，義至明，無庸再釋。「具體表現」，則指用以表現眞感情之文字，必須爲「記載」「敍述」（合稱「記敍」）文句，不得使用「說明」「議論」（合稱「論說」）文句。若全篇文句，均係「說明」「議論」文句，則此作品，絕非文學作品。卽篇中有「說明」「議論」文句，嚴格言之，不論此等文句有多少，卽僅有一句，此作品亦不得文學作品。惟一般，未有如此嚴格處之者，斯則，若「說明」「議論」不多，卽可視爲文學作品。惟價値之減低，則宜計及之。

玆舉例於後：

飲酒　陶潛

結廬在人境，而無車馬喧。問君何能爾？心遠地自偏。採菊東籬下，悠然見南山。山氣日夕佳，飛鳥相與還。此中有真意，欲辨已忘言。

此詩之受盛讚，盡人皆知。然以七字之尺度量之，則因其中有「說明」「議論」之句而不得謂爲詩。通融言之，得謂詩；然不得謂爲好詩。蓋其「說明」「議論」文句，已過半也。

遊子吟 孟郊

慈母手中線，遊子身上衣。臨行密密縫，意恐遲遲歸。誰言寸草心，報得三春暉。

此亦受盛讚之詩。然其「非詩或非好詩」之情形，與頌舉陶詩同。

怨情 李白

美人捲珠簾，深坐顰蛾眉。但見淚痕溼，不知心恨誰？

有一句論說句（第四句）及「但見」二說明字，亦非詩或亦非好詩。

登鸛雀樓 王之渙

白日依山盡，黃河入海流。欲窮千里目，更上一層樓。

有一句論說句（第三句），亦非詩或非好詩。

鳥鳴澗 王維

人閑桂花落，夜靜春山空。月出驚山鳥，時鳴春澗中。

似此始爲好詩。然猶有「人閑」二字之憾。

江雪 柳宗元

千山鳥飛絶，萬徑人蹤滅。孤舟蓑笠翁，獨釣寒江雪。

似此，始爲好詩。

夏日田園卽景　　范成大

梅子金黄杏子肥，麥花雪白菜花稀。日長籬落無人過，惟有蜻蜓蛺蝶飛。

似此，始爲好詩。

最後壓卷之詩如下：

詠鵝　　駱賓王

鵝，鵝，鵝，曲頸向天歌。白毛浮綠水，紅掌撥清波。

然此標準，無幾人能尊。以此標準而衡《唐詩三百首》，則其中什之九九之詩而非詩或非好詩。

卽王國維本人，亦有不能尊此標準之時。此由下詞可證：

玉樓春　　王國維

今年花事垂垂過，明歲花開應更𦬊。看花中古少年多，只恐少年非屬我。

勸君莫厭尊罍大，醉倒且拚花底臥。君看今日樹頭花，不是去年枝上朵。

尊此標準之難如此。然則放棄之歟？倘不顧《人間詞話》之價值，則放棄之；倘正視、重視《人間詞話》之價值，則不可放棄也。建立一有金科玉律內容之說，其艱難苦困，爲何如耶？

此外，《人間詞話》之價值，各家甚少論及。葉嘉瑩《王國維及其文學批評》，於餘論五、六兩條中，雖非明言論價値，然含有類似之意。其說約有四點：

㈠創境界說爲心物相感受之作用。

境界之產生，全賴吾人感受之作用；境界之存在，全在吾人感受之所及。因此外在世界，在未經過吾人感受之功能而予以再現時，並不得稱之為境界。從此一結論來看，可見靜安先生新標舉之境界說，與滄浪之興趣說及阮亭之神韻說，原來也是有着相通之處的。那就是靜安先生所謂之「境界」，也同樣重視「心」與「物」相感後所引起的一種「感受之作用」，不過他們所標舉的辭語不同，因此其所喻指之義界，當然也就有了相當的差別。滄浪之所謂「興趣」，似偏重在感受作用本身之感發的活動；阮亭之所謂「神韻」，似偏重在由感發所引起的言外之情趣；至於靜安之所謂「境界」，則似偏重在所引發之感受在作品中具體之呈現。滄浪與阮亭所見者較為空靈，靜安所見者較為質實。①

㈡境界說眞切質實富於反思。

《詞話》六則云：境非獨謂景物也，嘉怒哀樂亦人心中之一境界，故能寫真景物真感情者，謂之有境界，否則謂之無境界。②

他以「景物」與「感情」並舉，足以糾正阮亭之但知推賞自然寫景之作，以為如此方有神韻的一種偏失；再則他又提出了「真景物」、「真感情」之說，特別加重於作者自己真切之感受的一點，又足以補足滄浪之但知尊崇古人，標舉盛唐，而不能指出「興趣」的根源所在的一種偏失。所以對這一則詞話中的「真」字的理解極為重要，它所指的並非僅是處在景物或情事實際存在的「真」，而是指的作者由此外在景物或情事所得的一種發自內心的真切之感受，而這種感受作用，也就正是詩歌的主要生命之所在。③

㈢境界說包涵氣質與神韻。

《詞話》十三則云：「言氣質，言神韻，不如言境界。有境界，本也；氣質，神韻，末也。有境界而二者隨之矣。」④

如果說詩歌之生命在於「心」與「物」相感的一種作用，那麼「氣質」二字之所指，只是作者心靈所本具的一種資質，而「神韻」之所指，則只是作品寫成後的一種效果。一為作品之前所已具，一在作品完成後之後方具有。而靜安先生所提出的「境界」，則是指詩人之感受在作品中具體的呈現，如此則所謂「境界」，自然便已經同時包括了作者感物之心的資質與作品完成後表達之效果而言了。所以說「有境界，而二者隨之矣。」⑤

㈣境界說改變玄虛喻說運用西方理論概念。

靜安先生之境界說的出現，則當是自晚清之世，西學漸入之後，對於中國傳統所重視的這一種詩歌之感發作用的又一種新的體認。故其所標舉之「境界」一辭，雖然仍沿用佛家之語，然而其立論，却已經改變了禪宗妙悟之玄虛的喻說，而對於詩歌中用「心」與「物」經感受作用所體現的意境及其表現之效果，都有了更為切實深入的體認，且能用「主觀」「客觀」「有我」

「無我」及「理想」「寫實」等西方之理論概念做為析說之憑藉，這自然是中國詩論的又一次重要的演進。⑥

葉氏所論，咸言境界說之優點，亦卽《人間詞話》之價值也。闡釋詳明，頗值參考。

吳宏一《王靜安的境界說》論《詞話》之佳勝處，條舉列出四點：

㈠王靜安主真切，重自然，此乃千古文學不易之定理，而王靜安除此之外，尚且要求在自然真切之餘，能够表現人生，美化人生。他的詞話所以叫做人間詞話，他的詞所以叫做人間詞，都可以曉得他是有意描寫人生的，這點和歷代那些評論詩詞的人，就其對人生的體驗而言是不能同日而語的。

㈡他之論詞，能以哲學美學觀點來分析申論，這是前人所不能及的，也是他不落俗套的地方。

㈢他沒有舊有詞話摘句的毛病。有些詞話根本就像一本詞選，因為除了抄錄別人的詞章以外，頂多就加上一兩句按語而已，而這些按語又往往拾人牙慧，沒有什麼可取的見解。

㈣晚清詞風多主南宋，於清真、夢窗、碧山諸家，競相模倣，因襲陳故者多，開創新意者少。故王靜安之欲轉變風氣，實在可說是獨具慧眼。雖然未免有矯枉過正之處，卻亦能切中時弊，為後來的文學革命開一先河。梁啓超在《飲冰室詩話》中有一句話，我認為可以拿來作為王靜安文學見解的註脚。那句話是：「鎔鑄新理想以入舊風格。」能鎔鑄新理想以入舊風格，王靜安境界說的好處可以說卽在乎此，而我前文說讀《人間詞話》能令人登高望遠，一新耳目，其道理亦卽在此。⑦

吳氏所論，《詞話》之佳勝處，亦卽其價値也。提綱挈領，切中肯綮。

【附　注】

① 葉嘉瑩《王國維及其文學批評》，頁三三三。民國七十一年，源流出版社。

② 王幼安校注《人間詞話》卷上六則，頁一九三。民國六十九年，河洛圖書出版社《河洛文庫》本。

③ 同注①，頁三三四。

④ 同注②，刪稿十三則，頁二二七。

⑤ 同注①，頁三三五。

⑥ 同注①，頁三三八。

⑦ 吳宏一《王靜安的境界說》，原載中央日報副刊，民國五十六年。轉錄自何志韶編《人間詞話研究彙編》，頁一九九—二〇〇。民國六十四年，巨浪出版社再版本。

第二章 有詞論之散篇

第一節 人間詞甲乙稿序

《人間詞甲稿》《序》，全文如下：

王君靜安，將刊其所為《人間詞》。詒書告余曰：「知我詞者莫如子，敍之亦莫如子宜。」余與君處十年矣。比年以來，君頗以詞自娛。余雖不能詞，然喜讀詞。每夜漏始下，一燈熒然，玩古人之作，未嘗不與君共。君成一闋，易一字，未嘗不以訊余。旣而睽離。苟有所作，未嘗不郵以示余也。然則，余於君之詞，又烏可以無言乎？

夫自南宋以後，斯道之不振久矣。元明及國初諸老，非無警句也；然不免乎局促者，氣困於雕琢也。嘉道以後之詞，非不諧美也，然救於淺薄者，意竭於摹擬也。君之於詞，於五代喜李後主馮正中。於北宋喜永叔、子瞻、少游、美成。於南宋除稼軒、白石外，所嗜蓋鮮矣。尤痛詆夢窗、玉田。謂：夢窗砌字，玉田壘句；一雕琢，一敷衍。其病不同，而同歸於淺薄。六百年來詞之不振，實自此始。其持論如此。

及讀君自所為詞，則誠往復幽咽，動搖人心。快而沉，直而能曲，不屑屑於言詞之末，而名句間出，殆往往度越前人。至其言近而指遠，意決而辭婉，自永叔以後，殆未有工如君者也。君始為詞時，亦不自意其至此。至卒至此者，天也，非人之所能為也。若夫觀物之微，託興之深，則又君詩詞之特色。求之古代作者，罕有倫比。嗚呼！不勝古人，不足以與古人並。君其知之矣。世有疑余言者乎？則何不取古人之詞與君詞比類而觀之也？

光緒丙午三月，山陰樊志厚敍。①

《人間詞乙稿》《序》，全文如下：

去歲夏，王君靜安集其所為詞，得六十餘闋，名曰「《人間詞甲稿》」。余既敍而行之矣。今冬復彙所作詞為乙稿，丐余為之敍。余其敢辭？乃稱曰：

文學之事，其內足以攄己，而外足以感人者，意與境二者而已。上焉者，意與境渾；其次，或以境甚，或以意勝。苟缺其一，不足以言文學。原夫文學之所以有意境者，以其能觀也。出於觀我者，意餘於境；而出於觀物者，境多於意。然非物無以見我，而觀我之時，又自有我在。故二者常互相錯綜，能有所偏重而不能有所偏廢也。文學之工不工，亦視其意境之有無與其深淺而已。

自夫人不能觀古人之所觀，而徒學古人之所作，於是始有僞文學。學者便之，相尚以辭，相襲以模擬，遂不復知意境之為何物。豈不悲哉？

茍持此以觀古今人之詞，則其得失，可得而言焉：溫、韋之精艷，所以不如正中者，意境有深淺也。珠玉所以遜六一，小山所以愧淮海者，意境異也。美成晚出，始以辭采擅長，然終不失為北宋人之詞者，有意境也。南宋詞人之有意境者，唯一稼軒；然亦若不欲以意境勝。白石之詞，氣體雅健耳，至於意境，則去北宋人甚遠。及夢窗、玉田出，並不求諸氣體，而惟文字之是務；於是詞之道失矣。自元迄明，益以不振。至於國朝，而納蘭侍衛以天賦之才，崛起於方興之族；其所為詞，悲涼頑艷；獨有得於意境之深。可謂豪傑之士，奮乎百世之下者矣。同時朱、陳，既非勁敵；後世項、蔣，尤難鼎足。至乾嘉以附，窾乎體格韻律之間者愈微，而意味之溢於字句之表者愈淺。豈非拘泥文字而不求諸意境之失歟？

余與靜安，均夙持此論。靜安之為詞，真能以意境勝。夫古今人詞之以意勝者，莫若歐陽公，以境勝者莫若秦少游；至意境兩渾，則惟太白、後主、正中數人足以當之。靜安之詞，大抵意深於歐，而境次於秦。至其合作，如甲稿《浣溪沙》之「天末同雲」，《蝶戀花》之「昨夜夢中」，乙稿《蝶戀花》之「百尺朱樓」等闋，皆意境兩忘，物我一體。高蹈乎八荒之表，而抗心乎千秋之間。駸駸乎兩漢之疆域，廣於三代；貞觀之治，隆於武德矣。方之侍衛，豈徒伯仲？此固君所得於天者獨深，抑豈非致力於意境之效也？

至君詞之體裁，亦與五代、北宋為近。然君詞之所以為五代、北宋之詞者，以其有意境在。若以其體裁故，而至遽指為五代、北宋，此又君之不任受，而固當與夢窗、玉田之徒專事摹擬者，同類笑之也。

光緒三十三年，十月。山陰樊志厚敍。②

上二《序》，皆王國維託名樊志厚之作。於「論詞」方面，無甚新意；僅此處較有系統耳。一《序》「論詞」之意，可以「情景交融」四字括之。亦卽：詞之內容，須情景交融，始爲上乘之詞。二《序》「論詞」之意，不外於此。雖然，倘不稍加詳說，則易滋「何以二《序》篇幅之長如此而竟可以四字括之？」之疑竇；故玆稍詳釋說：

「情景交融」與《序》中之「意與境渾」，完全同義。而亦卽「具體表現眞感情」七字之義。三者三而一。「具體表現眞感情」之意，本編、第一章、第五節中，言之綦詳，此處原不必再贅；然此處既須「稍詳釋說」，則不妨贅之。

仍舉《烏衣巷》爲例而釋說，較不費詞。

朱雀橋邊野草花，烏衣巷口夕陽斜。
舊時王謝堂前燕，飛入尋常百姓家。

此詩，景有三。卽境有三。亦卽具體表現有三。——一，爲第一句所表之景。二，爲第二句所表之景。三，爲第三、第四句合共所表之景。（句，非指文法之句。）

而情，有一。即意有一。亦即眞感情有一。——於名利心灰意冷。

此詩，僅有景，有境，有具體表現。而情，意，眞感情，無半字及之。然吾人一讀此詩，即快速而明朗而具此情。此即爲：情景交融。亦爲意與境渾。亦爲具體表現眞感情。

二《序》之言雖多，而論詞之意不外於此。

至於此二序，是否爲王國維託名樊志厚之作？聚訟紛紜，玆擇要論述於後。

趙萬里《王靜安先生年譜》云：

> 案此序與《乙稿序》，均為先生自撰，而假名於樊君者。③

按此序指《甲稿序》，先生指王國維，樊君指樊志厚。趙氏與觀堂有戚誼，且爲入室弟子，確指此二序爲王國維自撰，其治學謹嚴，諒必有據，惜未舉證，而趙氏亦已謝世，留下疑慮，令人斷斷不已。

徐調孚《校注人間詞話》重印後記云：

> 署名山陰樊志厚的《人間詞》甲乙兩稿序，據趙萬里先生所作《年譜》，實在是王國維自己的作品。④

徐氏據趙氏《年譜》，加強語氣而已，既乏創見，又無新證，實難釋疑。

王幼安《校訂人間詞話》二序末按語云：

> 此二序雖為觀堂手筆，而命意實出自樊氏。觀堂廢稿中曾引樊氏之語，而樊氏所賞諸詞，《觀

堂集林》亦不盡入選，可證也。⑤

衡諸王氏之意，似謂執筆者爲王國維，而序文內容係遵照樊志厚之意見。此猶政府機關秘書人員，依據首長或主管之命意而撰寫函稿也。

其舉證之一，「觀堂廢稿中曾引樊氏語」，玆據滕咸惠校注《人間詞話新注》修訂本原稿第廿六則如下：

樊抗夫謂余詞如《浣溪沙》之「天末同雲」、《蝶戀花》之「昨夜夢中」、「百尺高樓」、「春到臨春」等闋，鑿空而道，開詞家未有之境。余自謂才不若古人，但於力爭第一義處，古人亦不如我用意耳。⑥

按樊抗夫，卽樊炳清，其字抗夫，王國維就讀於東文學社時同窗知友。此條《詞話》稱樊抗夫，而二序署名樊志厚，可見兩者同爲一人無疑也。所舉《浣溪沙》《蝶戀花》諸詞，錄其全詞如下：

浣溪沙

天末同雲黯四垂，失行孤雁逆風飛。江湖寥落爾安歸？陌上金丸看落羽，閨中素手試調醯。今朝歡宴勝平時。

蝶戀花

昨夜夢中多少恨。細馬香車，兩兩行相近。對面似憐人瘦損，衆中不惜搴帷問。陌上輕雷聽隱轔。夢裏難從，覺後那堪訊？蠟淚窗前堆一寸，人間只有相思分。

蝶戀花

百尺朱樓臨大道。樓外輕雷，不間昏和曉。獨倚闌干人窈窕，閒中數盡行人小。一霎車塵生樹杪。陌上樓頭，都向塵中老。薄晚西風吹雨到，明朝又是傷流潦。

蝶戀花

春到臨春花正嫵。遲日闌干，蜂蝶飛無數。誰遣一春拋却去，馬蹄日日章臺路。　幾度尋春春不遇。不見春來，那識春歸處？斜日晚風楊柳渚，馬頭何處無飛絮。

觀堂自謂力爭「第一義」處，所謂第一義者，乃指妙悟之境，其雖自許如是，而朱光潛則未許也。朱氏評王氏《浣溪沙》「天末同雲」云：

詩人在冷靜中所回味出來的妙境，就沒有經過移情作用。細味此詞，純是所謂的「造境」，詞人採用擬人的想像手法，以失行孤雁的不幸遭遇與閨中的歡宴作比，寫出人生的痛苦和不平等。作者的情感是真實的，比喻是鮮明的，也能使讀者得到真切的感受。但我們總覺得，這樣的手法並不算得特別高明，它是有為而作的，句句坐實，詞人的思路也很狹窄，缺少供幻想和聯想自由馳騁的空間。所以，這只是一首「作」出來的詞，是好詞，但不是絕好的詞。也許，詞人為了追求「不隔」，把運用比喻或象徵手法時所須具的朦朧美丟掉了，為了達到「物我一體」的境界，也把「物」自身的特點丟掉了，「物」變成了「我」，那就失去了興會感發的特殊情趣。此詞涉於理路，落於言詮，迹象過顯，並未能臻於作者所認為的「第一義」的妙悟之境。⑦

朱氏所論，客觀理智者也；而樊氏所述，則主觀情感者也。《王國維詞注》評《蝶戀花》「昨夜夢中」云：

無疑，這是一首優秀的作品，在靜安詞中自不可多得。樊志厚《人間詞．乙稿序》亦盛稱其「意境兩忘，物我一體。」此詞當比「天末同雲」、「百尺朱樓」二作較勝，出語自然，情味深永。在詞的格調上頗近莊中白《蝶戀花》諸作，但筆力更為挺健。正由於用力過重，立意刻畫，轉失却五代北宋詞之「空靈」。寫夢中的相會與醒後的相思，雖亦「造境」之語，然皆真切動人，大概也是寄寓詞人「思君」之意吧！⑧

立論亦客觀平允，至於是否爲「思君」，乃評者之自由聯想而已矣！又《王國維詞注》評《蝶戀花》「百尺朱樓」云：

靜安每以「隔」字譏彈南宋詞人，如謂白石「二十四橋仍在，波心蕩、冷月無聲」、「數峯清苦，商略黃昏雨」、「高樹晚蟬，說西風消息」，皆如霧裏看花，終隔一層。其實他本人的某些作品又何嘗不「隔」！《人間詞．乙稿序》中，靜安借樊志厚之名，為此詞大唱讚歌：「意境兩忘，物我一體，高蹈乎八荒之表，而抗心於千秋之間。」細味之，則覺其用意雖深而用力太過，未免傷氣。夏承燾《金元明清詞選》評：「此詞似寫離情。上片是寫會見以前的情景，她獨倚闌干，等待着情人的到來。下片寫會合以後的分離。」此解似嫌稍實。全詞皆寫樓中人無望的等待，下片牽入陌上行人作襯，是加倍寫法，並無「會合」之意。⑨立論持平，確爲用力太過，頗有斧鑿之痕。又《王國維詞注》評《蝶戀花》「春到臨春」云：

此詞為靜安自賞之作。《人間詞話》故引樊抗夫（志厚）之說，謂此數闋「鑿空而道，開詞家未有之境。」並云：「余自謂才不若古人，但於力爭第一義處，古人亦不如我用意耳。」詞人所謂的「第一義」，當自嚴羽《滄浪詩話》「以禪喻詩」而來：「學者須從最上乘具正法眼，悟第一義。」又「論詩如論禪，漢魏晉與盛唐之詩則第一義也。」這「第一義」，據葉嘉瑩解釋，「就是詩人內心深處的一種興發感動的力量」，也就是達到靜安所謂的「境界」。至於此詞，是否能「妙悟天成」，「開詞家未有之境」，則尚待討論了。詞中的寓意難明，大概也是嘆息王朝的沒落和自己理想的破滅吧！⑩

持論尚屬平允，唯謂嘆息王朝沒落及理想破滅，乃係牽強附會之辭，不足據也。

王幼安此項舉證，經核對二序樊氏之語，略有差異，其中所舉詞，除《蝶戀花》「春到臨春」外，餘三詞皆符。唯《乙序》稱「皆意境兩忘，物我一體。」原稿謂「鑿空而道，開詞家未有之境。」文意相通。此僅可證兩者同爲一人手筆，而何以知「命意實出樊氏」？焉知非觀堂借樊氏之口筆而譽揚之，藉以避免「內臺叫好」之嫌也。

其舉證之二，謂「樊氏所賞諸詞，《觀堂集林》亦不盡入選。」此證似嫌薄弱。蓋《詞話》及二序，皆早期之作，《觀堂集林》成書較晚，人之好惡或詞之喜厭，均隨年齡而異，非一成不變者也。

如王氏謂於北宋「不喜美成」（見《人間詞話》附錄第廿九則），而樊氏則謂於北宋「喜美成」（見甲稿序），此兩極化之現象，前者係陳乃乾錄自王氏舊藏《詞辨》眉間批語，爲早年之觀感。故王氏《清眞先生遺事考》云：「先生立身頗有本末，身後毀譽殊爲失實；廓而清之，亦後人之責。」毀譽失實，語含感慨。如道君皇帝、李師師、周邦彥三角戀愛之故事，乃係後人杜撰，無稽之談也。後評其詞爲「兩宋之間，一人而已。」（見《詞話》附錄第十七則）可謂推崇備至矣。

林枚儀《晚清詞論研究》云：

此二序不應為王氏自作，王幼安的説法頗有見地，但舉證則不够堅强，今再補充一點：在甲稿序中，樊志厚曾説王氏「於五代喜李後主、馮正中；於北宋喜永叔、子瞻、少游、美成；於南宋除稼軒、白石外，所嗜蓋鮮矣！尤痛詆夢窗、玉田。」按：在王氏的詞論中，常歷數自己喜歡的詞人，説法都大致相同，但却從來不舉白石，由他對白石的評語來看，如「白石有格而無情」、「無言外之味，絃外之響，終不能與於第一流之作者」、「如霧裏看花，終隔一層」、「白石之詞，余所最愛者，亦僅二語，曰：淮南浩月冷千山，冥冥歸去無人管。」等等。皆可見王氏不喜白石，此序獨云喜白石，其非出於王氏可知。⑪

王幼安舉證既不能成立，林氏據王氏之説，立論則自然不穩矣。補充之點，頗値商榷。所謂「王氏不喜白石，此序獨云喜白石」；此猶如前所述「王氏不喜美成，此序獨云喜美成」；辯之甚詳，恕不再贅。何況《詞話》之於白石，毀譽參半，而譽之者，如「王無功稱薛收賦『韵趣奇高，詞義晦遠，嵯峨蕭瑟，眞不可言。』……唯白石略得一二耳。」又如「古今詞人格調之高，無如白石。」又如「蓋有臨川盧陵之高華，而濟以白石之疏越者，學人之詞，斯爲極則。」又如「姜論史詞，……而賞其『柳昏花暝』，……吾從白石。」又如「白石尚有骨，玉田則一乞人耳。」等等。由此可見矣。

滕咸惠校注《人間詞話新注》（修訂本）修訂後記云：

最後，簡單談談《人間詞》甲乙兩稿序。這兩篇序，趙萬里先生在王氏年譜中明確指出乃王氏自撰。徐調孚先生的《校注人間詞話》和王幼安先生校訂的《人間詞話》（即通行本）都把這兩篇序作為王氏著作收入。不少研究者在自己的論著中也把這兩篇序作為王氏論述引用。可以說，它是王氏作品已經為學術界所公認。但是，近來有同志提出不同意見，認為這兩篇序的作者是樊炳清而不是王國維。（《〈人間詞序〉作者考》，見《文學評論》一九八二年第二期）這種意見本人不敢苟同。首先提出兩序是王氏作品的趙萬里先生已經去世，他的王氏年譜確實沒有詳談這個說法的根據。但趙先生是一位治學嚴謹的學者，他絕不會毫無根據地硬把別人作品說成王氏作品。趙先生與王氏關係密切，又是王氏遺著的整理、編輯人，言必有據。以常理推論，當為王氏告知。筆者在京時，也曾向他面詢此事。他明確回答：「是靜安先生所撰。」語氣肯定，未作任何解釋。王氏確有一友人，名樊炳清（字少泉、抗夫），而《人間詞》甲乙兩稿序署樊志厚。樊炳清和樊志厚或是一人。所以，兩序雖署名樊氏，但實出於王氏之手。集中了王氏後期學術論著精華的《觀堂集林》的序言也是王氏自撰而署名羅振玉。（王氏致友人蔣汝藻函中明言之)再者,兩序持論與文風和《人間詞話》大體一致,也可以作為王氏自撰的內證。總之,趙萬里先生的說法應該說是權威性的,現在似乎還不應輕易推翻。因此,本書仍把這兩篇序作為王氏著作收入。⑫

滕氏主張兩序爲王氏所作,近乎情理,剖析其理論要點如下:

㈠趙萬里王氏年譜,明確指出乃王氏自撰,頗具權威性。

㈡趙氏治學嚴謹,絕不會毫無根據,將他人作品說成王氏作品。

㈢趙氏與王氏關係密切(按與王氏有戚誼,且爲入室弟子)。

㈣趙氏爲王氏遺著整理編輯者,言必有據。

㈤以常理推,當爲王氏告知。

㈥滕氏面詢趙氏明確肯定回答:「是靜安先生所撰」。

㈦王氏確有一友人名樊炳清,雖署名樊氏,實出王氏之手。

㈧《觀堂集林》即假託友人羅振玉名字作序。

㈨兩序持論與文風,核與《人間詞話》大體一致。

㈩已經爲學術界所公認。

趙氏王氏年譜末又識云:「里與先生有戚誼,且侍先生講席久,知先生學行,或較他人爲多。」

在未獲得新證據前,當仍從趙說,二序爲王氏所作。惟趙氏作王氏年譜時(民國十六年),何以不詳細說明？雖倉促成篇，其後又何以不加修訂補充？滕氏面詢之時，爲時已久，且衆口囂囂，聚訟紛紜，又何以不詳加解說？以釋衆疑。豈乏提出確鑿有力之證據？抑有難言之隱？噫！唯有起王趙二氏於地下而問之矣！

【附　注】

① 王幼安校注《人間詞話》卷下附錄補遺二十一則，頁二五六。民國六十八年，河洛圖書出版社《河洛文庫》本。

② 同上，二十二則，頁二五六—二五七。

③ 趙萬里《王靜安先生年譜》，頁八。民國六十七年，臺灣商務印書館《新編中國名人年譜集成》本。

④ 徐調孚校注《人間詞話》，漢京文化事業有限公司本。

⑤ 同注①，頁二五七。

⑥ 滕咸惠校注《人間詞話新注》（修訂本），廿六則，頁廿七。一九八九年，濟南齊魯出版社修訂新三版。

⑦ 《王國維詞注》，《浣溪沙》「天末同雲黯四垂」，頁一二二。民國七十七年，王家出版社《中國歷代詩人選萃》本。

⑧ 同上，《蝶戀花》「昨夜夢中多少恨」，頁一五七。

⑨ 同上，《蝶戀花》「百尺朱樓臨大道」，頁三二。

⑩ 同上，《蝶戀花》「春到臨春花正嫵」，頁四〇。

⑪ 林枚儀《晚清詞論研究》第九章「王國維」，國立臺灣大學中國文學研究所博士論文，民國六十八年七月出版。

⑫ 同注⑥，頁一三三—一三四。

第二節　清真先生遺事尚論三摘錄

《清眞先生遺事》《尚論三》中之語，《人間詞話》《補遺》（附錄）中，錄有五則。

一

（周清真）先生於詩文無所不工，然尚未盡脫古人蹊逕。平生著述，自以樂府為第一。詞人甲乙，宋人早有定論。惟張叔夏病其意趣不高遠。然北宋人如歐蘇秦黃，高則高矣，至精工博大，殊不逮先生。故以宋詞比唐詩，則東坡似太白，歐秦似摩詰，耆卿似樂天，方回、叔原則大曆十子之流。南宋唯一稼軒可比昌黎。而詞中老杜，則非先生不可。昔人以耆卿比少陵，猶為未當也。①

《詞話》附錄十四則（滕咸惠新注本三則）節錄此條。先生，指周邦彥（一〇五七——一一二一），字美成，北宋詞人。

所謂「詞人甲乙」，此據陳振孫之說，《直齋書錄解題》云：

> 清真詞多用唐人詩語檃括入律，渾然天成，長調尤善鋪敘，富艷精工，詞人之甲乙也②

張叔夏，卽張炎，字叔夏，號玉田、樂笑翁，南宋詞人、詞論家。所謂「病其意趣不高遠」者，其《詞源》云：

> 美成詞卽當看他渾成處，於軟媚中有氣魄。採唐詩融化如自己者，乃其所長。惜乎意趣却不高遠。③

所謂「大曆十子」者，指唐代大曆（七六六—七七九，唐代宗李豫年號）年間之十位詩人。《新唐書・盧綸傳》云：

> 綸與吉中孚、韓翃、錢起、司空曙、苗發、崔峒、耿湋、夏侯審、李端皆能詩齊名，號大曆十才子。④

所謂「昔人以耆卿比少陵，猶爲未當」者，昔人，指項平齋；耆卿，指柳永；少陵，指杜甫。張端義《貴耳集》卷上引項平齋語云：

> 學詩當學杜詩，學詞當學柳詞。杜詩、柳詞皆無表態，只是實說。⑤

杜詩柳詞並舉，此卽觀堂所論未當也。其意謂詞中老杜，非清眞不可也。

二

> （清真）先生之詞，陳直齋謂其多用唐人詩句檃括入律，渾然天成。張玉田謂其善於融化詩句，然此不過一端。不如强煥云：「橫寫物態，曲盡其妙。」爲知言也。⑥

《詞話》附錄十五則（滕咸惠新注本四則）節錄此條。按強煥所云，見汲古閣本《片玉詞》。強煥《題周美成詞》云：

> 公之詞，其摹寫物態，曲盡其妙。⑦

觀堂引爲知言者，蓋合乎其意境之說，寫景如在目前是也。故謂直齋、玉田不過道其一端耳。

三

> 山谷云：「天下清景，不擇賢愚而與之，然吾特疑端為我輩設。」誠哉是言！抑豈獨清景而已，一切境界，無不為詩人設。世無詩人，即無此種境界。夫境界之呈於吾心而見於外物者，皆須臾之物。惟詩人能以此須臾之物，鐫諸不朽之文字，使讀者自得之。遂覺詩人之言，字字為我心中所欲言，而又非我之所能自言，此大詩人之秘密也。境界有二：有詩人之境界，有常人之境界。詩人之境界，惟詩人能感之而能寫之，故讀其詩者，亦高舉遠慕，有遺世之意。而亦有得有不得，且得之者亦各有深淺焉。若夫悲歡離合、羈旅行役之感，常人皆能感之，而惟詩人能寫之。故其入於人者至深，而行於世也尤廣。（清真）先生之詞，屬於第二種為多。故宋時別本之多，他無與匹。又和者三家，注家二家。（强煥本亦有注，見毛跋）自士大夫以至婦人女子，莫不知有清真，而種種無稽之言，亦由此以起。然非入人之深，烏能如是耶？⑧

《詞話》附錄十六則（滕咸惠新注本五則）節錄此條。山谷所云數語，見釋惠洪《冷齋夜話》卷三。所謂「宋時別本之多，他無與匹」者，觀堂《清眞先生遺事·著述二》云：

案先生詞集，其古本則見於《景定嚴州續志》、《花庵詞選》者曰：《清真詩餘》。見於《詞源》者曰：《圈法周美成詞》。見於《直齋書錄》者曰《清真詞》，曰《曹杓注清真詞》。又與方千里、楊澤民《和清真詞》合刻者曰《三英集》。（見毛晉《方千里和清真詞跋》）子晉所藏《清真集》，其源亦出宋本，加以溧水本，是宋時已有七本。別本之多，為古今詞家所未有。⑨

所謂「和者三家」者，宋人和《淸眞詞》全詞者，有方千里《和淸眞詞》（汲古閣刻《宋六十名家詞》本）、楊澤民《和淸眞詞》（江標刻《宋元名家詞》本）及陳允平《西麓繼周集》（朱祖謀刻《彊村叢書本》三家）。

所謂「注者二家」者，宋人注《淸眞詞》者，有曹杓、陳元龍兩家。曹注已逸，陳注即《彊村叢書》本《片玉集》。

所謂「自士大夫以至婦人女子，莫不知有淸眞」者，此據陳郁之所說。陳氏《藏一話腴》云：

周邦彥字美成，自號清真，二百年來，以樂府獨步。貴人、學士、市儇、妓女，（皆）知美成詞為可愛。⑩

所謂「種種無稽之言」者，宋人筆記之記淸眞軼事者甚多。若張端義《貴耳集》、周密《浩然齋夜談》、王明淸《揮麈餘話》、王灼《碧鷄漫志》等書均有，類多無稽之言。觀堂先生於《淸眞先生遺書・事跡一》中，一一辨之，斥爲好事者爲之也。觀堂《淸眞先生遺事・尚論三》云：

先生立身頗有本末，而為樂府所累。遂使人間異事皆附蘇秦，海內奇言盡歸方朔。⑪

清眞爲盛名所累，觀堂語多感慨也。

四

樓忠簡謂先生妙解音律。惟王晦叔《碧雞漫志》謂：「江南某氏者，解音律。時時度曲。周美成與有瓜葛。每得一解，卽為製詞。故周集中多新聲。」則集中新曲，非盡自度。然顧曲名堂，不能自已，固非不知音者。故先生之詞，文字之外，須兼味其音律。惟詞中所注宮調，不出教坊十八調之外；則其音，非大晟樂府之新聲，而為隋唐以來之燕樂，固可知也。今其聲雖亡，讀其詞者，猶覺拗怒之中，自饒和婉；曼聲促節，繁會相宣，清濁抑揚，轆轤交往。兩宋之間，一人而已。⑫

《詞話》附錄十七則（滕咸惠新注本六則）節錄此條。此言：倘解音律，則於詞之諧婉有助。然蘇軾之詞，類多不合音律，亦可躋於好詞之列。可證：詞，實以「意」爲重。能合音律，固佳；不能，亦無礙也。今人，併《禮運》「大同」篇亦可配譜而歌唱。可證詞之文字與音律無必然之關係也。

然吳宏一《王靜安的境界說》一文，論《人間詞話》四大缺點之一，其四云：

論詞太偏重文章而忽略聲律。詞由樂府詩演化而來，原來是合律可歌的，張炎謂其先父瑞鶴仙詞的「粉蝶兒撲定花心不去，閑了尋香兩翅」，所以要將撲改為守，惜花香詞的「瑣窗深」，所以要將深改為幽又改為明，就是為了要合律的緣故。在講究聲律的詞人看來，詞的音樂效果是重於文字效果的，這點王靜安似乎沒有留意，因而不能從文章體裁來論詞。⑬

吳氏以詞由樂府詩演化之歷史及講究聲律之詞人觀點論之，誠屬如是。惟觀堂偏於其境界說，故謂「櫽括入律」與「融化詩句」，不如「描寫物態，曲盡其妙。」而此則詞話正可以彌補其闕漏也。

樓忠簡，指樓鑰（一一三七—一二一三），字大防，號攻媿主人。所謂「妙解音律」者，樓氏《清眞先生文集序》云：

> （周邦彥）風流自命，又性好音律，如古之妙解，顧曲名堂，不能自已。⑭

王晦叔，指王灼，字晦叔，南宋文學家。

五

> 偽詞最多。强煥本所增强半皆是。如《片玉詞》上《青玉案》（良夜燈光簇如豆）一闋，乃改山谷《憶帝京》詞為之者，決非先生作。⑮

滕咸惠新注本附錄七則節錄此條。此論作品之眞僞問題，屬於考證學，爲觀堂之所長，而《詞話》中罕見者也。吉光片羽，彌足珍貴。

周邦彥《青玉案》全詞如下：

> 良夜燈光簇如豆。占好事、今宵有。酒罷歌闌人散後。琵琶輕放，語聲低顫，滅燭來相就。
> 玉體偎人情何厚。輕惜輕憐轉唧嚕。雨散雲收眉兒皺。只愁彰露，那人知後。把我來僝僽。

黃庭堅《憶帝京》（私情）全詞如下：

> 銀燭生花如紅豆。占好事、而今有。人醉曲屏深，借寶瑟、輕招手。一陣白蘋風，故滅燭，教相就。

花帶雨、冰肌香透。恨啼鳥、轆轤聲曉。岸柳微涼吹殘酒。斷腸時、至今依舊。鏡中消瘦。那人知後，怕夯你來僝僽。

兩相比對，僞作之迹甚明。若以「寫景則如在目前，寫情則沁人心脾」之尺度衡之，雖屬僞作，而亦不遜也。

《詞話》附錄二十四則，陳乃乾錄自觀堂舊藏《片玉詞》眉間批語，文字略異，內容相同，全文如下：

> 《片玉詞》「良夜燈光簇如豆」一首，乃改山谷《憶帝京》詞為之者，似屯田最下之作，非美成所宜有也。⑯

此則已明指似柳永（官至屯田員外郎）最下之作，觀其詞風，確有貌似之處。楊易霖《周詞訂律補遺》上本詞後注云：

> 王靜安先生云：「此詞乃改山谷《憶帝京》詞為之者，決非美成作。」案：《綠窗新話》引《古今詞話》淮海《御街行》詞，與美成此詞亦多相合，未知孰是？⑰

由此可見，楊氏亦曾悉觀堂有此語，惟未注明出處耳。

【附注】

①王幼安校注《人間詞話》卷下附錄補遺十四則，頁二五〇—二五一。民國六十九年，河洛圖書出版社《河洛

文庫》本。

② 據《叢書集成》初編本。

③ 據《詞源注・樂府指迷箋釋。》

④ 《新唐書・盧綸傳》，據鼎文書局《廿五史》本。

⑤ 同注②。

⑥ 同注①，十五則，頁二五一。

⑦ 據《六十名家詞・片玉詞》，四部備要本，臺灣中華書局。

⑧ 同注①，十六則，頁二五一—二五二。

⑨ 據《王國維先生全集》，民國六十五年，臺灣大通書局本。

⑩ 據《豫章叢書》本。

⑪ 同注⑨。

⑫ 同注①，十七則，頁二五三。

⑬ 何志韶編《人間詞話研究彙編》，頁一九九—二〇〇。民國六十四年，巨浪出版社再版本。

⑭ 據《攻媿集》，四部叢刊本。

⑮ 滕咸惠校注《人間詞話新注》（修訂本），頁一一一。一九八九年，濟南齊魯書社新三版本。

⑯ 同注①，廿四則，頁二五八。

⑰ 同上，頁二五八—二五九。

第三節　詞曲詞話文集中之批跋語

《人間詞話》《補遺》（附錄）中，所錄詞曲、詞話文集中之批跋語，除第十九則《跋王周士詞》一則，乃觀堂所錄阮元《四庫未收書目王周士詞提要》，實非觀堂論詞之語，應予刪去外，計有：㈠唐寫本《雲謠集雜曲子》跋一則，㈡《唐五代二十一家詞輯》諸跋九則，㈢《六一詞》眉間批詞一則，㈣《片玉詞》眉間批語一則，㈤《詞辨》眉間批語五則，㈥《庚辛之間讀書記・桂翁詞》一則，㈦《丙寅日記》觀堂論學語二則，㈧觀堂《蕙風琴趣》評語二則，計二十二則，縷述於後。

第一目　唐寫本《雲謠集雜曲子》跋

一

（《雲謠集雜曲子》）《天仙子》詞，特深峭隱秀，堪與飛卿、端己抗行。①

《詞話》附錄十八則（滕咸惠新注本八則）節自《觀堂集林・唐寫本雲謠集雜曲子跋》。《雲謠集雜曲子》，乃敦　石室藏唐人寫本，爲現存最早之詞總集，其中大部分爲民間作品，清新流麗，樸素自然。情眞意深，雅而不俗，疑經文人潤飾。觀堂評爲「特深峭隱秀」，頗爲貼切。惟謂「堪與飛卿、端己抗行。」則未必然，似有偏愛之嫌。又觀堂《題敦煌所出唐人新書之絕句》（之三）云：「虛聲樂府擅繽紛，妙悟新安迥出羣。茂倩漫收雙絕句，教坊原有鳳歸雲。」茲錄《天仙子》二首如下：

天仙子（其一）

燕語啼時三月半。煙蘸柳條金線亂。五陵原上有仙娥，携歌扇。香爛漫。留住九華雲一片。

犀玉满頭花满面。負妾一雙偷淚眼。淚珠若得似珍珠，拈不散。知何限？串向紅絲應百萬。

天仙子（其二）

燕語鶯啼驚覺夢。羞見鸞臺雙舞鳳。天仙別復信難通，無人問，花满洞。休把同心千徧弄。

叵耐不知何處去？正是花間誰是主？满樓明月應三更，無人語，淚如雨。便是思君腸斷處。

由此可見，詞已於唐代流行民間矣！

第二目 《唐五代廿一家詞輯》諸跋

一

（皇甫松）詞，黃叔暘稱其《摘得新》二首，為有達觀之見。余謂不若《憶江南》二闋，情味深長，在樂天、夢得上也。②

《詞話》附錄五則（滕咸惠新注本九則）節錄此條。觀堂不同意黃氏之說，而謂《憶江南》詞在白居易、劉禹錫之上，未說明其理，此乃主觀情感之語，而非客觀理智者，誠難令人信服也。茲錄各詞如下：

皇甫松《摘得新》（其一）

酌一巵。須敎玉笛吹。錦筵紅蠟燭，莫來遲。繁紅一夜經風雨。是空枝。

皇甫松《摘得新》（其二）

摘得新。枝枝葉葉春。管絃兼美酒，最關人。平生都得幾十度，展香茵。

皇甫松《憶江南》（其一）

蘭燼落，屏上暗紅蕉。閒夢江南梅熟日，夜船吹笛雨瀟瀟。人語驛邊橋。

皇甫松《憶江南》（其二）

樓上寢，殘月下簾旌。夢見秣陵惆悵事，桃花柳絮滿江城。雙髻坐吹笙。

白居易《憶江南》（其一）

江南好，風景舊曾諳。日出江花紅勝火，春來江水綠如藍。能不憶江南？

白居易《憶江南》（其二）

江南憶，最憶是杭州。山寺月中尋桂子，郡亭枕上看潮頭。何日更重遊？

白居易《憶江南》（其三）

江南憶，其次憶吴宮。吴酒一杯春竹葉，吴娃奴舞醉芙蓉。早晚得相逢。

劉禹錫《憶江南》（其一）

春去也，多謝洛城人。弱柳從風疑舉袂，叢蘭裛露似霑巾。獨坐亦含嚬。

劉禹錫《憶江南》（其二）

春去也，共惜艷陽年。猶有桃花流水上，無辭竹葉醉尊前。惟待見青天。

以視覺觀之，皇詞雅麗；以聽覺聞之，白詞流暢；劉詞則介於二者之間；故拙見以爲皇詞何及白劉詞之自然也。

二

端己詞情深語秀，雖規模不及後主、正中，要在飛卿之上。觀昔人顏、謝優劣論可知矣。③

《詞話》附錄六則（滕咸惠新注本十則）節錄此條。觀堂評端己詞「情深語秀」在飛卿上，復引顏、謝優劣論以證之。《南史顏延之傳》云：

延之嘗問鮑照：「己與謝靈運優劣？」照曰：「謝五言詩如初發芙蓉，自然可愛。君詩如鋪錦列繡，亦雕繢滿眼。」延年終身病之。④

又鍾嶸《詩品》云：

湯惠休曰：「謝詩如芙蓉出水，顏如錯采鏤金。」顏終身病之。⑤

由此可見，衡諸觀堂之意，推衍其說，則端己詞如出水芙蓉，飛卿詞如鋪錦列繡；前者秀美，後者華麗也。

三

（毛文錫）詞比牛薛諸人，殊為不及。葉夢得謂：「文錫詞以質直為情致，殊不知流於率露。

諸人許庸陋詞者，必曰：此仿毛文錫《贊成功》而不及者。」其言是也。⑥

《詞話》附錄七則（滕咸惠新注本十一則）節錄此條。觀堂引葉夢得語，以證毛詞之不及牛嶠、薛昭蘊詞也。葉氏語見沈雄《古今詞話詞評》卷上，文字略異。毛文錫《贊成功》詞如下：

海棠未坼，萬點深紅。香包緘結一重重。似含羞態，邀勒春風。蜂來蝶去，任遶芳叢。
昨夜微雨，飄灑庭中。忽聞聲滴井邊桐。美人驚起，坐聽晨鐘。快教折取，戴玉瓏璁。

毛詞確有率露之病，所見皆同也。

四

（魏承班）詞遜于薛昭蘊、牛嶠，而高於毛文錫，然皆不如王衍。五代詞以帝王為最工，豈不以無意於求工歟？⑦

《詞話》附錄八則（滕咸惠新注本十二則）節錄此條。魏承班，五代前蜀詞人。王衍，五代前蜀主。觀堂評五代詞以帝王爲最工，由於無心求工，則出語自然，刻意爲之，則有斧鑿之痕矣！

五

（顧）敻詞在牛給事、毛司徒間。《浣溪沙》「春色迷人」一闋，亦見《陽春錄》。與《河傳》《訴衷情》數闋，當為敻最佳之作矣。⑧

《詞話》附錄九則（滕咸惠新注本十三則）節錄此條。觀堂評顧敻詞在牛嶠之下，毛文錫之上，並以《浣溪沙》《河傳》《訴衷情》等詞爲佳作。茲錄其詞如下：

浣溪沙

春色迷人恨正賒，可堪蕩子不還家。細雨輕露著梨花。簾外有情雙飛颺，檻前無力綠楊斜。小屏狂夢極天涯。

河傳（其一）

燕颺。晴景。小窗屏暖，鴛鴦交頸。菱花掩却翠鬟欹，慵整。海棠簾外影。繡幃香斷金鸂鶒。無消息。心事空相憶。倚東風。春正濃。愁紅。淚痕衣上重。

河傳（其二）

曲檻。春晚。碧流紋細，綠楊絲軟。露花鮮，杏枝繁。鶯囀。野蕪平似翦。直是人間到天上。堪遊賞。醉眼疑屏障。對池塘。惜韶光。斷腸。為花須盡狂。

河傳（其三）

棹舉。舟去。波光渺渺，不知何處。岸花汀草共依依。雨微。鷓鴣相逐飛。天涯離恨江聲咽。啼猿切。此意向誰説。艤蘭橈。獨無憀。魂銷。小爐香欲焦。

訴衷情（其一）

永夜抛人何處去？絶來音。香閣掩，眉斂，月将沈。爭忍不相尋？怨孤衾。換我心為你心，始知相憶深。

訴衷情（其二）

香滅簾垂春漏永，整鴛衾。羅帶重。雙鳳。縷黃金。窗外月光臨。沈沈。斷腸無處尋。負春心。

纏綿悱惻，情流翰墨；觀堂賞識，蓋由此乎？

六

（毛熙震）周密《齊東野語》稱其詞新警而不為儇薄。余尤愛其《後庭花》，不獨意勝，即以調論，亦有僞上清越之致，視文錫蔑如也。⑨

《詞話》附錄十則（滕咸惠新注本十四則）節錄此條。毛熙震為五代蜀詞人，周密語見沈雄《古今詞話詞評》卷上，疑非周密語，沈氏書所引多無稽。觀堂最厭儇薄語，故愛毛詞也。玆錄毛熙震詞如下：

後庭花（其一）

鶯啼燕語芳菲節。瑞庭花發。昔時歡宴歌聲揭。管絃清越。自從陵谷追遊歇。畫梁塵黦。傷心一片如珪月。閒鎖宮闕。

後庭花（其二）

輕盈舞伎含芳艷。競妝新臉。步搖珠翠修蛾斂。膩鬟雲染。歌聲慢發開檀點。繡衫斜掩。時將纖手勻紅臉。笑拈金靨。

後庭花（其三）

越羅小袖新香蒨。薄籠金釧。倚欄無語搖金扇。半遮勻面。
春殘日暖鶯嬌嬾。滿庭花片。爭不教人長相見。畫堂深院。

觀堂所評，確有雋上清越之感，非虛語也。

七

（閻選）詞唯《臨江仙》第二首有軒翥之意，餘尚未足與於作者也。⑩

《詞話》附錄十一則（滕咸惠新注本十五則）節錄此條。閻選爲五代蜀詞人。所謂「軒翥」者，據楚辭《遠遊》：「雌蜺便娟以增撓兮，鸞鳥軒翥而翔飛。」觀堂憑之以論閻詞，其全詞如下：

臨江仙

十二高峯天外寒。竹梢輕拂仙壇。寶衣行雨在雲端。畫簾深殿，香霧冷風殘。
欲問楚王何處去？翠屛猶掩金鸞。猿啼明月照空灘。孤舟行客，驚夢亦艱難。

八

昔沈文愨深賞（張）泌「綠楊花撲一溪煙」爲晚唐名句。然其詞如「露濃香泛小庭花」，較前語似更幽艷。⑪

《詞話》附錄十二則（滕咸惠新注本十六則）節錄此條。沈文愨即沈德潛（一六七三——一七六九），字確士，號歸愚，諡文慤，清代文學家。沈語見《唐詩別裁》卷十六張蠙《夏日題老將林亭》一詩後評語。張泌爲五代南唐詞人，沈氏所賞者爲《洞庭阻風》中句，王氏所賞者爲《浣溪沙》中句，兹錄其詞如下：

洞庭阻風

空江浩蕩景蕭然，盡日菰蒲泊釣船。青草浪高三月渡，綠楊花撲一溪煙。情多莫舉傷春目，愁極兼無買酒錢。猶有漁人數家住，不成村落夕陽邊。

浣溪沙

獨立寒階望月華，露濃香泛小庭花。繡屏愁背一燈斜。雲雨自從分散後，人間無路到仙家。但憑魂夢訪天涯。

兩詞相較，沈王所賞詞句，皆主觀之情。其實「雲雨自從分散後，人間無路到仙家。」何其眞切自然！無奈之情，躍然紙上矣。

九

（孫光憲詞）昔黃玉林賞其「一庭疎雨溼春愁」為古今佳句。余以為不若「片帆煙際閃孤光」，尤有境界也。⑫

《詞話》附錄十三則（滕咸惠新注本十七則）節錄此條。孫光憲，字孟文，五代荆南詞人。黃昇語見沈雄《古今詞話詞評》卷上。兹錄孫光憲《浣溪沙》詞如下：

浣溪沙

攬鏡無言淚欲流，凝情半日懶梳頭。一庭疎雨溼春愁。楊柳只知傷怨別，杏花應信損嬌羞。淚沾魂斷軫離憂。

浣溪沙

蓼岸風多橘柚香，江邊一望楚天長。片帆煙際閃孤光。目送征鴻飛杳杳，思隨流水去茫茫。蘭紅波碧憶瀟湘。

兩句無分軒輊，此亦各人所好不同也。

第三目 《六一詞》眉間批語

一

歐公《蝶戀花》「面旋落花」云云，字字沈響，殊不可及。⑬

《詞話》附錄二十三則（滕咸惠新注本十八則）所載，陳乃乾節錄自觀堂舊藏《六一詞》眉間批語。歐陽修《蝶戀花》全詞如下：

蝶戀花

面旋落花風蕩漾。柳重煙深，雪絮飛來往。雨後輕寒猶未放，春愁酒病成惆悵。
枕畔屏山圍碧浪。翠被華燈，夜夜空相向。寂寞起來褰繡幌，月明正在梨花上。

讀之確有「字字沈響」之感，洵非虛語也。

第四目 《片玉詞》眉間批語

一 《片玉詞》「良夜燈光簇如豆」一首，乃改山谷《憶帝京》詞為之者，似屯田最下之作，非美成所宜有也。⑭

《詞話》附錄二十四則所載，陳乃乾錄自觀堂舊藏《片玉詞》眉間批語。滕咸惠新注本未錄此則，另錄《清眞先生遺事・尚論三》，載於附錄七則，文字略異。詳見「第二節」所述，恕不再贅。

第五目 《詞辨》眉間批語

一 溫飛卿《菩薩蠻》「雨後却斜陽，杏花零落香。」少游之「雨餘芳草斜陽。杏花零落燕泥香。」雖自此脫胎，而實有出藍之妙。⑮

《詞話》附錄二十五則（滕咸惠新注本十九則）所載，陳乃乾錄自觀堂舊藏《詞辨》眉間批語。茲錄溫秦二氏詞如下：

溫飛卿《菩薩蠻》

南園滿地堆輕絮，愁聞一霎清明雨。雨後却斜陽，杏花零落香。

無言勻睡臉，枕上屏山掩。時節欲黃昏，無憀獨倚門。

秦觀《畫堂春》（春情）

東風吹柳日初長。雨餘芳草斜陽。杏花零亂燕泥香。睡損紅妝。
寶篆煙消龍鳳，畫屏雲鎖瀟湘。夜寒微透薄羅裳。無限思量。

兩句相較，確有青出於藍而勝於藍之妙。觀堂所評，頗有卓見也。

二

白石尚有骨，玉田則一乞人耳。[16]

《詞話》附錄廿六則（滕咸惠新注本廿則）所載，陳乃乾錄自觀堂舊藏《詞辨》眉間批語。衡諸觀堂之意，白石尚有風格，玉田則無，如乞討之人，則厚顏無恥，卑躬屈膝矣。

三

美成詞多作態，故不是大家氣象。若同叔、永叔雖不作態，而一笑百媚生矣。此天才與人力之別也。[17]

《詞話》附錄廿七則（滕咸惠新注本廿一則）所載，陳乃乾錄自觀堂舊藏《詞辨》眉間批語。按觀堂所謂「大家氣象」，如《詞話》五十六則所云：

大家之作，其言情也必沁人心脾，其寫景也必豁人耳目。其辭脫口而出無矯揉裝束之態。以其所見者真，所知者深也。[18]

觀堂評周邦彥（美成）詞多作態，卽矯揉裝束，非如大家閨秀之自然大方也。而論晏殊（同叔）、歐陽修（永叔）詞，則以白居易《長恨歌》中句：「回眸一笑百媚生，六宮粉黛無顏色。」「一笑百媚」則「天生麗質」，此乃自然也。由此可見，晏歐詞爲天才，周詞爲人力也。

四

周介存謂白石以詩法入詞，門徑淺狹，如孫過庭書，但便後人模仿。予謂近人所以崇拜玉田，亦由於此。⑲

《詞話》附錄廿八則（滕咸惠新注本廿二則）所載，陳乃乾錄自觀堂舊藏《詞辨》眉間批語。周介存語，見周濟《介存齋論詞雜著》。孫過庭，字虔禮，唐代書法家、書法理論家。其《書譜》有墨蹟及多種刻本傳世。觀堂以張炎（玉田）與姜夔（白石）相提並論，亦謂其門徑淺狹也。

五

予於詞，五代喜李後主、馮正中而不喜《花間》。宋喜同叔、永叔、子瞻、少游而不喜美成。南宋只愛稼軒一人，而惡夢窗、玉田。介存《詞辨》所選詞，頗多不當人意。而其論詞則多獨到之語。始知天下固有具眼人，非予一人之私見也。⑳

《詞話》附錄廿九則（滕咸惠新注本廿一則）所載，陳乃乾所藏錄自觀堂舊藏《詞辨》眉間批語，核與署名樊志厚《人間詞甲稿敍》所載：

君之於詞，於五代喜李後主、馮正中，於北宋喜永叔、子瞻、少游、美成，於南宋除稼軒、白石外，所嗜蓋鮮矣。尤痛詆夢窗、玉田。謂夢窗砌字，玉田疊句。一彫琢，一敷衍。其病不同，而同歸於淺薄。六百年來，詞之不振，實自此始。其持論如此。㉑

兩相比較，其間差異，樊氏於五代無「不喜《花間》」，於北宋無「喜同叔」；王氏於「不喜美成」，而樊氏恰正相反，列於「喜美成」。王氏於南宋「只愛稼稼一人」，而樊氏則增「白石」，其餘皆同。前據趙萬里所撰王氏年譜「案此序與乙稿序，均爲先生自撰，而假名於樊君者。」既與《詞話》同爲觀堂所自撰，則兩者何以有此差異？蓋《詞話》作於前，此序作於後，人之好惡，常隨年齡、學識、經驗、環境等等諸種因素而改變。職是之故，觀堂此詞論「不喜美成」，係亦早期思想；託名樊志厚之序，代表其後思想。觀堂後評美成詞爲「兩宋之間，一人而已。」由此可證也。前已辨之甚詳，恕不贅矣。

第六目 《庚辛之間讀書記・桂翁詞》

一

有明一代，樂府道衰。《寫情》、《扣舷》，尚有宋元遺響。仁宣以後，茲事幾絕。獨文愍（夏言）以魁碩之才，起而振之。豪壯典麗，與于湖、劍南為近。㉒

《詞話》附錄二十則（滕咸惠新注本廿四則）所載，節錄自《庚辛之間讀書記・桂翁詞》。按《寫情》爲劉基詞集，《扣舷》爲高啓詞集，文愍卽夏言，于湖卽張孝祥，劍南卽陸游。陳廷焯《白雨齋詞話》云：

詞至於明，而詞亡矣。伯溫（劉基）、季廸（高啓），已失古意。降至升庵（楊慎）輩，句琢字煉，枝枝葉葉為之，益難語于大雅。自馬浩瀾（馬洪）、施閬仙（施紹華）輩出，淫詞穢語，無足置喙。明末陳人中（陳子龍），能以穠艷之筆，傳凄婉之神，在明代便算高手。然視國初諸老，已難同日而語，更何論唐宋哉。㉓

陳氏謂「詞至於明，而詞亡矣。」觀堂謂「有明一代，樂府道衰」，頗有相同之感。

第七目　《丙寅日記》觀堂論學語

一

彊村詞，余最賞其《浣溪沙》「獨鳥衝波去意閒」二闋，筆力峭拔，非他詞可能過之。㉔

《詞話》附錄三則（滕咸惠新注本廿五則）所載，摘自趙萬里《丙寅日記》所記觀堂論學語。彊村即朱祖謀，其詞如下：

《浣溪沙》（其一）

獨鳥衝波去意閒，瓌霞如赭水如牋。為誰無盡寫江天。並舫風絃彈月上，當窗山髻挽雲還。獨經行地未荒寒。

《浣溪沙》（其二）

翠阜紅厓夾岸迎，阻風滋味暫時生。水窗官燭淚縱橫。禪悦新耽如有會，酒悲突起總無名。長川孤月向誰明？

筆力峭拔，譽之無愧，觀堂斯評，至爲貼切也。

二

蕙風聽歌諸作，自以《滿路花》爲最佳。至《題香南雅集圖》諸詞，殊覺泛泛，無一言道著。

㉕

《詞話》附錄四則（滕咸惠新注本廿六則）所載，摘自趙萬里《丙寅日記》所記觀堂論學語。蕙風，指況周頤（一八五九—一九二六），原名周儀，字夔笙，號蕙風，詞人。玆錄其詞如下：

滿路花（彊村有聽歌之約，詞以堅之。）

蟲邊安枕簟，雁外夢山河。不成雙淚落，爲聞歌。浮生何益，儘意付消磨。見說寰中秀，曼睩修蛾。舊家風度無過

鳳城絲管，回首惜銅駝。看花餘老眼，重摩挲。香塵人海，唱徹定風波。點鬢霜如雨，未比愁多。問天還問嫦娥。（梅郎蘭芳以《嫦娥奔月》一劇蜚聲日下）

戚氏（漚尹爲畹華索賦此調，走筆應之。）

佇飛鸞。萼綠仙子綵雲端。影月娉婷，浣霞明艷，好誰看？華鬘。夢尋難。當歌掩淚十年間。文園鬢雪如許，鏡裏長葆幾朱顏？縞袂重認，紅簾初捲，怕春暖也猶寒。乍維摩病榻，花雨催

起，著意清歡。

絲管。賺出嬋娟。珠翠照映，老眼太辛酸。春宵短。繫驄難穩，栩蝶須還。近尊前。暫許對影，香南笛語，徧寫烏闌。番（去）風漸急，省識將離，已忍目斷關山。（晚華將別去，道人先期作虎山之遊避之。）

念我滄江晚。消何遜筆，舊恨吟邊。未解清平調苦，道苔枝、翠羽信纏綿。劇憐畫罨瑤臺，醉扶紙帳，爭遣愁千萬。算更無、月地雲階見。誰與訴、鶴守緣慳。甚素娥、暫缺能圓。更芳節，後約是今番。耐清寒慣，梅花賦也，好好紉蘭。

觀堂所評，《滿路花》爲最佳，確是的當。至《題香南雅集圖》諸詞，無從查考。據《蕙風詞史》，知《蕙風詞》卷下之《戚氏》屬之，已錄如上。蓋應酬無聊之詞，誠屬泛泛，所論甚是也。

第八目　觀堂《蕙風琴趣》評語

一

蕙風詞小令似叔原，長調亦在清真梅溪間，而沈痛過之。彊村雖富麗精工，猶遜其真摯也。天以百凶成一詞人，果何為哉！㉖

《詞話》附錄一則（滕咸惠新注本廿七則）所載，趙萬里錄自觀堂《蕙風琴趣》評語。況氏中光緒鄉試後，官內閣中書，後入兩江總督張之洞、端方幕，辛亥革命後居上海，成爲所謂「勝朝遺老」，詞中多寄寓眷戀淸王朝之情。此卽觀堂所謂「沈痛」。況氏晚年生活困頓，至無以舉炊，賣書渡日。《浣溪沙》（無米）：「逃墨翻敎突不黔，瓶罍何暇恥齏鹽。半生辛苦一時甜！傳苦枯螢共佇耐，無憐饑鼠誤窺覘，頑夫自笑爲誰憐！」《秋宵吟》（賣書）：「似怨別侯門，玉容深鎖。字裏珠塵，待幻作山頭飯顆。」故觀堂云：「天以百凶成就一詞人。」蓋同爲遜淸之臣，亦有感而發乎？

二

蕙風《洞仙歌》（秋日遊某氏園）及《蘇武慢》（寒夜聞角）二闋，境似淸眞，集中他作，不能過之。㉗

《詞話》附錄二則（滕咸惠新注本廿八則）所載，趙萬里錄自觀堂《蕙風琴趣》評語。玆錄其詞如下：

洞仙歌（秋日獨遊某氏園）

一回鄉閒緣借。便意行散緩，消愁聊且。有花迎徑曲，鳥呼林罅。秋光取次披圖畫。恣遠眺、登臨臺與榭。堪瀟灑。奈賬斷征鴻，幽恨翻縈惹。忍把。鬢絲影裏，袖淚寒邊，露草煙蕪，付與杜牧狂吟，誤作少年游冶。殘蟬肯共傷心話。問幾見，斜陽疏柳挂？誰慰藉？到重陽，插菊攜萸事眞假。酒更貰。更有約束東籬下。怕蹉跎霜訊，夢沈人悄西風乍。

蘇武慢（寒夜聞角）

愁入雲遙，（寒禁霜重）紅燭淚深人倦。情高轉抑，思往難回，凄咽不成清變。風際斷時，迢遞天街，但聞更點。枉教人回首，少年絲竹，玉容歌管。憑作出、百緒凄涼，凄涼惟有，花冷月閑庭院。珠簾繡幕，可有人聽？聽也可曾腸斷？除却塞鴻，遮莫城烏，替人驚慣。料南枝明日，應減紅香一半。

字字血淚，語語沈痛，觀堂評爲「境似清眞，集中他作，不能過之。」誠知音也。

【附　註】

① 王幼安校注《人間詞話》卷下附錄補遺十八則，頁二五三。民國六十九，河洛圖書出版社《河洛文庫》本。
② 同上，五則，頁二四六。
③ 同上，六則，頁二四七。
④ 據鼎文書局《廿五史》本。
⑤ 陳延傳《詩品注》，臺灣開明書店。
⑥ 同注①七則，頁二四七。
⑦ 同注①，八則，頁二四七。
⑧ 同注①，九則，頁二四八。
⑨ 同注①，十則，頁二四八。
⑩ 同注①，十一則，頁二四九。

⑪ 同注①，十二則，頁二四九。
⑫ 同注①，十三則，頁二五〇。
⑬ 同注，廿三則，頁二五八。
⑭ 同注①，廿四則，頁二五八。
⑮ 同注①，廿五則，頁二五九。
⑯ 同注①，廿六則，頁二五九。
⑰ 同注①，廿七則，頁二六〇。
⑱ 同注①，卷上五十六則，頁二一九。
⑲ 同注①，廿八則，頁二六〇。
⑳ 同注①，廿九則，頁二六〇。
㉑ 同注①，廿一則，頁二五五—二五六。
㉒ 同注①，廿則，頁二五五。
㉓ 據唐圭璋編《詞話叢編》本，臺北廣文書局。
㉔ 同注①，三則，頁二四五。
㉕ 同注①，四則，頁二四五。
㉖ 同注①，一則，頁二四四。
㉗ 同注①，二則，頁二四四。

[illegible] 同注③，二冊，頁三四三。
[illegible] 同注①，一冊，頁三四四。
[illegible] 同注②，四冊，頁三四五。
[illegible] 同注④，三冊，頁三四六。
[illegible] 參看王紫誌《四書叢義》本，臺北[illegible]。
[illegible] 同注④，廿冊，頁三五[illegible]。
[illegible] 同注①，廿一冊，頁三六八[illegible]
[illegible] 同注①，廿九冊，頁三六〇
[illegible] 同注①，廿八冊，頁三六〇
[illegible] 同注⑩，卷上六十頁，頁四一九
[illegible] 同注④，廿七冊，頁二六〇
[illegible] 同注①，廿六冊，頁二五九
[illegible] 同注①，廿五冊，頁三五八
[illegible] 同注①，廿四冊，頁三五八
[illegible] 同注，廿三冊，頁三八
[illegible] 同注⑦，廿三冊，頁二二〇
[illegible] 同注⑨，廿一冊，頁一四九

結論

綜上所論，剖析研究，得其成果，擇其犖犖大者，歸納縷陳，舉例說明於後。

壹 析詞論形成之因素

一、內在因素

王國維詞論形成之因素，有內在者，亦有外在者。先就內在言，由於王國維之性情：

㈠**理智感情兼勝**：觀堂自謂：「余之性質，欲爲哲學家，則感情苦多而知力苦寡；欲爲詩人，則又苦感情寡而理性多。」①雖其自述不適於爲哲學家與詩人，而卻適合於文學批評家，因文學批評必備之要素：

其一：須豐富之文學理論爲基礎，以作理智分析，故其早期所吸收之西方思想，如康德、叔本華、尼采等美學，以及中國傳統之文學理論，可作爲其詞論之基礎，如康德優美與壯美之美學觀，其

《詞話》四則云：「無我之境，人惟於靜中得之。有我之境，於由動之靜時得之。故一優美一宏壯也。」又如叔本華超然利害之直觀美學，其《詞話》五則云：「自然中之物，互相關係，互相限制，故不能有完全之美。然其寫之於文學中也，必遺其關係、限制之處，故雖寫實家亦理想家也。又雖如何虛構之境，其材料必求之於自然，而其構造亦必從自然之法則，故雖理想家亦寫實家也。」又如尼采血書說，其《詞話》十八則云：「尼采謂：『一切文學，余愛以血書者。』後主之詞，眞所謂以血書者也。」又如中國傳統文學理論之陰柔陽剛說，其《詞話》八則云：「境界有大小，不以是而分優劣。『細雨魚兒出，微風燕子斜。』何遽不若『落日照大旗，馬鳴風蕭蕭。』『寶簾閒掛小銀鉤』，何遽不若『霧失樓臺，月迷津渡』也。」所舉「細雨」等小境界，即姚鼐所謂陰柔之美；所舉「落日」等大境界，即姚鼐所謂之陽剛之美。此皆需有理智之性情，而作客觀之分析也。

其二，須有熱烈之眞摯感情爲基礎，以作爲欣賞文學作品中刻畫情景之境界，因情感爲文學之靈魂，無情感即無文學，故文學批評者，必須具有豐富之情感，始能欣賞文學，了解作品，進而批評之。而王氏適具此顆熱情之心，故以聯想說詞之方式，由觀賞而產生聯想，其《詞話》十三則云：「南唐中主詞：『菡萏香銷翠葉殘，西風愁起綠波間。』大有衆芳蕪穢，美人遲暮之感。」由「衆芳蕪穢」而聯想「美人遲暮」，此情感之語也。此需有熱烈之情感，由欣賞而產生共鳴也。由此可見，王國維理智感情兼勝之性情，自然促成其詞論之建立也。

㈡**厚道眞純而執着沈着**：厚道者，即忠恕之仁道，嚴以責己，寬以待人。觀堂嘗自謂：「個人之汲汲於爭存者，決無文學家之資格也。」故王德毅云：「先生不汲汲於聲色貨利。」又云：「先生表彰前賢學術，不遺餘力。」又云：「先生不喜交際，亦不慕浮名虛利。」②眞純者，誠懇熱烈，不矯揉造作。姚名達云：「始知先生冷靜之中固有熱烈也。」殷南云：「他對於質疑問難的人，是知無不言，言無不盡。」執着者，擇善固執，絕不寬假。費行簡云：「心所不以爲是者，欲求其一領頷許可而不可得。」沈着者，爲穩重、鎭定、從容、有耐心而不浮躁。梁啓超云：「他在自殺的前一天，還討論學問。」可謂從容就「義」，死而後已。故其遺書曰：「五十之年，只欠一死，經此世變，『義』無再辱。」③此非就「義」而何？爲仁義而殉道，無怨無尤，何其厚道眞純而執着沈着者也！此卽其眞正之死因，歷來學者，衆說紛紜，皆如瞎子摸象而已。此種性情，於其詞論形成之影響甚大。茲舉例言之：如《詞話》卅四則云：「詞最忌用替代字。美成《解語花》之『桂華流瓦』，境界極妙，惜以『桂華』二字代『月』耳。」用「惜以」二字，語含「惋惜」而無「責備」之意，何其厚道，而不忍責之也。又如《詞話》十六則云：「詞人者，不失其赤子之心者也。故生於深宮之中，長於婦人之手，是後主爲人君所短處，亦卽爲詞人所長處。故後主之詞，天眞之詞也。他人，人工之詞也。」所謂赤子之心，卽天眞自然，觀堂之論後主不失其赤子之心，又何嘗非其眞純性情之自然流露乎？其創境界說，始終堅持以此標準衡量作品，此非擇善固執者乎？故其詞論，一再反複而言境界。如《詞話》一則云：「詞以境界爲上。有境界則自成高格，自有名句。五代北宋之詞所以獨絕者在此。」六則曰：「境非獨謂景物也。喜怒哀樂，亦人心中之一境界。故能寫眞景物、眞感情者，謂之有境界，否則謂之無境界。」七則曰：「『紅杏枝頭春意鬧』，着一『鬧』字，而境界全出。『雲破月來花弄影』，著一『弄』字，而境界全出矣。」三復斯言，何其執着也。又如《詞話》廿七則云：「永叔『人間自是有情癡，此恨不關風與月。』『直須看盡洛城花，始與東風容易別。』於豪放之中有沈着之致，所以尤高。」觀堂之讚美「沈着」，豈非其沈着性情之自然流露乎？由此可見，王國維厚道眞純而執着沈着之性情，自然促成其詞論之建立也。

㈢**憂鬱悲觀**：觀堂自謂：「體素羸弱，性復憂鬱。」④既有憂慮之天性，故其詞論多悲觀色彩。舉例而言，如《詞話》廿五則云：「『我瞻四方，蹙蹙靡所騁』，詩人之憂生也。『昨夜西風凋碧樹。獨上高樓，望盡天涯路。』似之。『終日馳車走，不見所問津』，詩人之憂世也。『百草千花寒食路，香車繫在誰家樹。』似之。」所謂憂生與憂世，皆觀堂憂鬱之性情，產生聯想，而染上悲觀之色彩也。由此可見，王國維憂鬱悲觀之性情，自然促成其詞論之建立也。

二、外在因素

以上所論，皆就內在因素言。以下所論，則就外在因素言，由於生存之環境：

㈠**家庭環境**：王國維雖生於「書香門第，禮樂世家」，其父亦爲秀才，然因洪楊之亂，棄文從商，奔波在外。又以幼年失恃，缺乏母愛；後因其父奔喪返家，教授王國維讀書，根基賴以建立。王國維雖天資聰穎，惜以兩次鄉試落第，而立之年，又遭喪親之痛，其父及繼母與髮妻，同年先後去世，爲人生莫大之悲哀，故發致於詞，皆悲涼悽惻，而詞論亦多憂鬱悲觀之色彩也。舉詞論爲例而言，多喜懷憂之詞，如《詞話》卷中刪稿廿四則云：「《半塘丁稿》中和馮正中《鵲踏枝》十闋，乃《鶩翁詞》之最精者。『望遠愁多休縱目』等闋，鬱伊惝怳，令人不能爲懷。《定稿》只存六闋，殊爲未允也。」所謂鬱伊者，不舒貌；惝怳者，失意貌。何以不舒失意之詞只存六闋，而以爲未允？因觀堂性之所喜也。

㈡**學校環境**：入州學時，喜讀四史，嘗自謂：「此爲其生平讀書眞正之開始。」並與同縣陳守謙、葉宜春、褚嘉猷結交爲親密學友，鄉里咸稱「海寧四才子。」相互切磋，奠定從事學術研究之基礎。入東文學社時，得羅振玉之賞識獎掖提攜，爲王氏一生之轉捩點。尤其於日籍助教田岡佐代治之文集中，見所引康德、叔本華之語，欣喜若狂。後留日返國，執教於通州師範學堂時，卽專心研究康德、叔本華、尼采之哲學，對其詞論之影響甚大，故常將其思想融入於《詞話》中，詳如內在因素節所述，不復舉例。

㈢**社會環境**：觀堂身處於動盪不安之社會環境，中日甲午之役，清室慘敗；列強野心競起，爭求劃地。中國眞有所謂豆剖瓜分，危在旦夕之際，於是全國有志之士，莫不致意於革新，以求救危圖存之計，觀堂遂有意於新學，而從事哲學研究，欲解決人生之問題，後覺哲學上之說，大都可愛者不可信，可信者不可愛。故漸由哲學而移於文學，而欲於其中求直接之慰藉，故後有《 人間詞話 》等作也。

貳　悟詞論表達之理念

一、創境界說爲評詞之尺度

王國維創境界說爲評詞之尺度，其《詞話》第一則曰：「詞以境界爲最上。有境界則自成高格，自有名句。五代北宋之詞所以獨絕者在此。」

至於「境界」之涵義，《人間詞話》中未嘗對之有明確之定義；吾人僅能綜合其所作零散詞論而作推論。

第一推論：作品有感情，謂之有境界；否則，謂之無境界。因感情爲文學之靈魂，無感情卽無文學。若詩詞中以道學面孔冷靜理智說理，毫無感情可言，則無境界，可謂非文學作品。《詞話》六則曰：「境非獨謂景物也。喜怒哀樂，亦人心中之一境界。」喜怒哀樂，卽人心中所表達之感情也。

第二推論：作品中有眞感情，謂之有境界；否則，謂之無境界。因感情有眞假，眞情流露，則感人肺腑。若無病呻吟，東施之效捧心，令人厭惡而已。《詞話》六則曰：「能寫眞景物、眞感情者，謂之有境界，否則謂之無境界。」所謂寫景如在目前，寫情則沁人心脾是也。

第三推論：作品中之眞感情，出於具體表現時，謂之有境界；出於抽象表現時，謂之無境界。所謂「具體表現」，卽一般所謂「情景（意境）交融」。亦卽情必於景中表出，景全然爲情而設。如表愁情，能無半個「憂」「愁」「煩」「悶」之類抽象字眼而能以景寫之，以使讀者愁情萬縷，揮之不去。斯則爲寫愁情之最上乘、最具體表現。寫他情亦然。寫一切情皆然。所謂「抽象表現」，卽以說明、議論文字，抽象字眼，將情直接叫嚷而出。《詞話》刪稿十則曰：「昔人論詩詞有景語、情語之別。不知一切景語皆情語也。」又刪稿十一則曰：「詞家多以景寓情。其專作情語而絕妙者，如牛嶠之『甘作一生拚，盡君今日歡。』顧夐之『換我心爲你心，始知相憶深。』歐陽修之『衣帶漸寬終不悔，爲伊消得人憔悴。』美成之『許多煩惱，只爲當時，一餉留情。』此等詞古今曾不多見。余《乙稿》中頗於此方面有開拓之功。」所謂景語皆情語，卽指融情於景，亦卽情景交融之意。其專作情語而絕妙者，則非大家莫能辦也。

綜上三推論，吾人可得「境界」之「一言以蔽之」之定義如下：作品中，有「具體表現眞感情」之內容時，爲有境界；否則，爲無境界。此乃謂全篇之境界。境界。除全篇之境界外，尚有篇中語句之境界。

第四推論：作品語句中，用字恰到好處，則此語句爲有境界；否則，此語句，爲無境界。如「僧敲月下門」，着一「敲」字而境界全出。「春風又綠江南岸」，着一「綠」字而境界全出。《詞話》七則云：「『紅杏枝頭春意鬧』，着一『鬧』字而境界全出。『雲破月來花弄影』，着一『弄』字而境界全出。」此指寫作技巧而言，觀堂所謂「第二形式」是也。

二、言境界爲探本之論

王國維《人間詞話》第九則云：「嚴滄浪詩話謂：『盛唐諸公，唯在興趣。羚羊掛角，無跡可求。故其妙處，透澈玲瓏，不可湊拍。如空中之音、相中之色、水中之影、鏡中之象，言有盡而意無窮。』余謂：北宋以前之詞，亦復如是。然滄浪所謂興趣，阮亭所謂神韻，猶不過道其面目；不若鄙人拈出『境界』二字，爲探其本也。」此卽觀堂言境界爲探本之論也。至於是否爲探其本，玆就三說以比較之。

㈠滄浪「**興趣說**」：其《滄浪詩話》云：「夫詩有別材，非關書也。詩有別趣，非關理也。然非多讀書、多窮理，則不能極其至。所謂不涉理路、不落言詮者，上也。詩者，吟咏性情也。盛唐諸人，惟在『興趣』。羚羊掛角，無跡可求。故其妙處，透澈玲瓏，不可湊泊。如空中之音，相中之色，水中之月，鏡中之象；言有盡而意無窮。」⑤「言有盡而意無窮」，爲極簡賅之涵義要點。滄浪論詩之主旨，惟「禪悟」二字，故其《詩話》，一以「禪」喻詩，一以「悟」論詩。滄浪以「禪悟論詩」，先賢早已言之，不過集前人成說，非其創見也。至於滄浪「以禪喻詩」，則爲滄浪之特見。故郭紹虞以爲「不涉理路，不落言筌」與「羚羊掛角，無跡可求」，同於前人詩禪說。至於「以禪喻詩」，所謂「學者須從最上乘，具正法眼，悟『第一義』」，與「入門須正，立志須高」等，本《潛溪詩眼》之說，而加以闡發，爲滄浪之特見。

至於滄浪論悟，亦有二義，一爲「透徹之悟」，一爲「第一義之悟」。郭紹虞謂透澈之悟，由於以禪論詩，僅指出禪道與詩道有相通之處，所以與禪無關；第一義之悟，由於以禪喻詩，以學禪之法學詩，故與禪有關。滄浪論第一義之悟云：「禪家者流，乘有大小，宗有南北，道有邪正，學者須從最上乘，具正法眼，悟第一義。」而觀堂嘗自謂「力爭第一義處」（見滕咸惠《人間詞話》新注第廿六則），其本滄浪之說，可謂「不打自招」矣！何以反而指「滄浪所謂興趣，猶不過道其面目」？何以下筆之不愼？豈年輕自負之語而有此失乎？吾人亦不忍深責之也。

㈡**漁洋「神韻說」**：其《唐賢三昧集序》云：「嚴滄浪論詩云：『盛唐諸人，惟在興趣。羚羊掛角，無跡可求。透澈玲瓏，不可湊泊。如空中之音，相中之色，水中之月，鏡中之象。言有盡而意無窮。』司空表聖論詩亦云：『味在酸鹹之外。』康熙戊辰，自京師歸，居於宸翰堂。日取開元、天寶諸公之篇什讀之。於二家之言，別有心會。」⑥其所謂「言有盡而意無窮」，「味在酸鹹之外」，亦卽「言外之音」「餘味無窮」，此卽「神韻說」之所本。又《漁洋詩話》引司空表聖之語，謂「不着一字，盡得風流。」可作爲神韻說極簡賅之涵義要點。至「神韻」一辭之提出，始則漁洋早年有《神韻集》之輯，繼則晚年於所著《池北偶談》中，嘗引孔文谷說：謂「論詩以淸遠爲尚，而其妙則在神韻」也。

漁洋論詩之主旨，惟「義理」二字，故其《詩話》，一以禪「義」言詩，一以神「理」論詩。以禪義言詩者，則詩卽禪而禪卽詩，神韻天然，不可湊泊。其《畫溪西堂詩序》云：「嚴滄浪以禪喻詩，余深契其說，而五言尤為近之。如王維《輞川絕句》，字字入禪；他如「雨中山果落，燈下草蟲鳴」，……妙諦微言，與世尊拈花，迦葉微笑，等無差別，通其解者，可語上乘。」所謂「拈花微笑」，非神韻而何？此卽以禪義言詩也。

至於以禪理論詩，則詩禪相通，而詩句不必入禪，不必含禪義。漁洋云：「捨筏登岸，禪家以為悟境，詩家以為化境，詩禪一致，等無差別。大復《與空同書》引此，正自言其所得耳。顧東橋以為英雄欺人，誤矣。豈東橋未能到此境地，故疑之耶？」⑦所謂「悟境化境」，非神韻而何？此卽以禪理論詩也。

㈢**觀堂「境界說」**：涵義之要點為「具體表現眞感情」。詳前推論。

綜上所述，就涵義言：雖措詞不同，而基本意義則無異。就根源言，漁洋神韻，本於滄浪興趣；又觀堂「第一義」，亦本滄浪，可謂「同源而異流」。就主旨言：滄浪「興趣說」，主「禪悟」；漁洋「神韻說」，主「義理」；觀堂「境界說」，主「情景」；所謂「捨筏登岸」，則「筏」為「面目」，「岸」則「探本」也。由此可見，以上三說，可謂「殊途而同歸」矣！又有何「面目」與「探本」之分乎？

二、論境界之區分

王國維《人間詞話》區分境界為「有我之境」與「無我之境」、「造境」與「寫境」、以及「大境」與「小境」，似有六種，其實皆相對立義，可視爲三組，玆分述如下：

㈠**有我之境與無我之境**：有我之境，爲主觀者，如人有悲歡離合之情，則物有成住壞空之象，月有陰晴圓缺之景；而無我之景，爲客觀者，則情景交融，物我一體，故不知何者爲我，何者爲物，如莊周夢蝶，不知周之夢爲蝴蝶歟？抑蝴蝶之夢爲周歟？《詞話》卷上三則云：「有我之境，以我觀物，故物皆着我之色彩；無我之境，以物觀物，故不知何者爲我，何者爲物。」又四則云：「無我之境，人惟於靜中得之；有我之境，於由動之靜時得之；故一優美一宏壯也。」觀堂斯論，深受康德、叔本華哲學之影響，其所謂無我之境，卽無欲之境，而生優美之情；反之，有我之境，卽有欲之境，而生壯美之情也。復自創「古雅」之說，謂介於優美宏壯之間，此中庸之道，承襲傳統學說，融會中西思想者也。

㈡**造境與寫境**：所謂造境，卽虛構之境，亦卽理想之境，西方稱爲理想主義。所謂寫境，卽現實之境，亦卽寫實之境，西方稱爲寫實主義。《詞話》卷上二則云：「有造境，有寫境，此理想與寫實二派之所由分。然二者頗難分別。因大詩人所造之境，必合乎自然；所寫之境，亦必鄰於理想故也。」又五則云：「自然中之物，互相關係，互相限制。然其寫之於文學及美術中也，必遺其關係、限制之處。故雖寫實家，亦理想家也。又雖如何虛構之境，其材料必求之於自然，而其構造，亦必從自然之法則。故雖理想家，亦寫實家也。」此卽亞里士多德所謂「藝術模擬自然」，亦卽叔本華所謂「美術家爲模倣自然」及「無中不能生有，乃藝術之金科玉律」者是也。

(三)大境與小境：境之大小，就取材範圍論，取有關個人或家庭日常生活之材料所成之境，爲小境。取關乎廣大社會人羣之生活之材料所成之境，爲大境。就內容風格氣勢論，表現雄偉氣勢之境，爲大境。表現幽雅氣韻之境，爲小境。一般以「氣勢」大小爲主，「取材」大小爲輔。如：「取材」小境而兼「氣勢」大境，則爲大境。惟絕大多數場合，「主」「輔」情形甚少。即「取材」境大者，其「氣勢」境亦大；「取材」境小者，其「氣勢」境亦小。逆論之，亦然。

夫境界之優劣，不以大小而定；意謂各有千秋，無分軒輊。《詞話》卷上八則云：「境界有大小，不以是而分優劣。『細雨魚兒出，微風燕子斜』，何遽不若『落日照大旗，馬鳴風蕭蕭』？『寶簾閒掛小銀鉤』，何遽不若『霧失樓臺，月迷津渡也』？」

觀堂所謂大小，亦卽姚鼐所謂陽剛陰柔是也。陽剛之美者，如唱東坡「大江東去」；陰柔之美者，如唱柳永「楊柳岸曉風殘月」。以西洋文學言，大境界爲崇高，小境界爲秀美。

惟觀堂所謂境之大小，亦偶有含高低之義。夫人修養高者，所謂爐火純青之境界；反之，修養低者，語言無味，面目可憎，此以論人也。至於論文學，尼采所謂以血書者，此乃高雅之境界也。反之，無病呻吟，堆砌雕繪，如庸脂俗粉，珠光寶氣，亦令人生厭，此乃低俗之境也。《詞話》卷上十八則云：「尼采謂：『一切文學，余愛以血書者。』後主之詞，眞所謂以血書者也。宋道君皇帝《燕山亭》詞亦略似之。然道君不過自道身世之戚，後主則儼有釋迦、基督擔荷人類罪惡之意，其大小固不同矣。」

按「境界之大小，不以是而分優劣。」其中「大小」係指本義「廣狹」而言，故無優劣之分；而「其大小固不同矣」，其中「大小」係指引申義當作「高低」而言，則有優劣之分。故後主之文學造詣，高於道君皇帝也。若易此則詞話中之「大小」爲「高低」，則較爲明確，不易令人費解矣。

叁　明詞論文學之見解

王國維之文學見解，約如下述：

一、反功利之文學觀

所謂反功利之文學觀，此就文學創作目的方面而言，因爲政之人，輒喜利用文學以達其政治目的，美其名曰教化是也。觀堂異常反對此種功利作法。其《文學小言》第一則云：「昔司馬遷推本漢武時學術之盛，以爲利祿之途使然。余謂一切學問，皆能以利祿勸，獨哲學與文學不然。」⑧又十七則云：「以文學爲職業，餔餟的文學也。」⑨《詞話》刪稿第四則云：「詩至中唐以後，殆爲羔雁之具矣。……至南宋以後，詞亦爲羔雁之具，而詞亦替矣。」所謂羔雁之具，即禮聘應酬之物，爲功利而奔走鑽營，亦即餔餟之文學也。

二、眞善美之文學觀

所謂眞善美之文學觀，此就文學作品內容方面而言，以求眞論，其《文學小言》第十則云：「屈子感自己之感，言自己之言者也。……但襲其貌而無眞情以濟之。此後人之所以不復爲楚人之辭者也。」⑩《詞話》第六則云：「能寫眞景物、眞感情者，謂之有境界。」以求善論，其《文學小言》第六則云：「三代以下之詩人，無過於屈子、淵明、子美、子瞻者。此四子，苟無文學之天才，其人格亦自足千古。故無高尚偉大之人格而有高尚偉大之文學者，未之有也。」⑪《詞話》十八則云：「後主之詞，眞所謂以血書者也。宋道君皇帝《燕山亭》詞亦略似之。然道君不過自道身世之感，後主則儼有釋迦、基督擔荷人類罪惡之意，其大小固不同也。」以求美論，一爲超利害之直觀美學，此以欣賞說。其《叔本華之哲學及其教育學說》云：「唯美之爲物，不與吾人之利害相關；而吾人觀美時，亦不知有一己之利害。」⑫《詞話》五則云：「自然中之物，互相關係，互相限制，故不能有完全之美。然其寫之於文學中也，必遺其關係、限制之處，故雖寫實家亦理想家也。」二爲優美與壯美之美學，此以種類說。其《古雅在美學上之位置》云：「美學上之區別美也，大率分爲二種：曰優美，曰宏壯。」⑬《詞話》四則云：「無我之境，人惟於靜中得之。有我之境，於由動之靜時得之。故一優美，一宏壯也。」

三、「第二形式」之文學觀

所謂「第二形式」，指寫作技巧而言，此就文學作品創作過程說。其《古雅之在美學上之位置》云：「一切形式之美，又不可無他形式以表之。唯經過此第二之形式，斯美者愈增其美。……凡以筆墨見賞於吾人者，實賞其第二形式也。此以低度之美術（如書法等）爲尤甚。」⑭

王國維《人間詞話》中，雖未明言寫作之技巧，然其所論「隔與不隔」及「代字隸事與游詞」諸問題，前者係表現技巧，屬於文意；後者係修辭技巧，屬於字義。

㈠**表現技巧**：隔與不隔問題。

夫所謂隔者，寫景「如霧裏看花」，雖有朦朧之美，然嫌乏清晰；所謂「不隔」者，言情「沁人心脾」，寫景「豁人耳目」，語語如在目前也。此卽指寫作之表現技巧而言，能具體表現眞感情者，所謂情景交融，便是不隔，否則謂之隔矣。《詞話》卷上四十則云：「問隔與不隔之別，曰：陶謝之詩不隔，延年則稍隔矣；東坡之詩不隔，山谷則稍隔矣。……語語都在目前，便是不隔。」又卅六則云：「覺白石《念奴嬌》《惜紅衣》二詞，猶有隔霧看花之恨。」所謂「隔霧看花」卽隔也。亦卽陸機《文賦》所謂「意不稱物，文不逮意。」故謂屬於文意也。

㈡**修辭技巧**：代字、隸事與游詞問題。

「代字」：所謂代字者，於詩詞中，使用代替粉飾之字，則謂之代字。周美成《解語花》之「桂華流瓦」，境界極妙，惜以「桂華」代替「月亮」。夢窗以下，用代字更多，其所以然者，非意不足則語不妙。蓋意足則不暇代，語妙則不必代。沈伯時《樂府指迷》，惟恐人不用代字，謂說桃須用紅雨、劉郎等字；詠柳須用章臺、灞岸等字。果以是爲工，則古今類書俱在，又安用詩詞乎？如不用代字，則情景表現得更眞切，字字如在目前。果如是則臻於自然神妙之化境矣。

「隸事」：所謂隸事者，於詩詞中，使用典故，則謂之隸事，或稱使事，亦稱用事。王國維以《長恨歌》之壯采，而所隸之事，只「小玉雙成」四字，才有餘也。而譏梅村歌行，則非隸事不辦。評白吳優劣，卽於此見。

「游詞」：所謂游詞者，卽浮游不實，亦卽不忠實之意也。易言之，雕章琢句，堆砌故事，寫情則不能沁人心脾，寫景則如霧裏看花，未能眞切表達之謂也。《詞話》刪稿第四十四則云：「詞人之忠實，不獨對人事宜然。卽對一草一木，亦須有忠實之意，否則所謂游詞也。」衡諸觀堂之意，忠實卽不游，不忠實卽游，其理甚明矣。

以上三者，就修辭學言，游詞則不可用。惟代字、隸事，可避則避之。如詩詞於不得已之情況下，亦不妨使用代字。爲調協平仄以及對偶韻腳之關係，故不得不使用代字。又如有時暗指事物，亦不得不用代字。又如有時已明指事物，爲避免重複，再提時亦不得不用代字。爲求典雅而避免俗字，亦不得不用也，此在觀堂亦不能免。如其《苕華詞》《浣溪沙》「誰家紅袖不相憐」？⑮以「紅袖」代替「女子」，若作「誰家女子不相憐？」豈非庸脂俗粉令人厭矣！是故，代字非不可用，要在得當耳！蓋運用之妙，存乎一心也。隸事亦然，有難言之隱時，亦不妨借事見意而使用故實。如李義山詩：「劉郎已恨蓬山遠，更隔蓬山一萬重。」

四、文學家之宇宙人生觀

王國維以爲詩人之宇宙人生觀，必須入乎其內與出乎其外。其《詞話》六十則云：「詩人對宇宙人生，須入乎其內，又須出乎其外。入乎其內，故能寫之。出乎其外，故能觀之。入乎其內，故有生氣。出乎其外，故有高致。美成能入而不出。白石以降，於此二事，皆未夢見。」又六十一則云：「詩人必有輕視外物之意，故能以奴僕命風月。又必有重視外物之意，故能與花鳥共憂樂。」所謂「輕視外物」，亦卽「出乎其外」，客觀者也，乃能超脫直觀，以物觀物，故能以奴僕命風月，寫景如在目前，此無我之境也。所謂「重視外物」，亦卽「入乎其內」，主觀者也，乃能親身體驗，以物觀物，故能與花鳥共憂樂，抒情沁人心脾，此有我之境也。職是之故，文學家必須具有「入乎其內」，又須「出乎其外」之宇宙人生觀，方有驚天地泣鬼神感人肺腑之偉大不朽傑作。觀堂《文學小言》四則所謂「胸中無物而體觀外物之深切」⑯，卽「出乎其外故能觀之」；「激烈感情得爲直觀對象」，亦卽「能入」之情，與「能出」之知，故文學家之宇宙人生觀，必須具有「敏銳知識」與「深邃感情」之修養也。易言之，作者之修養，必須具有「豐富之學識」與「眞摯之感情」。而人生觀修養之歷程，必須經過三種階段。觀堂《文學小言》五則所謂「古今之成大事業大學問者，不可不歷三種階級。」⑰所謂第一階級，即「理想」也，頗有「欲窮千里目，更上一層樓」之胸襟。第二階級，即「毅力」也，頗有「貧賤不能移」之志節。第三階級，即「頓悟」也，頗有「踏破鐵鞋無覓處，得來全不費功夫」之樂趣。故雖有文學上之天才，亦須極大之修養也。故《文學小言》七則云：「天才者，或數十年而一出，或數百年而一出，而又須濟之以學問，帥之以德性，始能產眞正之大文學。此屈子、淵明、子美、子瞻等，所以曠世而不一遇也。」⑯此言作者雖有天才，亦須「學問」與「德性」之修養。所謂「學問」，當指文學造詣；「德性」，當指悲天憫人之胸襟，如釋迦，基督擔荷人類罪惡之抱負，亦即文學家之宇宙人生觀也。

五、文學家之文學批評觀

㈠月旦人物

王國維《人間詞話》（含刪稿及附錄補遺），對詞人之品評，經剖析歸納，以時代人物分述，摘錄評語，藉以明瞭其詞論。以時代言，分爲戰國、漢代、魏晉、南北朝、隋唐、五代、北宋、南宋、金元、明代、清代等十一期。以人物言，自戰國屈原至清代吳偉業等，計一〇七人，可謂盛矣。得其評語，凡二八六條，可謂多矣。

觀堂論詞，以五代兩宋爲主，崇北宋而抑南宋，其推崇之詞人，按評語之多寡論，其所欣賞者，以五代言，依次為：馮延巳、李煜、牛嶠等。以北宋言，以次為：周邦彥、歐陽修、秦觀、蘇軾、晏殊等，南宋唯辛棄疾一人而已；姜夔則褒貶互見，其餘如張炎、吳文英、史達祖、周密等，皆不足觀矣。其他各時代所愛憎之詞人，詳如前述，恕不贅言也。（為節省篇幅，本論文原運用資料從略，以免堆砌累贅之嫌，特此陳明，敬請見諒。）

至於就評語之內容言，觀堂心目中之最愛者，當以五代南唐後主李煜，其一則曰：「李重光之詞，神秀也。」二則曰：「詞至李後主而眼界始大，感慨遂深。」三則曰：「詞人者，不失其赤子之心者也。故生於深宮之中，長於婦人之手，是後主為人君所短處，亦卽為詞人所長處。故後主之詞，天眞之詞也。」四則曰：「主觀之詩人，不必多閱世。閱世愈淺，則性情愈眞，李後主是也。」五則曰：「後主之詞，眞所謂以血書者也。後主則儼有釋迦、基督擔荷人類罪惡之意。」六則曰：「詞之最工者，實推後主。」七則曰：「有篇有句，唯李後主降宋後之作。」（按篇指章法，句指境界。）可謂推崇備至矣！蓋亦歡愉之辭難工，愁苦之言易巧乎？

㈡品評作品

王國維《人間詞話》，對作品之批評，約有二端，一為品評之方式，一為品評之術語。茲分述如下：

甲、品評之方式

1.直感式之批評：直感式者，直覺之感受是也。觀堂於欣賞詩詞時，就所產生之理念而評論之。

如「最工」，謂東坡《詠楊花》爲最工。又如「霧裏看花」，謂白石《念奴嬌》猶有隔霧看花之恨。又如「情景不隔」，謂「生年不滿百」寫情不隔；「採菊東籬下」寫景不隔等是。

2.印象式之批評：印象式者，直覺之印象是也。觀堂於欣賞詩詞時，就所感受之印象而評論之。如「氣象」，謂太白純以氣象勝。又如「格調」，謂白石格調之高。又「秀」，謂飛卿句秀、端已骨秀、重光神秀等是。

3.傳統式之批評：傳統式者，中國傳統之批評方式是也。卽好以具體之意象，描述抽象之風格之批評方式，如潘詩「爛若舒錦」，陸詩「披沙簡金」，謝詩「出水芙蓉」，顏詩「錯采鏤金」等語是也。分述如下：

(1)以作者人格性情品評作品風格：如李後主「不失赤子之心」，東坡「曠」，稼軒「豪」，史梅溪「品格偸貪」，龔定庵「涼薄無行」等語是也。此種品評方式之優點，可直探詩歌中感性之生命之源流與命脈之所在。所謂文如其人，人如其文，人文渾然合一，其理誠然。蓋作品與人品，確實有密切之關係，有文天祥、岳飛之忠君愛國，方有《正氣歌》與《滿江紅》之作品，如秦檜之流，豈能夢見乎？而其缺點：宇宙萬物事理，優劣並存，文學批評亦然，既有優點，亦必有缺點，故常有以人廢言，顚倒本末，不就作品價值立論，而以作者人品評述。此種方式之通病，好以人論詩或因詩論人之價値誤植。因人廢言，猶如因噎廢食，其不可行也明矣！於文學批評亦然。

(2)以具體意象喻示作品風格：如溫庭筠詞「似畫屏金鷓鴣」，韋莊詞「似絃上黃鶯語」，馮延巳詞「似和淚試嚴妝」，吳文英詞「似映夢窗凌亂碧」，張炎詞「似玉老田荒」等語是也。其優點，爲意象具體顯明貼切，保持詩歌感性之特質。而其缺點，嫌太主觀，而乏客觀理論，難以令人信服。又間有抽象籠統之語，惜乏具體鮮明之形象，難免使讀者有如「霧裏看花，終隔一層」之感。

⑶以欣賞者聯想闡述作品新義：如南唐中主詞有「美人遲暮」之感，如道君「自道身世」，後主「儼有釋迦基督擔荷人類罪惡」之意，如「我瞻四方」詩人之「憂生」也，「終日馳車走」，詩人之「憂世」也。如古今之成大事業大學問者，必經過「三種境界」等語是。由「我瞻四方」「望盡天涯」，聯想「詩人憂生」；由「不見問津」「車繫誰家」，聯想「詩人憂世」，何其悲也！第一境爲立定理想，確有「古來聖賢皆寂寞」之感。蓋曲高和寡，燕雀焉知鴻鵠之志？觀堂亦有此感乎？第二境爲實踐理想，懷有「餓死事小，失節事大」之胸襟，頗有貧賤不能移之毅力。第三境爲完成理想，如禪僧之頓悟，頗有踏破鐵鞋無覓處，得來全不費功夫之喜悅。觀堂深受叔本華學說之影響，故其所產生之聯想而多悲觀色彩也。觀堂亦有自知之明，故謂遽以此意解釋諸詞，恐晏歐諸公所不許也。聯想僅供人欣賞詩詞之參考，千萬不可奉爲金科玉律，否則如刻舟求劍，膠柱鼓瑟，則愚不可及矣！唯聯想可引發聯想，產生聯鎖反應，創造新義，使詩歌獲得新生命，生生不息，永垂不朽。予舊詩賦以新義，確爲開創文學新天地。

乙、品評之術語

1. 名詞性質：凡屬名詞性質，而作爲批評之術語者，如「氣象」，指作品之精神風貌而言，謂太白純以氣象勝。如「句秀」，指作品之詞句秀美而言，謂飛卿詞句秀也。如「骨秀」，指作品之內容而秀美而言，謂端己詞骨秀也。如「神秀」，指作品之精神飄逸秀美而言，謂重光詞神秀也。如「格調」，指作品風格情調高下而言，謂白石格調之高。如「格與情」，格指格調，情指情意而言，謂白石有格而無情。如「氣與韻」，氣指氣勢，韻指韻味而言，謂稼軒詞有氣而乏韻等語是也。

2.形容詞性質：凡屬形容詞性質，而作爲批評之術語者，如「灑落與悲壯」，灑落卽灑脫，亦卽瀟灑脫俗，態度自然，所謂落落大方是也。悲壯卽雄壯之悲情，如岳飛《滿江紅》之詞是也。謂《蒹葭》詩灑落，同叔詞悲壯是也。又如「豪放與沉着」，豪放指豪放之氣慨而言，沉着指深沉之情感而言，謂永叔詞於豪放中有沉着之致。又如「凄婉與凄厲」，凄婉指凄涼溫婉，凄厲則更強厲凄苦。謂少游詞由凄婉變而爲凄厲矣等語是也。

六、文學演進之歷史觀

王國維以爲一切文體所以「始盛終衰」者，皆由於「敝」。故其《詞話》五十四則云：「四言敝而有楚辭，楚辭敝而有五言，五言敝而有七言，古詩敝而有律絕，律絕敝而有詞。蓋文體通行既久，染指遂多，自成習套。豪傑之士，亦難於其中自出新意，故遁而作他體，以自解脫。一切文體所以始盛終衰者，皆由於此。故謂文學後不不如前，余未敢信。但就一體論，則此說固無以易也。」

王氏之說，「始盛終衰」者，皆由於「敝」，頗値商榷。蓋文體之演變，由於「推陳出新」，而非由於「始盛終衰」，葉燮《原詩・內篇》上，已論之甚詳。其雖論詩，其實一切文體皆然也。夫文學之演進，由簡而繁，由樸實而華美，如蛹化蝶之蛻變，「蛹」爲「眞樸」，「蝶」則「華麗」，此爲文學發展之自然趨勢。乾坤一日不息，人類智慧一日不竭，則文學之創作日新月異，豈有衰敝之理乎？葉嘉瑩以文學演進之歷史觀言之，謂古今中外一切文學體式終久必趨於「變」，其不言「敝」，不言「衰」，而言「變」，頗具卓見。章太炎謂「魏文侯聽今樂則不知倦，古樂則臥。故知數極而遷，雖才士弗能以爲美。」其雖言樂，於文學亦然。所謂「遷」即「變」也。如言「敝」，如言「衰」，則一字之差，而失之千里矣。

總之，論文學之演進，而非謂文學之衰退，其演進之歷史觀，如「蠶蛹化蝶」，破繭而出，化爲美麗之蝴蝶，翺翔於錦繡燦爛之文學天地。

肆、評詞論之因襲缺失與價値

王國維《人間詞話》，其因襲、缺失、價値，玆分述於後。

一、因　襲

甲、西方思想之影響

觀堂受西方思想影響最大者，莫過於康德、叔本華與尼采三人。

㈠**康德優美與壯美之美學**：承襲康德「優美」與「壯美」之美學觀者，如《詞話》四則云：「無我之境，人惟於靜中得之。有我之境，於由動之靜時得之。故一優美，一宏壯也。」其《古雅之在美學上之位置》云：「美學上之區別也，大率分爲二種，曰優美、曰宏壯，自巴克及汗德（卽康德）之書出，學者殆視此爲精密之分類矣。」[19]又《叔本華之哲學及其教育學說》云：「美之中又有優美與壯美之別，今有一物令人忘利害之關係而玩之而不厭者，謂之曰優美之感情，若其物直接不利於吾人之意志，而意志爲之破裂，唯由知識冥想其理念者謂之曰壯美之感情。」[20]由上舉證，可知叔本華深受康德之影響，則觀堂之受康德、叔本華之影響也必矣。

㈡**叔本華超然利害之直觀美學**：康德優美與壯美，在性質上雖有不同，然而就美感經驗而言，則產生超於利害之「直觀」相同，蓋叔本華之學說，原曾受康德之影響。如《詞話》五則云：「自然中之物，互相關係，互相限制，故不能有完全之美。然其寫之於文學中也，必遺其關係限制之處，故雖寫實家亦理想家也。又雖如何虛構之境，其材料必求之於自然，而其構造亦必從自然之法則，故雖理想家亦寫實家也。」又《叔本華之哲學及其教育學說》云：「唯美之爲物，不與吾人之利害相關係，而吾人觀美時，亦不知有一己之利害。何則？美之對象，非特別之物，而此物之種類之形式，又觀之於我，非特別之我，而純粹無欲之我也。夫空間時間旣爲吾人直觀之形式，物之現於空間者皆並立，現於時間者皆相續，故現於空間時間者皆特別之物矣，則此物與我利害之關係不生於心不可得也，若不視此物爲與我有利害之關係而但觀其物，則此物已非特別之物而代表其物之全體，叔氏謂之曰實念，故美之知識實念之知識也。」㉑上引《詞話》與叔本華之學說，相互對照觀之，足資證明觀堂承襲西方之思想也。

夫宇宙事物，往往非二分法所能道盡者也。觀堂有鑒於此，故論宏壯優美，相對立論，而採康德、叔本華之學說外，復自創「古雅」之說，謂古雅與優美及宏壯之共同性，皆不可利用，超出利害；唯其位置爲介於二者之間，且兼二者之性質，而其價値，在美學言，則不及也；在教育言，則範圍成效較爲廣著也。此中庸之道，承襲傳統學說，融會中西思想者也，則非邯鄲學步矣。

㈢**尼采血書說**：尼采所謂血書者，卽指有血有淚，情眞意深，感人肺腑，可歌可泣，感天地而驚鬼神之偉大傑作，而非眞指用血書寫也。亦卽觀堂所謂「寫景則如在目前，寫情則沁人心脾，」眞切自然之作品是也。《詞話》十八則云：「尼采謂：『一切文學，余愛以血書者。』後主之詞，眞所謂以血書寫者也。宋道君皇帝《燕山亭》詞，亦略似之。然道君不過自道身世之戚，後主則儼有釋迦、基督擔荷人類罪惡之意，其大小固不同矣。」尼采《蘇魯支語錄》云：「凡一切已經寫下的，我只愛其人用血寫下的書。用血書寫，然後你將體會到，血便是精義。」兩相對照比較，足資證明觀堂詞論之深受尼采之影響。此外，復有《叔本華與尼采書》專文論著，相互參照，亦可作爲佐證也。綜上所述，觀堂之受西方康德、叔本華、尼采三者學說之影響，可謂證據鑿鑿矣！

乙、中國理論之影響

㈠**陰柔陽剛說**：優美卽陰柔，壯美卽陽剛，此中西思想相通之處。亦卽小境界爲陰柔之美，大境界謂陽剛之美。《詞話》八則云：「境界有大小，不以是而分優劣。『細雨魚兒出，微風燕子斜。』何遽不若『落日照大旗，馬鳴風蕭蕭。』『寶簾閒掛小銀鉤』，何遽不若『霧失樓臺月迷津渡』也。」姚鼐《復魯絜非書》云：「自諸子而降，其爲文無有弗偏者。其得於陽與剛之美者，則其文如霆如電，……其得於陰與柔之美者，其爲文如升初日。」觀堂所謂「細雨魚兒出，微風燕子斜」之小境界，亦卽姚鼐所謂「文如初日」之陰柔之美；觀堂所謂「落日照大旗，馬鳴風蕭」之大境界，亦卽姚鼐所謂「文如霆電」之陽剛之美。

按宇宙萬物事理，咸具陰柔陽剛之現象，觸目皆是，於空間言，天爲陽剛，地爲陰柔；於時而言，秋冬爲陽剛，春夏爲陰柔；於人而言，男爲陽剛，女爲陰柔；於自然界言，河川爲陰柔，山嶽爲陽剛；花草爲陰柔，林木爲陽剛；牛羊爲陰柔，獅虎爲陽剛等，諸如此類，不勝枚舉。中國文學批評理論，得自然之啓發，觀堂生於此環境之間，耳濡目染，又何嘗不受此影響哉？

㈡**意內言外說**：意內言外者，卽比興寄託之意。觀堂以聯想說詞之方式，顯係承受淸代常州派「意內言外」，以比興寄託說詞之影響。《詞話》十三則云：「南唐中主詞『菡萏香銷翠葉殘，西風愁起綠波間。』大有衆芳蕪穢，美人遲暮之感。」由荷花之香銷葉殘，而聯想美女之「人老珠黃」之無奈，此與張惠言「意內言外」解詞何異？張氏《詞評》評馮延巳《鵲踏枝》詞云：「庭院深深，閨中既已邃遠也。樓高不見，哲王又不寤也。章臺游冶，小人之徑。雨橫風狂，政令暴急也。亂紅飛去，斥逐者非一人而已。殆爲韓范作乎？」張氏語語有含意，此即以「意內言外」解詞，原作者馮氏豈有此意乎？此與觀堂以聯想說詞無異也。

㈢**文藝欣賞說**：吾人於欣賞或於論述文藝時，常舉中國古人之藝術與文學作品爲例證，此爲我國傳統文人欣賞之態度，觀堂深受此影響。《詞話》廿一則云：「歐九《浣溪沙》詞：『綠楊樓外出秋千。』晁補之謂：只一出字，便後人所不能道。余謂：此本於正中《上行杯》詞『柳外秋千出畫牆』，但歐語尤工耳。」此例爲先舉作者，次舉作品詞調名，次舉作品之句；又舉評者名及意見，末加己見，舉作者名，詞牌名，以及詞中句與評語。此即傳統文人欣賞文藝之態度也。可證觀堂深受其影響矣。

二、缺　失

甲、各家指摘者

㈠**王鎮坤《評人間詞話》論其缺失**：「⑴一二名句不足以盡全詞之妙。⑵好小令而輕長調。⑶論『小令易學而難工，長調難學而易工。』亦未盡當。⑷論沈昕伯《蝶戀花》詞，不免阿其所好。⑸以

境界爲主忽視情韻。⑹以隔與不隔評章各家。⑺厚北宋而薄南宋。」㉒

王氏所論，確爲持平之言。觀堂以一二名句定全詞之妙，難免有「以一概全」之嫌。好小令而輕長調，或謂小令易學而難工，長調難學而易工，皆非也。蓋小令長調，各有優劣難易也。至於論友人詞，以私交情語而阿其所好，不從詞學理論，評其得失，非理性之語，難以令人信服。重境界雖是而輕情韻則非也。蓋抒情之詩詞，所謂情韻綿邈，令人廻腸盪氣，低徊不已者，因有情韻在也。如東坡欣賞少游之《踏莎行》末兩句是也。隔與不隔，實不能定其優劣。如西施捧心，全村爲之傾絕；佳人一顧，舉國爲之傾倒。此皆所謂「含情脈脈」，含蓄之美也。厚北宋而薄南宋，或厚南宋而薄北宋，皆非也。蓋時有古今，地有南北，一代有一代之文學，一地有一地之作品。南宋偏安江左，時遭喪亂，國事日非，何得有北宋歐晏和平雅正之詞耶？

㈡**程大城《王國維與人間詞話》論其缺失**：「一爲境界說之瑕疵：⑴詞忌用替代字，語意含混，欠缺理論。⑵以隔或不隔之創作與欣賞爲不當。⑶以意象相同於境界爲大謬。⑷以喜怒哀樂謂心中境界亦非。⑸以「能寫眞景物眞感情者，謂之有境界。」亦誤。⑹以「寫眞感情」之論，益感滑稽。⑺以「無我之境，人惟於靜中得之。有我之境，於由動之靜得之。」可謂怪論。二爲詩家修養說之謬誤：⑴生活體驗說之不妥。⑵寫作態度說之不當。⑶三種境界說於文學創作有損無益。三爲詩文學演變說之大謬：⑴文體之遞變由於「亦難於其中自出新意」之非。⑵文體之盛衰由於「亦難於其中自出新意」亦非。四爲詩詞性能價值說之矛盾：⑴詞「能言詩之所不能言，而不能盡詩之所能言」之矛

盾。⑵「詩言潤，詞言長」之矛盾。」㉓

按程氏所論觀堂境界說之瑕疵，其以現代文藝理論觀點批評，而非觀堂所謂境界之義，兩者辭義不同，形成各說各話，其相異也必矣。昔墨子以「譬侔援推」爲同異之辯，其《小取》篇所謂「侔也者，比辭而俱行也。」即指辯論雙方所用之辭義必須相同。所論詩家修養說之謬誤，所謂入乎其內與出乎其外，以及三種境界，皆非觀堂之本意，顯係曲解，乃程氏臆斷所致也。所論文學演變說之大謬，疑爲觀堂之疏漏，程氏之言是也。所論詩詞性能價值說之矛盾，亦係程氏之臆解。有關觀堂之本意，詳見綜合論述不贅。

㈢饒宗頤《人間詞話平議》論其缺失：「⑴自道境界二字由其拈出，恐未然耳。⑵詞以「淚」而不以「血」。⑶隔不足爲詞之病。」㉔

饒氏所論觀堂拈出境界二字恐未然耳。蓋《詞話》爲其早年之作，年輕自負，無可厚非也。其自詡「言氣質，言神韻，不如言境界。有境界，本也。氣質、神韻，末也。有境界而二者隨之矣。」倒是其病耳。所論詞以「淚」不以「血」，衡諸觀堂之意，其所最愛如尼采所言以血書者，蓋言情眞意深，沉痛之語，非眞謂以血書寫者，或滿紙「血字」也。故其謂後主之詞，眞所謂以血書者也。其字裏行間，豈眞有充滿血字乎？疑饒氏之曲解耳。至於所論「隔」不足爲詞之病，蓋觀堂所謂「隔」者，如「霧裏看花」，乃指未能眞切自然感受，非指隱晦而言，豈亦饒氏之臆解乎？詳如「隔與不隔」條所論，恕不贅言矣。

㈣葉嘉瑩《王國維及其文學批評》論其缺失：「⑴過於模糊籠統，過於唯心主觀。⑵採取詞話體式，不適宜精密廣論。」㉕

葉氏所論，剖析入理，可謂持平之論。

㈤吳宏一《王靜安的境界說》論其缺失：「⑴體例未臻完善，編排次序也沒有系統。⑵有些理論說得不透澈，容易令人發生誤會。⑶太過於自信主觀。⑷論詞太偏重文章而忽略聲律。」㉖

吳氏所論，誠屬平允。尤其第四點偏重文章而忽略聲律，道前人所未道，可謂卓見。《詞話》中論及音律者，僅見於附錄第十七則，謂「文字之外，須兼味其音律。」一則而已。其論聲韻者，亦僅見於刪稿中二、三兩則，論雙聲疊韻而已。僅此三條，勉可補其缺憾，亦可謂少矣。

乙、拙　見

《人間詞話》之缺失，除上述專家所論，並表示拙見，以及本論文中各章節所提出外，特再補充如下：

㈠**出語含混**——評詞、評詞人之時，均使用含混、模糊、印象式詞語，使人無從捉摸涵意。

㈡**出語武斷**——對難有定論之事實，恆作武斷之結論。

㈢**有前後矛盾之處**——此等之處，有二種。一爲條際前後矛盾。二爲條內前後矛盾。

㈣**有錯誤之處**——觀堂謂一切文體所以「始盛終衰」者，皆由於「敝」，頗值商榷。似由於「推陳出新」，猶「蠶蛹化蝶」之「變」也。觀堂自謂「力爭第一義處」，語本滄浪「第一義之悟」，反而指滄浪興趣「道其面目」，謂境界爲「探本」等是也。

三、價　値

《人間詞話》之價值，各家甚少論及。葉嘉瑩《王國維及其文學批評》，於餘論五、六兩條中，雖非明言論價值，然含有類似之意。其說約有四點：

㈠**創境界說爲心物相感受之作用**：「境界之產生，全賴吾人感受之作用；境界之存在，全在吾人感受之所及。因此，外在世界，在未經過吾人感受之功能而予以再現時，並不得稱之爲境界。」㉗

㈡**境界說眞切質實富於反思**：《詞話》六則云：「境非獨謂景物也，喜怒哀樂亦人心中之一境界，故能寫眞景物眞感情者，謂之有境界，否則謂之無境界。」㉘

㈢**境界說包涵氣質與神韻**：《詞話》十三則云：「言氣質，言神韻，不如言境界。有境界，本也；氣質，神韻，末也。有境界而二者隨之矣。」㉙

㈣**境界說改變玄虛喻說運用西方理論概念**：「其立論卻已經改變了禪宗妙悟之玄虛的喻說，……且能用「主觀」「客觀」「有我」「無我」及「理想」「寫實」等西方之理論概念做爲析說之憑藉，這自然是中國詩論的又一次重要演進。」㉚

葉氏所論，雖咸言境界說之優點，亦卽《人間詞話》之價值也。闡釋詳明，頗具參考。

吳宏一《王靜安的境界說》論《詞話》之佳勝處，條舉列出四點：「1.王靜安主眞切，重自然，此乃千古文學不易之定理，而王靜安除此之外，尙且要求在自然眞切之餘，能夠表現人生，美化人生。2.他之論詞，能以哲學美學觀點來分析申論，這是前人所不能及的，也是他不落俗套的地方。3.他沒有舊有詞話摘句的毛病。4.鎔鑄新理想，以入舊風格（引梁啓超語）。」㉛

吳氏所論，《詞話》之佳勝處，亦卽其價値也。提綱挈領，切中肯綮。

拙見以爲《人間詞話》之價値，可自三方面言之：

㈠**就形式方面言**：《人間詞話》外型雖仍如傳統舊詞話，然其編排次序，實暗示其頗有新觀念，卽：前部分爲一般理論之敍述，後部分爲以此一般理論爲尺度而衡量詞人、詞作。此種編排，甚合科學，可謂「舊瓶裝新酒」矣。

㈡**就內容方面言**：則《人間詞話》之新觀念尤大，是卽「境界」一概念之提出與乎「境界說」解說之清晰完整。較之傳統舊說「興趣」「神韵」等說在解說上之清晰完整程度，實高出多多，不可同日而語。傳統「興趣」「神韵」等說之與「境界」說，雖其基本涵義無有差別，然解釋當與不當，清晰完整與否，關乎其說之流傳及流傳後對實踐創作者之影響，至爲巨大。而境界說之解釋，則清晰完整，甚爲得當。此解釋，卽爲「具體表現眞感情」七字。此七字，雖係吾人推想而得，然實王氏之言，僅王氏未嘗明言耳。而「興趣」「神韻」等說，卽推想，亦無由得此七字也。此七字價値之高超，爲其係創作上之金科玉律。尊此金科玉律，則創作者所創作之作品，卽爲文學作品。不惟係文學作品，且係良好文學作品。不惟係良好文學作品，且係極良好文學作品，反之，不惟非良好文學作品，且併文學作品亦非也。

㈢**就影響方面言**：靜安其人爲文學革命之先驅，其書爲文學革命之種子，可謂承先啓後之傑作，承康德叔本華之美學觀念，啓胡適、朱光潛二氏之文學思想。陳茂村《王國維人間詞話研究》嘗慨乎言之曰：「竊謂胡適之氏，文學革命之大師也，凡所標舉，類皆襲自王氏。王氏高言境界，胡氏亦云意境；王氏崇尚自然而尊小令，胡氏亦鄙雕琢而薄慢詞；王氏反隸事代字，胡氏亦忌用典對仗；王氏以唐五代，北宋、南宋，爲詞之分期，而祧主唐五代北宋，胡氏亦踵之；且月旦詞人，愛增略同。此止摘胡氏《詞選》之取於《人間詞話》者而已。（按任訪秋《王國維人間詞話與胡適詞選》一文已比較言之）至靜庵文集中有關文學之卓論，胡氏蹈襲者尤不勝枚擧。」㉜嗚呼！世之言新文學革命者，皆知有胡適之，而不知有王靜安，何其幸與不幸矣！又李炳南《王國維境界說之研究》亦云：「先生嘗有『文學革命先驅』之雅號，此誠非虛譽也。先生之文學主張，如『不用典』、『尚自然』、『反雕琢』等，皆與五四文學革命宣言有相通處。（見吳文祺《近百年來的文藝思潮》）其倡言文學應描寫人生，重視元劇、小說等俗文學之價值，亦皆與今日之文藝思潮相應。朱光潛之《文藝心理學》號稱文學理論之權威，朱氏所謂之『直覺』，卽先生之『直觀』。朱氏之『距離說』，卽先生之『疏離說』。朱氏論『理想』與『自然』，先生於『造境』與『寫境』中已先言及。朱氏論文藝與道德，作家修養之說，亦多與先生『紅樓夢評論』、『文學小言』中所說相合。觀乎此，先生之卓識慧見，實令人折服不已。」㉝嗚呼！世之言文藝理論者，皆知有朱光潛《文藝心理學》，而不知有王國維《人間詞話》，又何其幸與不幸矣！

伍　論詞論散篇之作者與評語

王國維《人間詞話》補遺（附錄），約分爲三部分，一爲《人間詞・甲乙稿序》，二爲《清眞先生遺事・尚論三》，三爲詞曲詞話文集中之批跋語，分述於後。

一、《人間詞甲乙稿序》作者探討

《人間詞甲乙稿序》兩序之作者，皆署「山陰樊志厚敍」，甲序爲光緒丙午三月。按丙午爲光緒三十二年，民前六年，西元一九〇六年，時觀堂三十歲。乙序爲光緒三十三年十月，即光緒丁未年，民前五年，西元一九〇七年，時觀堂三十一歲。樊志厚，即樊炳清，其字抗夫，王國維就讀於東文學社時同窗知友。由甲乙序首段，可知兩序皆以王國維之託而作。甲序云：「詒書告余曰：『知我詞者莫如子，敍之亦莫如子宜。』……余於君之詞，又烏可以無言乎？」乙序云：「去歲夏，王君靜安集其所爲詞，得六十餘闋，名曰『《人間詞甲稿》』。余既敍而行之矣。今冬復彙所作詞爲乙稿，丐余爲之敍。余其敢辭？」

至於此二序，是否爲王國維託名樊志厚之作？聚訟紛紜，玆擇要論述於後。

㈠趙萬里《王靜安先生年譜》云：「案此序與《乙稿序》，均爲先生自撰，而假名於樊君者。」㉞

按此序指《甲稿序》，先生指王國維，樊君指樊志厚。趙氏與觀堂有戚誼，且爲入室弟子，確指此二序爲王國維自撰，其治學謹嚴，諒必有據，惜未舉證，而趙氏亦已謝世，留下疑慮，令人斷斷不已。

㈡徐調孚《校注人間詞話》重印後記云：「署名山陰樊志厚的《人間詞》甲乙兩稿序，據趙萬里先生所作《年譜》，實在是王國維自己的作品。」㉟

徐氏據趙氏《年譜》，加強語氣而已，既乏創見，又無新證，實難釋疑。

㈢王幼安《校訂人間詞話》二序末按語云：「此二序雖爲觀堂手筆，而命意實出自樊氏。觀堂廢稿中曾引樊氏之語，而樊氏所賞諸詞，《觀堂集林》亦不盡入選，可證也。」㊱

衡諸王氏之意，似謂執筆者爲王國維，而序文內容係遵照樊志厚之意見。此猶政府機關秘書人員，常依據首長或主管之命及同仁之意，而撰寫函稿也。

其舉證之一，謂「觀堂廢稿中曾引樊氏語」，玆據滕咸惠校注《人間詞話新注》修訂本原稿第二十六則如下：「樊抗夫謂余詞如《浣溪沙》之『天末同雲』、《蝶戀花》之『昨夜夢中』、『百尺高樓』、『春到臨春』等闋，鑿空而道，開詞家未有之境。余自謂才不若古人，但於力爭第一義處，古人亦不如我用意耳。」

按樊抗夫，卽樊清，其字抗夫。此條《詞話》稱樊抗夫，而二序署樊志厚，可見兩者同爲一人無疑也。所舉《浣溪沙》《蝶戀花》諸詞，見今本《苕華詞》。

王幼安此項舉證，經核對二序樊氏之語，略有差異，其中所舉詞，除《蝶戀花》「春到臨春」外，餘三詞皆符。《惟《乙序》稱「皆意境兩忘，物我一體。」原稿謂「鑿空而道，開詞家未有之境。」文意相通。此僅可證兩者同爲一人手筆，而何以知「命意實出樊氏」？焉知非觀堂借樊氏之口筆而譽揚之，藉以避免「內臺叫好」之嫌也。

其舉證之二，謂「樊氏所賞諸詞，《觀堂集林》亦不盡入選。」此證似嫌薄弱。蓋《詞話》及二序，皆早期之作，《觀堂集林》成書較晚，人之好惡或詞之喜厭，均隨年齡而異，非一成不變者也。如王氏謂北宋「不喜美成」（見《詞話》附錄第二十九則），而樊氏則謂於北宋「喜美成」（見甲稿序），此兩極化之現象，前者係陳乃乾錄自王氏舊藏《詞辨》眉間批語，爲早年之觀感。故王氏《清眞先生遺事考》云：「先生立身頗有本末，身後毀譽殊爲失實；廓而清之，亦後人之責。」毀譽失實，語含感慨。如道君皇帝、李師師、周邦彥三角戀愛之故事，乃係後人杜撰，無稽之談也。後評其詞爲「兩宋之間，一人而已。」（見《詞話》附錄第十七則）可謂推崇備至矣。

㈣林枚儀《晚清詞論研究》云：「此二序不應爲王氏自作，王幼安的說法頗有見地，但舉證則不夠堅強，今再補充一點：在甲稿序中，樊志厚曾說王氏『於五代喜李後主、馮正中；於北宋喜永叔、子瞻、少游、美成；於南宋除稼軒、白石外，所嗜蓋鮮矣！尤痛詆夢窗、玉田。』按：在王氏的詞論中，常歷數自己喜歡的詞人，說法都大致相同，但卻從來不舉白石，由他對白石的評語來看，如『白石有格而無情』、『無言外之味，絃外之響，終不能與於第一流之作者』、『如霧裏看花，終隔一層』、『白石之詞，余所最愛者，亦僅二語，曰：淮南浩月冷千山，冥冥歸去無人管。』等等。皆可見王氏不喜白石，此序獨云喜白石，其非出於王氏可知。」㊲

王幼安舉證既不能成立，林氏據王氏之說，立論則自然不穩矣。補充之點，頗值商榷。所謂「王氏不喜白石，此序獨云喜白石」；此猶如前所述「王氏不喜美成，此序獨云喜美成」；辯之甚詳，恕不再贅。何況《詞話》之於白石，毀譽參半，而譽之者，如「王無功稱薛收賦『韻趣奇高，詞義晦遠，嵯峨蕭瑟，眞不可言。』……唯白石略得一二耳。」又如「古今詞人格調之高，無如白石。」又如「蓋有臨川廬陵之高華，而濟以白石之疏越者，學人之詞，斯爲極則。」又如「姜論史詞，……而賞其『柳昏花暝』，……吾從白石。」又如「白石尙有骨，玉田則一乞人耳。」等等。由此可見矣。

㈤滕咸惠校注《人間詞話新注》（修訂本）修訂後記主張兩序爲王氏所作，近乎情理，剖析其理論要點如下：

1. 趙萬里王氏年譜，明確指出乃王氏自撰，頗具權威性。
2. 趙氏治學嚴謹，絕不會毫無根據，將他人作品說成王氏作品。
3. 趙氏與王氏關係密切。（按與王氏有戚誼，且爲入室弟子）。

4.趙氏爲王氏遺著整理編輯者，言必有據。
5.以常理推，當爲王氏告知。
6.滕氏面詢趙氏明確肯定回答：「是靜安先生所撰。」
7.王氏確有一友人名樊炳淸，雖署名樊氏實出王氏之手。
8.《觀堂集林》卽假託友人羅振玉名字作序。
9.兩序持論與文風，核與《人間詞話》大體一致。
10.已經爲學術界所公認。
趙氏王氏年譜末又識云：「里與先生有戚誼，且侍先生講席久，知先生學行，或較他人爲多。」㊲㊳在未獲得新證據前，當仍從趙說，二序爲王氏所作。推趙氏作王氏年譜時（民國十六年），何以不詳細說明？雖倉促成篇，其後又何以不加修訂補充？滕氏面詢之時，爲時已久，且衆口嚚嚚，聚訟紛紜，又何以不詳加解說？以釋衆疑。豈乏提出確鑿有力之證據？抑有難言之隱？余生也晚，恨未得質諸先生。噫！唯有起王趙二氏於地下而問之矣！

二、《淸眞先生遺事‧尙論三》評語探討

《淸眞先生遺事‧尙論三》於《詞話》補遺（附錄）中，錄有五則，玆剖析其評語褒貶如下：

㈠褒辭者

1. (周清眞)先生於詩文無所不工。
2. 平生著述，自以樂府爲第一。
3. 詞人甲乙，宋人早有定論。
4. 然北宋人，如歐蘇秦黃，高則高矣，至精工博大，殊不逮先生。(周清眞)
5. 而詞中老杜，則非先生不可。

(以上見附錄第十四則)

6. (清眞)先生之詞，陳直齋謂其多用唐人詩櫽括入律，渾然天成。
7. 張玉田謂其善於融化詩句，然此不過一端。
8. 不如強煥云：「模寫物態，曲盡其妙。」爲知言也。

(以上見附錄第十五則)

9. 境界有二：有詩人之境界，有常人之境界。詩人之境界，惟詩人能感之而能寫之，故讀其詩者，亦高舉遠慕，有遺世之意。而亦有得有不得，且得之者亦各有深淺焉。若夫悲歡離合，羈旅行役之感，常人皆能感之，而惟詩人能寫之。故其入於人者至深，而行於世也尤廣。(清眞)先生之詞，屬於第二種爲多。
10. 故宋時別本之多，他無與匹。
11. 自士大夫以至婦人女子，莫不知有清眞，而種種無稽之言，亦由此以起。然非入人之深，烏能如是耶？

（以上見附錄第十六則）。

12. 然顧曲名堂，不能自已，固非不知音者。故先生之詞，文字之外，須兼味音律。

13. 今其聲雖亡，讀其詞者，猶覺拗怒之中，自饒和婉。曼聲促節，繁會相宜；清濁抑揚，轆轤交往。兩宋之間，一人而已。

（以上見附錄第十七則）

以上所錄，褒辭十三條，一曰「詩文無所不工」，二曰「樂府第一」，三曰「詞人甲乙」，四曰「精工博大」，五曰「詞中老杜」，六曰「唐詩檃括入律，渾然天成」，七曰「善於融化詩句」，八曰「描寫物態，曲盡其妙」，九曰「先生之詞，屬於第二種（常人境界）」，十曰「別本之多」，十一曰「入人之深」，十二曰「非不知音者」，十三曰「兩宋之間，一人而已。」其中六、七、八條，雖引陳直齋、張玉田、強煥三人之言，亦當係觀堂所許者，尤其第八條謂強煥所論「爲知言」而可證也。以總數十八條而言，而佔三分之二強，若去除無褒貶辭者三條，以十五條而言，而佔十分之八強，可謂推崇備至矣。

其中第十二條，觀堂論清眞爲知音，故謂「文字之外，須兼味音律。」第十三條，謂清眞詞聲饒和婉，「兩宋之間，一人而已。」可見其重視聲律如此。然吳宏一《王靜安的境界說》一文，論《人間詞話》謂靜安「論詞太偏重文章而忽視聲律」，評爲四大缺點之一。若以詞由樂府詩演化之歷史及講究聲律之詞人觀點論之，誠屬如是。惟觀堂偏於其所創之「境界說」，故謂「檃括入律」與「融化詩句」，不如「描寫物態，曲盡其妙。」許爲知言。而此則詞話，亦正可以彌補其「不重聲律」之闕漏也。

㈡貶辭者

1. 然尚未盡脫古人蹊逕。

2. 惟張叔夏病其意趣不高遠。

（以上見附錄第十四則）

以上所錄，貶辭僅二條，一曰「尚未盡脫古人蹊逕」，觀堂謂其詩文雖無所不工，仍邯鄲學步，落入古人巢臼，無開創新境之意，蓋觀堂評論詩詞，悉以其所創「境界」爲尺度故也。二曰「病其意趣不高遠」，係引張叔夏之言，雖爲觀堂所默許，然下文接着謂「北宋人如歐蘇秦黃，高則高矣，至精工博大，殊不逮先生。」大有精工博大，可勝於高遠之意也。

㈢無褒貶者

1. 樓忠簡謂（清眞）先生妙解音律，惟王晦叔《碧鷄漫志》謂：「江南某氏者，解音律，時時度曲。周美成與有瓜葛。每得一解，卽爲製詞。故周集中多新聲。」則集中新曲，非盡自度。

2. 惟詞中所注宮調，不出教坊十八調之外。則其音非大晟樂府之新聲，而爲隋唐以來之燕樂，固可知也。

(以上見附錄第十七則)

3.僞詞最多。强煥本所增强半皆是。如《片玉詞》上《青玉案》(良夜燈光簇如豆)一闋，乃改山谷《憶帝京》詞爲之者，決非先生作。

(以上見滕咸惠新注本附錄第七則)

以上所錄，無褒貶者，亦僅三條。一條首引樓忠簡語，謂清眞「妙解音律」；次引王晦叔語，謂清眞「集中新聲，襲自江南某氏」；其末觀堂評爲「集中新曲，非盡自度。」二條卽辨王晦叔語之非，一以周集詞中所載宮調，皆爲敎坊十八調，二以大晟樂府新聲，皆隋唐以來燕樂，可證非襲自江南某氏，且顧曲名堂，當爲知音者也。由此可知，觀堂非不知音者，亦非不重聲律者也。

至於第三條所錄，論作品之眞僞問題，謂强煥本所增《青玉案》詞，乃改山谷《憶帝京》爲之，決非清眞作，語氣肯定。兩詞俱存，相互比對，僞作之迹甚明。又陳乃乾錄自觀堂舊藏《片玉詞》眉間批語，文字略異，內容相同，見於《詞話》附錄第廿四則：「《片玉詞》「良夜燈光簇如豆」一首，乃改山谷《憶帝京》詞爲之者，似屯田最下之作，非美成所宜有也。」此則已明指似柳永(官至屯田員外郎)最下之作，觀其詞風，確有貌似之處。此屬於考證學，爲觀堂之所長，而《詞話》中罕見者也。吉光片羽，彌足珍貴。

綜上所述，觀堂此論清眞，褒辭多達十三條，貶辭少僅二條，無褒貶者，亦僅三條而已。雖總數爲十八條，若去無褒貶三條，而有褒貶者計爲十五條，佔十分之八强，可謂褒多貶矣。以其評語言，論爲「樂府第一」，「詞人甲乙」，「詞中老杜」，「兩宋之間，一人而已」等等，可謂推崇備至矣。然陳乃乾錄自觀堂舊藏《詞辨》眉間批語，見《詞話》附錄廿九則所載觀堂，謂「不喜美成」，又核與署名樊志厚《人間詞甲稿序》（作於清光緒丙午三十二年，民前六年，西元一九〇六年，時觀堂三十歲。）所載，謂「喜美成」，其故何在？前據趙萬里所撰王氏年譜「案此序與乙稿序，均爲先生自撰，而假名於樊君者。」既與《詞話》同爲觀堂所自撰，則兩者何以有此差異？蓋此則《詞話》補遺（案此則詞話，係陳乃乾錄自觀堂舊藏《詞辨》眉間批語，今作爲補遺附錄，與自清光緒三十四年至清宣統元年先後發表於《國粹學報》第四七期至第五十期之六十四則《詞話》不同，本論文凡所提此則《詞話》補遺皆如此說，謹此陳明。）作於前，此序作於後，人之好惡，常隨年齡、學識、經驗、環境等等諸種因素而改變。職是之故，觀堂此詞論「不喜美成」，係亦早期思想；託名樊志厚之序，代表其後思想。由此推論，觀堂《清眞先生遺事・尙論三》（作於清宣統庚戌二年，民前二年，西元一九一〇年，觀堂時爲三十四歲。）推爲「兩宋之間，一人而已。」其理亦復如是也。

二、詞曲詞話文集中之批跋語探討

㈠唐寫本《雲謠集雜曲子跋》

《雲謠集雜曲子跋》，《詞話》附錄十八則云：「《天仙子》詞，特深峭隱秀，堪與飛卿、端已抗行。」節錄自《觀堂集林》。按《雲謠集雜曲子》，乃敦煌石室藏唐人寫本，爲現存最早之詞總集，其中大部分爲民間作品，清新流麗，樸素自然。情眞意深，雅而不俗，疑經文人潤飾。由此可見，詞已於唐代流行民間矣！觀堂評爲「特深峭雄秀」，頗爲貼切。惟謂「堪與飛卿、端己抗行。」則未必然，似有偏愛之嫌。又觀堂《題敦煌所出唐人雜書六絕句》（之三）云：「虛聲樂府撞繽紛，妙悟新安迥出羣。茂倩漫收雙絕句，教坊原有鳳歸雲。」可見其意矣。

㈡《唐五代二十一家詞》諸跋

《唐五代二十一家詞輯》諸跋，《詞話》補遺，錄有九則。

其一曰：「（皇甫松）詞，黃叔暘稱其《摘得新》二首，爲有達觀之見。余謂不若《憶江南》二闋，情味深長，均樂天、夢得上也。」（見附錄五則）觀堂不同意黃氏之說，而謂《憶江南》詞在白居易、劉禹錫之上，未說明其理，此乃主觀情感之語，而非客觀理智者，誠難令人信服也。試以三詞比較，以視覺視之，皇詞雅麗；以聽覺聞之，白詞流暢；劉詞則介於二者之間；故拙見以爲皇詞何及白劉詞之自然也。

其二曰：「端己詞情深語秀，雖規模不及後主，正中，要在飛卿之上。觀昔人顏、謝優劣論可知矣。」（見附錄六則）觀堂評端己詞「情深語秀」在飛卿上，復引顏、謝優劣論以證之。衡諸觀堂之意，推衍其說，則端己詞如出水芙蓉，飛卿詞如鋪錦列繡；前者秀美，後者華麗也。

其三曰：「（毛文錫）詞比牛薛諸人，殊爲不及。葉夢得謂：『文錫詞以質直爲情致，殊不知流於率露。諸人評庸陋詞者，必曰：此仿毛文錫《贊成功》而不及者。」（見附錄七則）觀堂引葉夢得語，以證毛詞之不及牛嶠、薛昭蘊詞也。今觀毛詞確有率露之病，所見皆同也。

其四曰：「（魏承班）詞遜于薛昭蘊、牛嶠，而高於毛文錫，然皆不如王衍。五代詞以帝王爲最工，豈不以無意於求工歟？」（見附錄八則）魏承班，五代前蜀詞人。王衍，五代前蜀主。觀堂評五代詞以帝王爲最工，由於無心求工，則出語自然，刻意爲之，則有斧鑿之痕矣！

其五曰：「（顧）敻詞在牛給事、毛司徒間。《浣溪沙》『春色迷人』一闋，亦見《陽春錄》。與《河傳》《訴衷情》數闋，當爲敻最佳之作矣。」（見附錄九則）觀堂評顧敻詞在牛嶠之下，毛文錫之上，並以《浣溪沙》《河傳》《訴衷情》等詞爲佳作。讀之，纏綿悱惻，情流翰墨；觀堂賞識，蓋由此乎？

其六曰：「（毛熙震）周密《齊東野語》稱其詞新警而不爲儇薄。余尤愛其《後庭花》，不獨意深，即以詞論，亦有雋上清越之致，視文錫蔑如也。」（見附錄十則）毛熙震爲五代蜀詞人，周密語見沈雄《古今詞話詞評》卷上，疑非周密語，沈氏書所引多無稽。觀堂最厭惡儇薄語，故愛毛詞也。毛詞確有雋上清越之感，觀堂所評，非虛語也。

其七曰：「（閻選）詞唯《臨江仙》第二首有軒翥之意，餘尚未足與於作者也。」（見附錄十一則）閻選爲五代蜀詞人。所謂「軒翥」者，據楚辭《遠遊》：「雌蜺便娟以增撓兮，鸞鳥軒翥而翔飛。」觀堂憑之以論閻詞也。

其八曰：「昔沈文慤深賞（張）泌『綠楊花撲一溪煙』爲晚唐名句。然其詞如『露濃香泛小庭花』，較前語似更幽艷。」（見附錄十二則）沈文慤卽沈德潛，字確士，號歸愚，諡文慤，清代文學家。沈語見《唐詩別裁》卷十六張蠙《夏日題老將林亭》一詩後評語。張泌爲五代南唐詞人，沈氏所賞者爲《洞庭阻風》中句，王氏所賞者爲《浣溪沙》中句。兩詞相較，沈王所賞詞句，皆主觀之情。其實「雲雨自從分散後，人間無路到仙家。」何其眞切自然！無奈之情，躍然紙上矣。

其九曰：「（孫光憲詞）昔黃玉林賞其『一庭疎雨濕春愁』爲古今佳句。余以爲不若『片帆煙際閃孤光』，尤有境界也。」（見附錄十三則）孫光憲，字孟文，五代荆南詞人。黃昇語見沈雄《古今詞話詞評》卷上。其實兩句無分軒輊，此亦各人所好不同也。

㈢《六一詞》眉間批語

《六一詞》眉間批語，《詞話》補遺僅一條，其云：「歐公《蝶戀花》『面旋落花』云云，字字沈響，殊不可及。」（見附錄廿三則）讀之，確有「字字沈響」之感，洵非虛語也。

㈣《片玉詞》眉間批語

《片玉詞》眉間批語，《詞話》補遺，亦僅一條，其云：「《片玉詞》『良夜燈光簇如豆』一首，乃改山谷《憶帝京》詞爲之者，似屯田最下之作，非美成所宜有也。」（見附錄廿四則）滕咸惠新注本另錄《清眞先生遺事・尚論三》，載於滕本附錄七則文字略異，詳如前述不贅。

㈤《詞辨》眉間批語

《詞辨》眉間批語，《詞話》補遺錄有五則：

其一曰：「溫飛卿《菩薩蠻》『雨後卻斜陽，杏花零落香。』少游之『雨餘芳草斜陽。杏花零落燕泥香。』雖自此脫胎，而實有出藍之妙。」（見附錄二十五則）兩句相較，確有青出於藍而勝於藍之妙。觀堂所評，頗有卓見也。

其二曰：「白石尚有骨，玉田則一乞人耳。」（見附錄廿六則）衡諸觀堂之意，白石尚有風格，玉田則無，如乞討之人，則厚顏無恥，卑躬屈膝矣。

其三曰：「美成詞多作態，故不是大家氣象。若同叔、永叔雖不作態，而一笑百媚生矣。此天才與人力之別也。」（見附錄廿七則）觀堂評周邦彥（美成）詞多作態，卽矯柔裝束，非如大家閨秀之自然大方也。而論晏殊（同叔）、歐陽修（永叔）詞，則以白居易《長恨歌》中句：「回眸一笑百媚生，六宮粉黛無顏色。」「一笑百媚」則「天生麗質」，此乃自然也。由此可見，晏歐詞爲天才，周詞爲人力也。

其四曰：「周介存謂白石以詩法入詞，門徑淺狹，如孫過庭書，但便後人模仿。予謂近人所以崇拜玉田，亦由於此。」（見附錄廿八則）周介存語，見周濟《介存齋論詞雜著》。孫過庭，字虔禮，唐代書法家、書法理論家。其《書譜》有墨蹟及多種刻本傳世。觀堂以張炎（玉田）與姜夔（白石）相提並論，亦謂其門徑淺狹也。

其五曰：「予於詞，五代喜李後主、馮正中而不喜《花間》。宋喜同叔、永叔、子瞻、少游而不喜美成。南宋只愛稼軒一人，而惡夢窗、玉田。介存《詞辨》所選詞，頗多不當人意。而其論詞則多獨到之語。始知天下固有具眼人，非予一人之私見也。」(見附錄廿九則)，核與署名樊志厚《人間詞甲稿敍》，所載，兩相比較，其間差異，樊氏於五代無「不喜《花間》」，於北宋無「喜同叔」；王氏「不喜美成」，而樊氏恰正相反，列於「喜美成」。王氏於南宋「只愛稼軒一人」，而樊氏則增「白石」，其餘皆同。究其原因，前後觀念不同。前已辨之甚詳，恕不贅矣。

㈥《庚辛之間讀書記・桂翁詞》

《庚辛之間讀書記・桂翁詞》，《詞話》補遺，錄僅一條，其云：「有明一代，樂府道衰。《寫情》、《扣舷》，尚有宋元遺響。仁宣以後，玆事幾絕。獨文愍（夏言）以魁碩之才，起而振之。豪壯典麗，與于湖、劍南爲近。」(見附錄二十則)按《寫情》爲劉基詞集，《扣舷》爲高啓詞集，文愍卽夏言，于湖卽張孝祥，劍南卽陸游。陳廷焯《白雨齋詞話》謂「詞至於明，而詞亡矣。」觀堂謂「有明一代，樂府道衰。」頗有相同之感。

㈦《丙寅日記》觀堂論學語

《丙寅日記》觀堂論學語，《詞話》補遺錄有二條：

其一曰：「彊村詞，余最賞其《浣溪沙》「獨鳥衝波去意閒」二闋，筆力峭拔，非他詞可能過之。」(見附錄三則)彊村卽朱祖謀，其詞筆力峭拔，譽之無愧。觀堂斯評，至爲貼切也。

其二曰：「蕙風聽歌諸作，自以《滿路花》爲最佳。至《題香南雅集圖》諸詞，殊覺泛泛，無一言道着。」(見附錄四則)蕙風，指況周頤，原名周儀，字夔生，號蕙風，詞人。觀堂所評，《滿路花》爲最佳，確是的當。至《題香南雅圖集》諸詞，無從查考。據《蕙風詞史》，知《蕙風詞》卷下之《戚氏》屬之。蓋應酬無聊之詞，爲觀堂所最厭者，誠屬泛泛，所論甚是也。

(八)觀堂《蕙風琴趣》評語

觀堂《蕙風琴趣》評語，《詞話》補遺錄有二條：

其一曰：「蕙風詞小令似叔原，長調亦在清眞梅溪間，而沈痛過之。彊村雖富麗精工，猶遜其眞摯也。天以百凶成一詞人，果何爲哉！」（見附錄一則）況氏中光緒鄉試後，官內閣中書，後入兩江總督張之洞、端方幕，辛亥革命後居上海，成爲所謂「勝朝遺老」，詞中多寄寓眷戀清王朝之情。此卽觀堂所謂「沈痛」。況氏晚年生活困頓，至無以舉炊，賣書渡日。《浣溪沙》（無米）：「逃墨翻教突不黔，瓶罍何暇恥罄鹽。半生辛苦一時甜！傳苦枯螢共佇耐，無憐饑鼠誤窺覘，頑夫自笑爲誰憐！」《秋宵吟》（賣書）：「似怨別侯門，玉容深鎖。字裏珠塵，待幻作山頭飯顆。」故觀堂云：「天以百凶成就一詞人。」蓋同爲遜清之臣，亦有感而發乎？

其二曰：「蕙風《洞仙歌》秋日遊某氏園及《蘇武慢》寒夜聞角二闋，境似清眞，集中他作，不能過之。」（見附錄二則）讀之，字字血淚，語語沈痛，觀堂評爲「境似清眞，集中他作，不能過也。」誠知音也。

【附　注】

①《王觀堂先生全集》初編㈤，頁一八九九——九〇〇。民國六十五年，臺灣大通書局。
②王德毅《王國維年譜》，中國學術著作獎助委員會。
③趙萬里《王靜安先生年譜》，頁五三。民國六十七年，臺灣商務印書館《新編中國名人年譜集成》本。
④同注①，頁一八九七。
⑤嚴羽《滄浪詩話》，詩文評類，頁六—三八二。臺灣商務印書館，影印《文淵閣四庫全書》本。
⑥王士禎《唐賢三昧集》，總集類，頁六—三七六（同上）。
⑦王士禎《香祖筆記》卷八，雜家類，頁六—二三一。（同注⑤。）
⑧同注①，頁一九一一—一九一二。
⑨同上，頁一九一九。
⑩同上，頁一九一六—一九一七。
⑪同上，頁一九一五。
⑫同上，頁一六九三。
⑬同上，頁一九〇三。
⑭同上，頁一九〇五。
⑮《王國維詞注》，《浣溪沙》「六郡良家最少年」，頁三。民國七十七年，王家出版社《中國歷代詩人選

粹》本。

⑯ 同注①，頁一九一四。

⑰ 同上。

⑱ 同注①，頁一九一五。

⑲ 同注①，頁一九〇三。

⑳ 同注①，頁一六九四。

㉑ 同注①，頁一六九三—一六九四。

㉒ 王鎮坤《評人間詞話》，頁六九—八四。何志韶編《人間詞話研究彙編》，民國六十四年，巨浪出版社再版。

㉓ 程大城《王國維與人間詞話》，頁三一七—三五四。（同上。）

㉔ 饒宗頤《人間詞話平議》，頁八六—八七。（同注㉒）

㉕ 葉嘉瑩《王國維及其文學批評》，頁三四二。

㉖ 吳宏一《王靜安的境界說》，頁一九九。（同注㉒）。

㉗ 同注㉕，頁三三三。

㉘ 同上，頁三三四。

㉙ 同上，頁三三五。

㉚ 同上，頁三三八。

㉛ 同注㉖，頁一九七一—一九八。（同注㉒）

㉜ 陳茂村《王國維人間詞話研究》，頁一五四。民國六十四年，政大中文研究所。

㉝ 李炳南《王國維境界說之研究》，頁七三，師大國文研究所。

㉞ 同注③，頁八。

㉟ 徐調孚校注《人間詞話》，漢京文化事業公司。

㊱ 王幼安校注《人間詞話》，頁二五七。

㊲ 林枚儀《晚清詞論研究》第九章「王國維」，民國六十八年，臺大中文研究所。

㊳ 同注③，頁五四。

後語

最後，聊贅數語，以明本論文之四大特色：一爲「廣舉詩詞，以證詞論」；二爲「融貫古今，評騭百家」；三爲「探源索流，辨其異同」；四爲「博采衆說，間以己意」。玆分如下述。

一、廣舉詩詞以證詞論

王國維之詞論，重心在《人間詞話》；故本論文於《人間詞話》之六十四條，用心最多。六十四條中，王氏用語，泰半爲印象式語。倘不使之具體化，則對王氏之詞論，必將「終隔一層」。故本論文舉例特多。此等舉例工作，異常繁複。往往舉一例而須閱畢全集。然筆者仍耐心從事，一絲不苟。唯是其工作之繁，可以想見；故所舉之例，難免有不當之處，有待高明指正。

研究詞論，舉例應全舉詞例。然每每有舉詩爲例者。此蓋詩詞相通，遇詞例難以舉出之時，則以詩例代之。此種情形，王國維於論詞時，亦頗有之，似不足爲病也。

至於本論文「舉詩詞實例，以證抽象詞論」，其舉例之多，舉例之廣，舉例之深，舉例之切，凡同類是書，無有勝於此者，斯爲本論文特色之一也。

二、融貫古今評騭百家

本論文雖依據王國維生前發表於《國粹學報》之六十四則《人間詞話》爲主，然僅限於「逐條詳釋」部分而言，至於論及其他部分，則廣及刪稿與補遺，尤其論及王國維對「詞人品評」部分，爲求剖析全部所有詞論，以免有所遺漏，則根據滕咸惠《人間詞話新注》（修訂本）之一五四條本。該書分上下兩卷，上卷一二六條，（係合通行本上卷六十四條及中卷刪稿四十九條，並據原稿本增列十三條。）下卷附錄廿八條，（刪去通行本下卷附錄補遺第十九條，因非觀堂論詞之語。）此書爲目前最完整之本，可謂網羅無遺矣。

觀堂月旦詞人，本論文經剖析歸納，以時代人物分述，摘錄評語，藉以明瞭其詞論。

以時代言：上起戰國，歷經漢代、魏晉、南北朝、隋唐、五代、北宋、南宋、金元、明代，下迄清代等十一期，可謂貫通古今矣。

以人物言：上起戰國屈原、宋玉等二人。

歷經漢代王褒、劉向、劉楨等三人。

魏晉曹植、阮籍、左思、郭璞、陶潛等五人。

南北朝謝靈運、顏延之、謝朓等三人。

隋唐薛道衡、王績、陳子昂、孟浩然、王維、李白、杜甫、柳宗元、韓愈、韋應物、劉禹錫、白居易、皇甫松、溫庭筠、賈島、唐彥謙等十六人。

五代牛嶠、韋莊、羅隱、毛文錫、王衍、顧敻、魏承班、閻選、薛昭蘊、張泌、毛熙震、和凝、馮延巳、李璟、孫光憲、李煜等十六人。

北宋林逋、柳永、夏竦、范仲淹、晏殊、梅堯臣、宋祁、歐陽修、晏幾道、張先、王安石、秦觀、蘇軾、章楶、黃庭堅、賀鑄、周邦彥、趙佶等十八人。

南宋康與之、韓玉、張孝祥、史達祖、劉過、辛棄疾、陸游、姜夔、吳文英、蔣捷、文天祥、陳允平、王沂孫、周密、張炎等十五人。

金元元好問、馬致遠、白樸等三人。

明代楊基、高啓、劉基、夏言、李攀龍、陳子龍、宋徵輿；李雯等八人。

下迄清代吳偉業、陳維崧、納蘭性德、洪昇、朱彝尊、王士禎、顧貞觀、孔尚任、張惠言、周濟、龔自珍、項鴻祚、蔣春霖、譚獻、王鵬運、朱祖謀、況周頤、沈紘等十八人。凡十一代，計一〇七人，可謂評騭百家矣。

以評語言：上起戰國屈平等二人計三條。歷經漢代王褒等三人計二條。魏晉曹植等五人計九條。南北朝謝靈運等三人計五條。隋唐薛道衡等十六人計三十一條。五代牛嶠等十六人計四十三條。北宋林逋等十八人計七十六條。南宋康與之等十五人計七十一條。金元元好問等三人計四條。明代楊基等八人計十條。下迄清代吳偉業等十八人計三十一條。所得評語，共二八六條，亦可謂豐碩矣。

由上可知，觀堂批評之重點，按時代言：以兩宋爲主，尤重北宋，北宋十八人七十六條，南宋十五人七十一條；其次爲五代十六人，四十三條；其次爲清代十八人，三十一條；其次爲隋唐十六人，三十一條；其餘以次爲明代八人，十條；魏晉五人，九條；南北朝三人，五條；金元三人，四條；戰國二人，三條；兩漢三人，三條。合計二八六條。由此可見觀堂論詞之重心矣。（爲節省篇幅，原資料從略。）

然試觀有關王國維詞論研究之專著，罕見有作全面性之深入探討者，皆略舉一二著名之詞人論之而已，猶蜻蜓之點水，僅得一鱗半爪。如任訪秋《王國維人間詞話與胡適詞選》一文中，論及王國維在《詞話》中被評之作家有李白、溫庭筠、韋莊、馮延巳、李煜、歐陽修、張先、晏幾道、柳永、蘇軾、秦觀、周邦彥、辛稼軒、陸游、姜夔、吳文英、張炎等共十八人而已，①僅佔十分之二，何其少也。故本論文「融貫古今，評騭百家」，凡是類論著，無有過於此者，是爲本論文特色之二也。

三、探源索流辨其異同

王國維創立「境界說」，頗爲得意，亦至爲自負，自詡其境界說爲「探本」之論，而斥滄浪「興趣說」，漁洋「神韻說」不過道其「面目」，誠非持平之論。

蓋滄浪論詩之主旨，惟「禪悟」二字，故其《詩論》，一以「禪」喻詩，一以「悟」論詩。溯其淵源，先賢早有所論，如戴叔倫、蘇軾、李之儀、曾幾、葛天民、楊萬里、趙蕃、戴復古、楊夢信、徐瑞、范溫、張功甫、張煒、鄧允端、葉茵等諸前輩，皆言學詩之不離參禪，妙處可悟不可傳，皆禪宗心法也。可知以禪悟論詩，不始於滄浪；易言之，滄浪論禪悟，不過集前人成說，非其創見也。

至於論禪，所謂「羚羊掛角，香象渡河」者，隨園所謂「安見奥藏」「不見其裏」豈非滄浪此語之先聲。又所謂「不涉理路，不落言筌」者，傅占衡所謂「飄然蹊逕」之外，則如滄浪斯言矣。郭紹虞以爲皆同於一般詩禪說。

至於「以禪喻詩」則爲滄浪之特見。所謂「學者須從最上乘，具正法眼，悟第一義」與「入門須正，立志須高。」此爲以禪喻詩是也。

至於滄浪論悟，亦有二義，一爲「透徹之悟」，一爲「第一義之悟。」所謂「透澈之悟」，由於以禪論詩，指出禪道與詩道有相通之處，與禪無關。而「第一義之悟」，由於以學禪之法學詩，與禪有關。第一義之悟者，禪宗者流，乘有大小，宗有南北，道有邪正，學者須從最上乘，具正法眼，悟第一義也。

夫漁洋論詩之主旨，惟「義理」二字，故其《詩話》一以禪「義」言詩，一以禪「理」論詩。以禪義言詩者，則詩卽禪而禪卽詩，神韻天然，不可湊泊。其所謂「拈花微笑」「禪髓禪語」，非神韻而何？此卽以禪義言詩也。至於以禪理論詩，則詩禪相通，而詩句不必入禪，不必含禪義。其所謂「無工」「忘法」「化境」「渾成」等，非神韻而何？此卽以禪理論詩也。郭紹虞所謂「禪家一旦頓悟，捨筏登岸，色相俱空，渾然天成。」②此乃漁洋理想之詩境，可謂得其精髓矣！

夫觀堂論詞之主旨，惟「情景」二字，故以情景爲二原質。其所謂「能寫眞景物、眞感情者，謂之有境界，否則謂之無境界。」並謂「力爭第一義處」此本滄浪「第一義」之說，而漁洋神韻說，主「情景」，本滄浪興趣說。主「禪悟」，而觀堂境界說，主「情景」，其力爭第一義，亦本滄浪，則三者「同源而異流」，又有何探本與面目之別乎？所謂捨「筏」登岸，則「筏」爲「面目」，「岸」則「探本」也。由此可見，以上三說，實「殊途而同歸」矣。本論文「探源索流，辨其異同」，是爲特色之三也。

四、博采衆說間以己意

王國維《人間詞話》一書，歷來頗有爭議，毀譽互見，譽之者謂「文學革命之先驅者」③，如吳文祺之說；「心中如具靈光」，如繆鉞之論；而毀之者，謂「理論薄弱貧乏可取甚微」④，如程大城之評。各家持論，是否平允，已如本論文各章所述，恕不贅言。玆就觀堂頗爲得意之「境界說」，舉例言之。

境界一詞，衆說紛紜，大致而言，約分爲二：一爲人生修養之境界，此指德而言；一爲文藝造詣之境界，此指才而言。觀堂以境界論詞，亦不外此二途。溯其淵源，始於佛典。佛學所謂之境界，一爲能生智慧之境界（爾燄），一爲自家勢力所及之境土（境界）。清段玉裁以「邊境四界」謂境界，此以文字學，據漢許愼《說文》字義釋之也。石濤以「畫面界域」謂境界，凡藝術家透過藝術作品所表達之理想界域，此之謂藝術境界。劉公勇以「抽象界域」謂境界，詩詞因體式相異，詞所能表現者，而詩以受形式上之局限，難以表達抽象之界域是也。江順詒以「表現情景」謂境界，凡詞中所表現之情感景物，構成一種喜怒哀樂，悲歡離合之情；或表達春夏秋冬，風花雪月之景者，皆謂之境界。梁啓超以「現實與理想」謂境界，夫人性不能滿足於現實之環境，蓋其有所局限也。故藝術家創造理想之世界，使人陶醉其中，心曠神怡也。葉鼎彝以「孔子無言」謂境界，夫老子主無爲而順乎自然，孔子主無言而順應天命，其理皆有相似之處，而爲人生修養道德之最高境界。葉鼎彝以之謂無言、神思、興趣、神韻，其本質皆相同也。亦可爲拙見之佐證也。蕭遙天以「文學造詣終極現象」謂境界，夫境界本有二義，一爲人生修養品德之爐火純青境界，一爲文學藝術造詣之巔峰世界，亦即蕭氏所謂之終極現象也。李長之以「作品中之世界」謂境界，凡作者皆有其理想與抱負，當其於現實之中而不能滿足之時，故於作品中創造其理想之世界，以哲學言，老子有小國寡民之理想；以文學言，陶淵明有桃花源之世界是也。李長之說：言之成理。陳詠以「鮮明之藝術形象」謂境界，夫宇宙事物之形相，透過作家之意識，所構成之感人動情之畫面，表達鮮明之藝術作品。如元馬致遠《天淨沙》（秋思），其以枯籐、老樹、昏鴉、小橋、流水、平沙、古道、西風、瘦馬、夕陽等形象，而表達「斷腸人在天涯」之國破家亡之情是也。勞榦以「物態與意境」謂境界，夫景物有各種形態，當作者捕捉其形象時，則有顯明或隱晦之別。意識有諸種境地，當作者刻畫其思想時，則有高雅或低俗之分。故勞氏謂物態有顯晦，意境有高低是也。柯景明以「完整自足之生活世界」謂境界，夫作品反映人生，刻畫現實生存之空間，亦表達作者情感所體悟之思想領域。故柯氏以洞察感情所統一之完整自足之生活世界，謂之境界也。姚一葦以「表現藝術」謂境界，夫藝術所表現之境界，確難一言以蔽之。姚氏欲使所界定之意義鮮明，而不願用一含混名詞，嘗試超越傳統，注入嶄新內含，其所謂之境界，約有五端，已如前述不贅。劉永濟以「人情物象文詞」謂境界，夫神居胸臆之中，苟無外物以資之，則喜怒哀樂之情無由見焉；物在耳目之前，苟無神思以觀之，則聲音容色之美無由發焉；兩者皆備，苟無文詞以表之，則情景交融之境無由生焉。陳茂村以「純粹意象世界」謂境界，夫境界者，必於自然人生，有所深觀洞察，必爲一純粹之意象形態，必是對宇宙人生，有某階段之感悟。許文雨以「眞實自然」謂境界，夫文學作品，貴眞實而賤虛僞，重自然而輕矯揉。吳宏一以「傳達眞感情眞景物」謂境界，夫情感眞摯，則沁人心脾；景物眞切，則如在目前。葉嘉瑩以「鮮明眞切表現感受」謂境界，夫鮮明眞切之表現與感受者，謂作家對人生經驗之深刻體悟，以鮮明眞切之形象表現之，而引起讀者共鳴之謂也。黃志民以「人生反映」謂境界，夫文學反映人生，蓋人生有生老病死，悲歡離合，物有成住壞空，月有陰晴圓缺，時有春夏秋冬，此乃千古以來反複循環之現象。文學家以仁愛之心，推己及人，關愛宇宙萬物，運用敏銳之頭腦，透過生花之妙筆，創造可歌可泣感人肺腑之不朽傑作是也。

司空圖以「眞實詩境」謂境界，此爲單論「境者」，以詩論言，首先見於司空圖《二十四詩品》，其中「實境」一品，乃言眞實之詩境，如詩人隱居山林悠然自得之境界也。劉熙載以「美妙超詣」謂境界，夫美學爲文學不可或缺之要素，兩者關係至爲密切，如飲食之乏鹽，則淡而寡味也。故司空圖論詩以美，嚴滄浪論詩以妙，而劉熙載則以此境論詞也。沈德潛以「修養造詣」謂境界，文學作品，既可反映人生，知其造詣；亦可從中窺其品德，知其修養境界也。鹿儉岳以「情意景物」謂境界，夫境有內外之別，內境即心境，指情意而言；外境即物景，指景物而言，作品中所表現者，不外情意與景物，所謂情景交融是也。

江順詒以「詩詞曲意境謂境界」，此以「意境」言境界者，其言詩詞曲三者之意境不同，豈在字句之末，則失之矣。陳廷焯以「詞中意境」謂境界，其論詞，往往以意境爲評，如言柳永詞，意境不高；言納蘭詞，意境不深厚是也。況周頤以「詞中名句」謂境界，其論詞謂汲取名句，融會而貫通之也。劉任萍以「意境」謂境界，劉氏以境界之義，謂合意與境二者而言也。王夢鷗師亦主「意境」謂境界，王師之《文藝美學》，而引普門法師《詩論》之說，主張改「境界」爲「意境」是也。林琴南以「文章立意」謂境界，此以論文言，故其以文章立意論之也。

綜上諸說，凡三十家之多，可謂博采衆說，網羅無遺矣。其中主題爲筆者所標示，說明文字，亦爲筆者所闡述，一得之見，可謂「間以己意」矣！凡言「境界」「境」「意境」者，無論其論詩、論詞、論文，皆傳統之文學評論，其義一也。

至於王國維亦以「境界」論詞，除承襲傳統文學理論外，並吸收西方之文學思想，諸如康德哲學，叔本華之美學等，融合中西，賦予新義，而爲文學批評之尺度也。觀堂《人間詞話》對「境界」之涵義，未嘗有明確之定義；吾人僅能綜合其所作零散詞論而作推論。其一爲作品有感情，謂之有境界；否則，謂之無境界。其二爲作品有眞感情，謂之有境界；否則，謂之無境界。其三爲作品中之眞感情，出於具體表現時，謂之有境界；出於抽象表現時，謂之無境界。以上謂全篇之境界。其四爲作品語句中，用字恰到好處，則此語句爲有境界；否則，此語句，爲無境界。此乃篇中語句之境界。綜上推論，吾人可得「境界」之「一言以蔽之」之定義：作品中有「具體表現眞感情」之內容時，爲有境界；否則，爲無境界。此亦一得之見也。本論文「博采衆說，間以己意」，是爲特色之四也。

此外，其他各項拙見，均於本論文各章節表達外，恕不一一列舉，以免畫蛇添足之嫌也。惟以筆者學殖譾陋，拙著若有見仁見智，意見相異者；或有郢書燕說，穿鑿附會者；以及間有斠讎不精，魯魚亥豕之處者，容後修正，敬乞方家惠諒，並祈不吝指正，是所企禱！

【附　注】

① 何志韶編《人間詞話研究彙編》，頁三〇。民國六十四年，巨浪出版社修訂再版本。

② 郭紹虞《中國詩的神韻格調及性靈說》，頁六二－六三。民國六十四年，華正書局。

③ 吳文祺《文學革命的先驅者－王靜安先生》，同注①，頁三五五。

④ 程大城《王國維與人間詞話》，同注①，頁三五四。

主要參考書目

一、專著類

王國維先生全集（初續編）　王國維　臺灣大通書局

王國維全集（書信）　王國維　華世出版社

王國維年譜　王德毅　中國學術著作會

王國維學述　陳光憲　帕米爾書店

王國維及著述編年提要　洪國樑　大安出版社

王國維及其文學批評　葉嘉瑩　源流出版社

王國維人間詞話研究　陳茂村　政大中文研究所

王國維境界說之研究　李炳南　師大中文研究所

王國維詞學研究　金鍾賢　臺大中文研究所

人間詞話講疏　許文雨　正中書局

人間詞話新注(修訂本)　滕咸惠　濟南齊魯書社
人間詞話校注　徐調孚　漢京文化公司
人間詞話校注　王幼安　河洛圖書出版社
人間詞話箋證　靳德峻　蒲菁　四川人民出版社
人間詞話研究彙編　何志韶　巨浪出版社
人間詞話之境界說及其商榷　黃志民　政大中文研究所
人間詞話境界一詞含義之探討(古典文學五集)　黃志民　學生書局
王國維文學及文學批評　蔣英豪　香港崇基學院
苕華詞與人間詞話述評　王宗樂　東大圖書公司
論王國維人間詞　周策縱　時報文化公司

二、詞集類

詞綜　朱彝尊　世界書局
全唐五代詞　林大椿　世界書局
尊前集　顧梧芳　世界書局
宋本花間集　趙崇祚　藝文印書館

宋六十名家詞	毛　晉	中華書局
東臯子集	王　績	商務印書館
草堂詩餘	佚　名	中華書局
花草粹編	陳耀文	商務印書館
御選歷代詩餘	沈辰垣等	商務印書館
十五家詞	孫　默	中華書局
梅村集	吳偉業	商務印書館
全宋詞	唐圭璋	明倫出版社
絕妙好詞箋	周　密 查爲仁 厲　鶚	世界書局
校輯宋金元人詞	趙萬里	臺聯國風出版社
清詞別集百三十四種	陳乃乾	鼎文書局
花庵詞選	黃　昇	文馨出版社
詞選續詞選校讀	張惠言 董毅續 李次九	復興書局
唐宋名家詞選	龍沐勛	開明書店

彊村叢書　朱祖謀　廣文書局
宋詞三百首箋注　唐圭璋　學生書局
宋詞選　胡雲翼　明倫出版社
新譯宋詞三百首　汪中　三民書局
唐詩詞選注　張夢機 張子良　華正書局
清詞金荃　汪中　文史哲出版社
詞選　胡適　商務印書館

三、詞學類

詞學通論　吳梅　商務印書館
詞學　梁啓勳　河洛出版社
宋詞通論　薛礪若　開明書店
詞學今論　陳弘治　文津出版社
宋詞四考　唐圭璋　明倫出版社
詞籍考　饒宗頤　香港大學
景午叢編　鄭因百師　中華書局

常州派詞學研究	吳宏一	嘉新文化基金會
詞史	劉毓盤	學生書局
詞曲史	王易	廣文書局
中國詞史	胡雲翼	經氏出版社
唐宋詞人年譜	夏承燾	明倫出版社
詩詞曲語彙釋	張相	華正書局

四、詞律類

索引本詞律	萬樹等	商務印書館
御定詞譜	王奕清	商務印書館
白香詞譜	舒夢蘭	世界書局
實用詞譜	蕭繼宗	中華叢書編審會
四照花室詞譜	盧元駿師	正光書局
詞調溯源	夏敬觀	商務印書館
詞調辭典	楊家駱	世界書局
調牌彙釋	聞汝賢師	自印本

詞調與大曲　梅應運　香港新亞研究院
詞林正韻　戈　載　文泉出版社
詞林韻藻　王熙元　陳滿銘　陳弘治　學生書局

五、詞論類

詞話叢編　唐圭璋　廣文書局
彙輯宋人詞話　夏敬觀　廣文書局
詞苑叢談　徐　釚　廣文書局
蕙風詞話　況周頤　河洛出版社
歷代詞話叢編　王熙元　中華書局
介存齋論詞雜著　周　濟　人民文學出版社
唐宋詞概論　夏承燾　華正書局
迦陵論詞叢稿　葉嘉瑩　明明出版社
藥園說詞　鍾應梅　香港中文大學
宋詞賞心錄校評　端木埰等　正中書局

詞箋	張夢機	三民書局
唐宋詞名作析評	陳弘治	文津出版社

六、詩論類

百種詩話類編	臺靜農師	藝文印書館
詩品注	鍾嶸著 陳延傑注	開明書店
鍾記室詩品	鍾嶸著 古直箋	廣文書局
詩品集解	郭紹虞	清流出版社
詩品	司空圖	藝文印書館
滄浪詩話	嚴羽	藝文印書館
滄浪詩話校釋	郭紹虞	正生書局
滄浪詩話研究	張健	臺大文學院
神韻論	翁方綱	復初堂
漁洋詩話	王士禎	藝文印書館
王漁洋詩論之研究	黃景進	文史哲出版社

詩藪　胡應麟　正生書局
詩論　朱光潛　開明書店
中國詩的神韻格調及性靈說　郭紹虞　華正書局
隨園詩話　袁枚　廣文書局
原詩　葉燮　藝文印書館
清代詩學初探　吳宏一　牧童出版社

七、文論類

文心雕龍注　劉勰著　范文瀾注　開明書店
藝概　劉熙載　廣文書局
談藝錄　錢鍾書　香港龍門書店
文論講疏　許文雨　正中書局
文學概論　王夢鷗師　帕米爾書店
談文學　朱光潛　開明書店
中國近古文學概論　徐嘉瑞等　鼎文書局
藝術的奧秘　姚一葦　開明書店

文學理論資料彙編	文學組編	華諾文化公司

八、哲學類

西洋哲學史	威柏爾 柏雷	水牛出版社
美學原理	克魯齊著 傅東華譯	商務印書館
西方美學史	朱光潛	漢京文化公司
文藝心理學	朱光潛	開明書店
談美	朱光潛	開明書店
康德哲學	吳　康	商務印書館
世界是意志和表象	叔本華著 繆靈珠譯	未刊稿
意志和表象的世界	叔本華著 林建國譯	自印本
叔本華論文集	陳曉南譯	志文出版社
叔本華選集	劉大悲	志文出版社
蘇魯支語錄	尼　采	世界文庫

文藝美學　王夢鷗師　新風出版社

老子道經管窺　葉程義　文史哲出版社

莊子寓言研究　葉程義　義聲出版社